HISTORIA DE LAS CIVILIZACIONES

CONTADA POR

DIANA URIBE

AGUILAR CARACOL RADIO

AGUILAR

Primera edición en Colombia: noviembre, 2008
Décima reimpresión: julio, 2015

© 2008, Diana Uribe
© De esta edición:
2008, Penguin Random House Grupo Editorial, S. A. S.
Cra. 5a. A. N°. 34-A – 09, Bogotá D.C., Colombia
PBX (57-1) 7430700
www.megustaleer.com.co

Asistente de investigación: Carolina Luna

Recopilación de información y textos: Martín Moreno, Carlos
José Reyes, María Ángela Guzmán, Lucía Murcia, Claudia Arcila

Texto «Biografía del cine»: Ricardo Silva Romero

© Música original para la serie de CD «Historia de las
civilizaciones»: Juan Guillermo Llano García

Estudio de grabación y mezcla: Llano Digital Studios – LD

Diseño y diagramación: Ana María Sánchez B.
Santiago Mosquera M.

Imágenes de cubierta e interiores: Ilustraciones digitales a
partir de imágenes de Archivo Santillana

Printed in Colombia- Impreso en Colombia

ISBN: 978-958-704-798-1

Impreso por Disonex S.A.

Penguin
Random House
Grupo Editorial

CONTENIDO

LOS ALBORES DE LA
HUMANIDAD
Y LAS ANTIGUAS
CIVILIZACIONES

130000 a.C. - 605 a.C.

))) Los albores de la humanidad y las antiguas civilizaciones
))) ANTES DE CRISTO

c. 130000 Aparece el hombre moderno (*Homo sapiens sapiens*) en el oriente y el sur de África.

c. 120000 Primeros enterramientos de seres humanos.

c. 90000 El *Homo sapiens sapiens* inicia la emigración de África hacia diferentes partes del mundo por una ruta a través del Oriente Medio.

c. 80000 El ser humano en Katanda (República Democrática del Congo), pesca grandes peces fluviales usando puntas de hueso, el aparejo de pesca más antiguo conocido.

c. 60000 al 40000 Invención de métodos de trabajar la piedra para producir, a su vez, otras herramientas. Uno de ellos consistía en arrancar de una piedra múltiples hojas laterales de sección triangular, con las que se fabricaban, con gran perfección, puntas de lanzas, cuchillos y otros muchos tipos de herramientas.

c. 60000 Ritos funerarios complejos en Europa (hombre de Neandertal) y Oriente Medio (hombre moderno), sugieren creencias religiosas.

c. 60000 El hombre moderno aprende a construir embarcaciones para adentrarse en el mar.

c. 60000 al 40000 Periodo de poblamiento de Australia y Nueva Guinea, llevado a cabo por navegantes del sudeste de Asia.

c. 50000 al 30000 El ser humano comienza a crear y utilizar objetos simbólicos avanzados. Su expresión se refleja en el arte rupestre.

c. 47000 De esta época data la flauta de hueso encontrada en la costa mediterránea de la Libia actual, considerada como el primer instrumento musical conocido.

c. 40000 Del inicio de este periodo se han hallado lápices que se utilizaban para pintar así como evidencias de que el ser humano quemaba pigmentos para fabricar colores. Los petroglifos hallados en el norte de Australia datan de esta época; se cuentan entre las formas artísticas más antiguas del mundo.

c. 40000 El ser humano hace avances significativos en la caza de animales y en la explotación de los recursos marinos. Participaba en grandes expediciones en las que se mataba gran número de renos, bisontes, caballos y otros animales que vivían en las amplias sabanas.

c. 40000 al 35000 Llega a Europa el hombre moderno, poseedor de un compleja estructura social. Comienza en el mismo continente el Paleolítico superior.

c. 30000 Desaparece el hombre de Neandertal. Habitaba en el continente europeo desde hacía más de cien mil años. Fue absorbido, o derrotado, por el hombre moderno.

c. 30000 Los objetos de arte paleolítico más antiguos que se conservan son pequeñas estatuillas antropomórficas y zoomorfas talladas en marfil y piedra; fueron halladas en el suroeste de Alemania y Austria. Destacan las esquematizadas figuras femeninas, denominadas genéricamente Venus, en las que se resaltan los atributos sexuales. De este mismo periodo datan las pinturas (rinocerontes, osos, grandes felinos y mamuts) de la cueva de Chauvet, Francia.

c. 30000 al 15000 El ser humano se adorna con elaboradas joyas de marfil, hueso y piedra y talla figuras representando animales y formas humanas.

c. 28000 Hay pruebas de la existencia de lámparas de mecha desde esta época. El fuego más pequeño, en forma concentrada, permitía moverlo y usarlo donde se necesitara. El control y la utilización del fuego datan de aproximadamente 200.000 años atrás.

c. 27500 al 25000 En Namibia (África), en la hoy denominada cueva Apolo 11, se realizan pinturas polícromas. Conforman el registro de arte rupestre más antiguo de África. De la misma época datan los grabados encontrados sobre valvas de ostras, astas de animales y cantos rodados, en la India, China y Japón, respectivamente.

c. 24000 Se inventa la aguja de coser, de hueso pulido. Fue uno de los inventos más relevantes pues permitió confeccionar ropa a la medida y adaptarse mejor al clima.

c. 22000 al 21000 Recientes hallazgos arqueológicos permiten suponer que en este periodo se inició el poblamiento de América: en Canadá se descubrieron utensilios de hueso datados en el 22000 a.C. y en el valle de México lascas de herramientas del 21000 a.C.

c. 18000 Utensilios de piedra hallados en los Andes peruanos se han datado en esta época.

c. 17000 Los artistas primitivos realizan pinturas de caballos, renos y bisontes en la cueva de Lascaux en Francia.

c. 15000 Tras fundirse los glaciares de la costa norte del Pacífico, el nivel del mar descendió unos 90 metros y el estrecho de Bering (entre Alaska y Siberia) se convirtió en un puente natural por el que pudieron pasar rebaños de animales y seres humanos. Tradicionalmente se ha pensado que los indígenas americanos descienden de los pueblos asiáticos que llegaron de esta manera a América; en la actualidad se estudian otras hipótesis.

C. = hacia, alrededor de.

Homo sapiens sapiens

Herramientas

Cuchillos

Pintura

Cueva de Chauvet

Joyas

Lámpara

Apolo 11

Aguja de hueso

Altamira

Pedra Furada

Punta de clovis

Arpones de hueso

Cerámica Jomon

Domesticación

Jerf el-Ahmar

Cueva de las Manos

c. 13000 En la cueva de Altamira (España) se realizan las que son, sin duda, las más destacadas pinturas del arte paleolítico. Sus principales escenas recrean animales con un estilo naturalista.

c. 12000 al 10000 Las pinturas rupestres de Pedra Furada, Brasil, se fechan al menos en torno a unos 12.000 años. Al mismo periodo corresponden los petroglifos de Early Man Shelter en Queensland, Australia.

c. 12000 Los restos de perros encontrados en las cuevas cercanas a Kirkuk (en el actual Iraq), junto a restos humanos, permiten deducir que para esta época el perro ya había sido domesticado.

c. 11500 De esta época datan las «puntas de clovis», tipo de punta de jabalina de base cóncava y con acanaladuras en una o dos de sus caras, halladas en Nuevo México.

c. 11000 Las herramientas de hueso y asta (puntas de lanza, arpones, ganchos) halladas en la cueva de Madeleine, Francia, datan de esta época. Fueron trabajadas con buriles de piedra. También se encontraron figuras de animales talladas en madera.

c. 11000 En el sur de Chile tiene lugar una de las primeras manifestaciones de sedentarismo suramericano: un grupo de cazadores-recolectores se asienta en un campamento, conocido por la arqueología bajo el nombre de Monte Verde.

c. 10500 al 8000 Se extienden aldeas sedentarias en la región comprendida entre el Éufrates y el Sinaí. Sus habitantes cosechan cereales silvestres, construyen casas circulares y emplean herramientas para la caza y utensilios para moler.

c. 10000 Empleo del fuego para transformar el entorno, es decir, quemar la maleza y producir otro tipo de vegetación, y así mismo atraer aves y otros animales. Cazadores-recolectores de Asia Menor cosechan cereales silvestres con hoces de piedra.

c. 10000 Se extinguen más de 20 especies americanas, entre ellas el mamut, el mastodonte, el caballo y el camello. Posiblemente la caza excesiva haya sido una de las causas.

c. 10000 Surge en Japón la cultura Jomon; sus principales señas de identidad: objetos de cerámica muy elaborados y sofisticadas chozas.

c. 10000 Los objetos de cerámica de la cultura Jomon están hechos por el método de superposición de anillos cilíndricos, decorados por impresión de cuerdas y esteras, y cocidos en horno abierto a baja temperatura.

c. 10500 al 8000 Fin del periodo glaciar. El clima empezó a hacerse más cálido y húmedo, y se inició la expansión de los bosques.

c. 9000 al 3000 Se inician la explotación agrícola y la domesticación de animales para la obtención de productos primarios (carne y pieles). Ello supuso una evolución gradual asociada a la vida sedentaria y al desarrollo de asentamientos permanentes. El origen de la agricultura se encuadra dentro de la revolución neolítica, que se produjo hace unos 9.000 años en Oriente Medio, hace unos 8.000 años en China y hace 5.000 u 8.000 años en América.

c. 8000 Aparecen en el Creciente Fértil (región que corresponde a lo que actualmente son Israel, Líbano, Iraq y Siria) cultivos organizados de trigo y cebada, con grano más grueso que el de las variedades silvestres. Aparecen los primeros pueblos de agricultores.

c. 8000 Los pictogramas sobre piedra del yacimiento sirio de Jerf el-Ahmar parecen ser un primer avance en la evolución de la escritura.

c. 8000 El arte mobiliar más estudiado de esta época es el de la civilización aziliense: guijarros con puntos y líneas de pintura roja, hallados en Francia, España e Italia.

c. 7800 En el asentamiento urbano de la que será la ciudad palestina de Jericó (la primera ciudad conocida), compuesta por un gran número de casas redondas de ladrillo rodeadas por un foso y una muralla de 3 metros de ancho, se cultiva ya trigo, cebada y legumbres.

c. 7500 En el seno de la cultura mureybetiense, situada en el entorno del río Éufrates, se realiza un cambio importante en la estructura de las viviendas: dejan de ser circulares y se hacen de manera rectangular, construidas a partir de bloques de piedra caliza.

c. 7500 Domesticación de la cabra y la oveja en Oriente Medio.

c. 7500 Los artistas de la cultura mureybetiense realizan pequeñas figuras femeninas en arcilla cocida.

c. 7500 Tallas de animales en ámbar, piedra y hueso en Escandinavia y Dinamarca, como el oso de ámbar de Resen Mosen.

c. 7500 al 4500 En yacimientos de Dinamarca y Suecia, datados en esta época, se encuentran extensas colecciones de herramientas de madera. Aparecen las primeras muestras de cestería.

c. 7300 Representación de manos en negativo, en la Cueva de las Manos, al sureste de Argentina.

c. 7000 Invención del telar en Oriente Medio.

Los albores de la humanidad y las antiguas civilizaciones
ANTES DE CRISTO

c. **7000** Proliferan en Oriente Medio los poblados cuya base económica es la explotación agropecuaria.

c. **7000** Primeros cultivos en México y Perú: calabaza, aguacate, papa, pimiento o chile y fríjol.

c. **7000** De esta época son las seis flautas halladas en el yacimiento de Jiahu (China), hechas con huesos de grulla y con diferentes orificios, lo cual puede significar que se manejaban diferentes tonalidades.

c. **7000** al **5000** En Anatolia se han encontrado representaciones de actividades religiosas que datan de esta época y evidencian el uso de timbales y otros instrumentos de percusión.

c. **7000** Estatuillas de yeso encontradas en Israel y Jordania datan de esta época.

c. **7000** La ciudad de Çhatal Hüyük, en la actual Turquía, está conformada por casas con paredes de piedra decoradas con pinturas de animales y paisajes, y esculturas de cabezas de buey y leopardo.

Flautas Jiahu

c. **6500** al **6000** Se extiende el cultivo del trigo y la cebada a lo largo del valle del Nilo. Hacia la misma época se difunden estos cultivos por Europa, así como la domesticación de ovejas y vacas.

c. **6200** Primera muestra conocida de metalurgia: fundición de cobre de Çhatal Hüyük (Turquía).

c. **6000** Aparece el telar de pesos en Europa.

c. **6000** En el yacimiento de Lepenki Vir, en Serbia, constituido por una aldea pesquera, se encontraron grandes calizas talladas con rostros humanos y bocas de pez. Estas piedras serían las primeras muestras de esculturas monumentales.

c. **6000** De esta época datan los yacimientos con pinturas rupestres de Jinmium (Australia) que representan la serpiente arco iris, una muestra de la tradición artística religiosa más antigua de esta isla continente.

Cultivos organizados

c. **5500** Cultivo del algodón en el norte de Pakistán.

c. **5500** Se inventa, en la región de Mesopotamia, situada entre los ríos Tigris y Éufrates, el sistema de riego para los cultivos: se pueden cultivar los ricos suelos y lograr una cosecha anual.

c. **5400** En América del Sur son domesticadas las llamas y las alpacas, por su piel y carne y como animales de carga; los conejillos de Indias se crían por su carne. En Mesoamérica se desarrolla la cría del pavo.

c. **5000** El yacimiento de Nabta Playa, donde se descubre un pequeño círculo de piedra tallada, parece ser el antecedente más antiguo de una larga tradición egipcia de arquitectura en piedra.

Lepenki Vir

c. **5000** La balanza, instrumento de vital importancia para el comercio basado en el trueque, aparece en el valle del Nilo.

c. **5000** El horno semiesférico para canalizar el calor y cocer la cerámica, es inventado en Mesopotamia.

c. **5000** El cultivo del arroz en tierras húmedas se establece firmemente en el sur de China.

c. **5000** La cerámica conocida más antigua de África proviene de un asentamiento localizado en la actual región de Jartum, en Sudán.

c. **5000** La tradición de adornos para las orejas del periodo Jomon en Japón deja una amplia muestra de adornos hechos en arcilla con elaborados diseños.

Balanza egipcia

c. **5000** En Alemania se explotan vetas de sílex, extrayendo los bloques con picos construidos con astas de animales. El sílex fue transformado en hachas que se emplearon en la tala de bosques. Posteriormente la minería se extiende a Polonia y Bélgica.

c. **5000** al **4000** En las cámaras funerarias irlandesas de Boyne Valley se encuentran estructuras con grandes piedras dispuestas en círculos e hileras y talladas con espirales, rombos y figuras en zigzag.

c. **4500** Los artistas de Samarra (Iraq) elaboran piezas de cerámica coloreada en las que representan estilizadas figuras de hombres y animales. Hacia la misma época, los alfareros persas pintan figuras geométricas sobre vasijas.

Boyne Valley

c. **4500** Comienza a utilizarse en Mesopotamia la vela en la navegación fluvial.

c. **4500** Surgen núcleos de población a lo largo del valle del Nilo, tanto en el Delta como río arriba.

c. **4500** Se inventa en Mesopotamia el arado, que facilitó y mejoró el proceso de cultivo.

c. **4300** Hacia esta época ya se han desarrollado en Mesopotamia cientos de centros urbanos. Muchas de estas ciudades están fortificadas y poseen zonas dedicadas a edificios públicos.

c. **4200** Domesticación del caballo en Asia Central y Persia.

c. **4000** al **3000** Desarrollo de la agricultura sedentaria en los valles de los ríos Indo (en el oeste de India) y Amarillo (en el este de China) y, consecuentemente, surgimiento de centros urbanos a lo largo de los ejes fluviales.

Caballo asiático

c. **3800** Según indicios hallados en tumbas egipcias del periodo antiguo, hacia esta época el ser humano desarrolló las técnicas del curtido del cuero.

c. **3800** Se extiende en el Oriente Medio y Asia Menor el uso del bronce, una aleación de cobre con estaño que permitía obtener un material más duro y resistente.

c. **3800** En China se utiliza el pincel para pintar y decorar objetos antes que para escribir.

c. **3700** Se empieza a utilizar, en la región mesopotámica, una forma sencilla de escritura pictórica.

c. **3600** Se funda la ciudad mesopotámica de Uruk (llamada Erech en los textos bíblicos), en la actualidad, Warka (Iraq). Es considerada la ciudad más antigua del mundo y está relacionada con los comienzos de la administración pública y el desarrollo de la escritura.

c. **3500** Se configuran en el Nilo dos zonas específicas que se convierten en reinos independientes: el Alto y el Bajo Egipto.

c. **3500** Se construyen las primeras ruedas con eje en Mesopotamia. La rueda lleva a un uso más eficiente de la fuerza animal en la agricultura y otros campos.

c. **3500** En Mesopotamia y Oriente Medio aparece el torno alfarero, una rueda horizontal que, al girar, hacía más fácil el modelado de la arcilla que se le ponía encima. El desarrollo de la alfarería permitió cambios en el modo de vida: desde la preparación de la comida hasta su almacenamiento.

c. **3500** Se inicia la viticultura en Mesopotamia.

c. **3500** Colonización neolítica de España, Francia e Inglaterra.

c. **3500** Se construye el zigurat de Uruk, el más antiguo del que se tiene registro. Los zigurats eran templos escalonados en forma triangular, comunes a las culturas asiria, babilonia y caldea.

c. **3500** El *Dragón de jade,* de la cultura Hong-shan, es la más antigua representación tridimensional de un dragón hallada en China.

c. **3500** al **2400** Se realizan los primeros testimonios gráficos de la música en la antigua Mesopotamia, que demuestran la existencia de muchos instrumentos como liras, arpas, tambores, panderetas y laúdes.

c. **3400** Los egipcios comienzan a utilizar símbolos para los números 10, 100, 1.000 y 10.000. Este sistema de numeración permite manejar ya grandes números.

c. **3300** Se funda la ciudad estado de Ur en la región de Sumeria. Estaba situada entre la actual ciudad de Bagdad (Iraq) y el extremo del golfo Pérsico, al sur del curso bajo del Éufrates.

c. **3300** Los sumerios crean el primer sistema de escritura: la escritura cuneiforme, hecha con cuchillas puntiagudas sobre láminas de arcilla. La escritura es el invento que señala el fin de la Prehistoria y el comienzo de la Historia.

c. **3200** Vasijas de cerámica encontradas en Valdivia, Ecuador, están datadas en esta fecha.

c. **3100** Narmer, rey del Alto Egipto unifica los dos reinos (Alto y Bajo Egipto).

c. **3100** Nace en Mesopotamia el concepto de nación cuando las ciudades estado se unen alrededor de una misma lengua y una misma cultura.

c. **3100** Empieza a utilizarse en Egipto un sistema de escritura que hace uso de un tipo de pictogramas llamados jeroglíficos.

c. **3100** La *Paleta del rey Narmer* es una talla en piedra de forma rectangular que conmemora la unificación de las dos tierras: muestra a este rey portando las dos coronas y golpeando a uno de sus enemigos en un desfile triunfal.

c. **3100** Se talla la *Dama de Uruk* (antigua ciudad de Mesopotamia): cabeza femenina en mármol que sobresale por la delicadeza de sus rasgos.

c. **3000** Se inicia la industria viticultora en Egipto cuando los faraones deciden dejar de importar el vino y desarrollar sus propios cultivos.

c. **3000** Domesticación en China del gusano de la seda. Se inicia la confección de tejidos de seda.

c. **3000** En el suroeste de Asia se utiliza una primera forma de ábaco para realizar cálculos.

c. **3000** al **1800** La cultura Tutishcainyo en Perú, asentamiento totalmente agrícola, se caracteriza por la cerámica decorativa grabada.

c. **3000** Obras de cestería y plumas encontradas en la cueva de Lovelock, situada en el oeste de Nevada (Estados Unidos).

c. **3000** Pinturas rupestres del Sahara central representan a unos hombres vigilando el ganado. Se cree que son ovejas y reses.

c. **3000** Aparecen en Indonesia hachas de piedra completamente pulidas que representan la última fase de la cultura Hoabinhian en el sureste asiático.

c. **3000** Los egipcios usan sellos en relieve para grabar piezas de cerámica.

c. **3000** al **2300** Durante este periodo eran habituales los enfrentamientos bélicos entre las ciudades estado sumerias. Se idean nuevas técnicas de guerra, como el empleo de carros de combate de cuatro ruedas tirados por asnos.

Armas de bronce

Rueda con eje

Zigurat de Uruk

Dragón de jade

Escritura cuneiforme

Paleta del rey Narmer

Hachas de piedra

c. **2800** Comienza a medirse el tiempo por medio de un calendario. Los egipcios se basaron en las crecidas del Nilo en un principio, posteriormente desarrollaron calendarios solares y lunares. Fueron los primeros en reconocer un año de 365 días.

c. **2800** Los egipcios hacen tintas con óxido, pero no las usan para escribir.

c. **2780** al **2420** Periodo en el que se crean en Egipto textos extensos y complejos, sobre todo en el círculo de los más importantes funcionarios. Los estudiosos ven en este periodo los primeros trazos de la gramática de la antigua lengua egipcia.

c. **2800** al **2650** Complejo funerario del rey Zoser (Djoser). En este conjunto arquitectónico, construido por el arquitecto real Imhotep (también médico, literato y astrólogo), se encuentra la pirámide escalonada de Sakkara, antecedente de las grandes pirámides egipcias.

Rey Zoser

c. **2700** Comienza a cultivarse de manera intensiva el maíz en México.

c. **2670** La ciudad mesopotámica de Ur se convierte en una ciudad estado muy próspera y poderosa bajo el reinado de Mesanepada.

c. **2650** al **2140** Época del Antiguo Imperio egipcio: el poder de la monarquía se incrementó y extendió su influencia hacia el Sur, siguiendo el Nilo hasta Nubia (en el norte del actual Sudán).

c. **2600** Las inscripciones funerarias egipcias de la IV Dinastía dan testimonio del desarrollo de la jardinería.

Cultivo de Maíz

c. **2600** A esta época corresponde la gran lira con cabeza de macho cabrío tallada en madera, recubierta de oro y con incrustaciones de lapislázuli encontrada en la tumba real de Ur. También son halladas suntuosas arpas y una gran cantidad de representaciones figurativas que dan cuenta del desarrollo musical en Mesopotamia.

c. **2600** Friso de las *Ocas de Meidum*, pintura mural que muestra la excelencia del naturalismo en el arte egipcio.

c. **2600** En Siria (región histórica que comprendía parte de los actuales Estados de Líbano, Turquía, Jordania, Israel y Siria) asciende una élite secular que propicia la arquitectura palaciega. A los reyes se les representa como guerreros, constructores o presidiendo banquetes. Las estatuas identificadas con inscripciones cuneiformes se colocaban en los templos.

Detalle de las Ocas de Meidum

c. **2600** Surge la cultura del Indo o Harappa, extendida por grandes zonas de Pakistán y el noroeste de la India. Mohenjo-Daro y Harappa son las ciudades más importantes.

c. **2600** Escultura en bronce de *La bailarina de Mohenjo-Daro*, de la cultura del Indo. Esta cultura es también creadora de una notable arquitectura en ladrillo.

Pirámides de Gizeh

c. **2570** al **2470** Construcción de las pirámides de Gizeh. La de Keops, la mayor de todas, mide 146 metros de altura y está construida con aproximadamente 2.300.000 bloques de piedra cuyo peso promedio de cada uno es de 2,3 toneladas. La de Kefrén fue construida por el hijo del faraón Keops y la de Mikerinos, por su nieto.

c. **2560** *La Estela de los Buitres*, tallada en piedra caliza como conmemoración de la derrota de la ciudad de Unma, se considera la cumbre de la técnica del relieve en Mesopotamia.

c. **2470** Se talla la *Triada de Micerinos*, grupo escultórico que representa al faraón flanqueado por dos diosas.

Triada de Micerinos

c. **2530** Entre las pirámides de Keops y Kefrén se levanta la Gran Esfinge, la escultura de mayor tamaño del mundo antiguo.

c. **2500** Aparecen vehículos de ruedas en el valle del Indo y en Asia Central.

c. **2500** De esta época es el templo babilónico en el que se encontraron miles de tablillas con composiciones literarias en escritura cuneiforme; está considerado la primera «biblioteca» del mundo.

c. **2500** al **2300** Desarrollo de la metalurgia del bronce en el centro y sureste de Europa.

c. **2500** En Mesopotamia se inventa el vidrio, que inicialmente se usó para fabricar cuentas de collar. Su uso se extendió de modo casi simultáneo a Egipto.

Guerrero de Ur

c. **2500** En Mohenjo-Daro, en el valle del Indo, se encuentran complejos sistemas de alcantarillado; muchas casas tenían baño, desagüe y letrina.

c. **2500** Los guerreros de Ur, Mesopotamia, ya usaban cascos para proteger la cabeza. Se empiezan a desarrollar los medios de protección metálica.

c. **2500** El alquitrán se usa en la construcción para pegar ladrillos y aislar la humedad.

c. **2500** *Estandarte de Ur*, estela que representa un hito en el arte de esta ciudad, gracias a sus escenas de batalla y celebración, talladas en concha e incrustadas en un fondo de lapislázuli.

Estandarte de Ur

c. **2500** La cultura Kotosh-Mito, situada en las tierras altas del norte de Perú, se caracteriza por sus pequeños templos.

Domesticación del camello

c. **2400** Domesticación del camello y el dromedario en Asia Central. El dromedario de Arabia se vuelve imprescindible en los viajes a través del desierto.

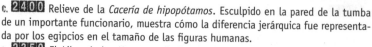
c. 2400 Relieve de la *Cacería de hipopótamos*. Esculpido en la pared de la tumba de un importante funcionario, muestra cómo la diferencia jerárquica fue representada por los egipcios en el tamaño de las figuras humanas.

c. 2350 El *Libro de los Muertos* egipcio es una colección de textos de conjuros, oraciones, himnos y fórmulas mágicas, escritos en rollos de papiro con ilustraciones. Aunque no se puede precisar su origen, la colección más antigua se remonta aproximadamente a este año. Su revisión y ampliación continuará hasta el periodo greco-rromano en el siglo IV a.C.

El Libro de los Muertos

c. 2330 Sargón I sube al trono, unifica bajo su gobierno toda Mesopotamia (Acad y Sumeria), actual territorio de Iraq y Siria, y extiende su poder hasta la costa mediterránea. Al unir bajo su mandato a diversos pueblos y culturas creó el primer imperio conocido de la Historia. Consolidó su poder concediendo a los servidores reales la administración de grandes territorios.

c. 2340 Relieve del *Taller de escultores*. En él se representa el proceso artístico realizado comúnmente en Egipto. Además, muestra una transgresión de la convención egipcia del cuerpo, en la que los hombros permanecían en posición frontal y el cuerpo, lateralmente. En este caso, las estatuas que están siendo esculpidas aparecen totalmente de perfil.

Sargón I

c. 2300 Tablillas de carácter cuneiforme contienen letras de canciones interpretadas por sacerdotisas de Mesopotamia.

c. 2200 La estela del rey acadio Naram-Sim es una talla en piedra arenisca que representa al rey rematando al último de sus enemigos en lo alto de una montaña.

c. 2216 al 2110 Utukhengal, rey de Uruk, logra expulsar a los invasores del norte de Mesopotamia, haciendo renacer el Imperio sumerio.

c. 2150 al 2000 Entre estas fechas se considera que vivió Abraham, patriarca hebreo al que, según la Biblia, Dios se le apareció y le ordenó que se circuncidaran él y sus descendientes en señal de la alianza contraída. De Sara, su esposa, tuvo a Isaac, y de Agar, su esclava, a Ismael, de quien los musulmanes árabes se consideran descendientes.

Estatuilla de Gudea

c. 2140 al 2040 Primer Periodo Intermedio en Egipto. Es una época confusa que conllevó la división del reino en varias dinastías rivales.

c. 2120 Se esculpen las estatuillas de Gudea, fundador de la III Dinastía de Ur, que gobernó aproximadamente quince años, durante un periodo de prosperidad.

c. 2100 Ur-Nammu, soberano sumerio, promulga un código legal que anticipa en casi tres siglos al famoso código babilónico de Hammurabi.

c. 2050 al 1950 Bajo el poder de la III Dinastía de Ur se realiza la unificación de sumerios y acadios, formando un solo reino que domina la Siria histórica (los actuales Estados de Líbano, Turquía, Jordania, Israel y Siria) y el suroeste de Irán.

Diosa Lilith

c. 2040 al 1640 Periodo del Imperio Medio en Egipto, al inicio del cual el reino fue unificado por Mentuhotep II, rey de Tebas, quien hacia el 2010 a.C. reconquistó el Bajo Egipto.

c. 2025 Estatuilla de la diosa Lilith, diosa de la muerte en la mitología babilonia. Representa el primer desnudo femenino de gran exuberancia.

c. 2000 De esta época se presume la escritura del *Poema de Gilgamesh*, la obra más conocida de la literatura sumeria; ensalza las proezas de Gilgamesh, quien gobernó Uruk (c. 2700-2650 a.C.). El poema, que podría considerarse la primera leyenda, plantea los grandes interrogantes humanos: el significado de la vida, la angustia ante la muerte y la búsqueda de la inmortalidad.

Stonehenge

c. 2000 Se escribe el poema de la cosmogonía asirio-babilónica *Enuma Elish* («Cuando en la parte superior», sus palabras iniciales), en el que se reconoce a Marduk como el creador del universo, los dioses y la humanidad.

c. 2000 En China los libros se hacen con láminas de madera de bambú unidas con cuerdas.

c. 2000 Culmina la fase principal de la construcción del monumento megalítico de Stonehenge, en el sur de Gran Bretaña.

c. 2000 Empieza a fabricarse la cerámica vidriada egipcia, que se caracteriza por el barniz azul o verde oscuro sobre una pasta con gran cantidad de polvo de cuarzo.

Domesticación de elefantes

c. 2000 Comienzan a usarse recipientes metálicos en las cocinas chinas de Dayagzhou.

c. 2000 Se domestican gallinas y elefantes en el valle del Indo.

c. 2000 Primeras recetas en Mesopotamia para fabricar jabón.

c. 2000 Se construyen en Mesopotamia, Siria y Cnosos, los primeros canales en bloque de piedra y cañerías de terracota, que aportaron mayor eficacia en el aprovechamiento del agua.

La plomada

c. 2000 La plomada es el instrumento de navegación más importante antes de la invención de la brújula. Los egipcios la usaban para determinar la profundidad y la naturaleza del lecho del mar.

c. **2000** Inicio del desarrollo de la acupuntura en China, procedimiento médico basado en la inserción de agujas en determinados puntos del cuerpo.

c. **2000** al **1600** Florece en Creta la civilización minoica.

c. **2000** al **1500** Primeros números chinos que utilizaban el sistema decimal, aparecen en huesos grabados.

c. **2000** Se construye el palacio de Cnosos en Creta, de donde surge el famoso mito del minotauro.

c. **1990** al **1765** Dinastía Xia, primera dinastía china, fundada por el príncipe Yu, a la que pertenecieron 18 reyes.

c. **1900** El más antiguo puente de piedra conocido se construye en Cnosos, basado en los antiguos arcos de ménsula.

c. **1900** Babilonia, una de las ciudades más destacadas de la Antigüedad mesopotámica, comienza a adquirir importancia.

c. **1800** al **1600** Decadencia de Sumeria, cuyo poder sobre el territorio mesopotámico pasa a Babilonia.

c. **1800** Los babilonios desarrollan un sistema sexagesimal de medidas, del que se derivan las unidades modernas para tiempos y ángulos, y adoptan el calendario un calendario lunar de 12 meses de 30 días.

c. **1800** Los egipcios descubren el proceso de fermentación. Pueden, por tanto, controlar la elaboración del vino y el pan.

c. **1800** al **1600** Verdaderos tratados de música sobre instrumentos de cuerda, sus partes, la clase y variedad de las escalas que producen los procesos de afinación, se encuentran en tablillas babilónicas de esta época escritas con caracteres cuneiformes.

c. **1792** al **1750** Babilonia alcanza su máximo esplendor bajo el reinado de Hammurabi y se convierte en la capital de un nuevo imperio. El *Código de Hammurabi* muestra la capacidad de organización política y jurídica que alcanza Babilonia.

c. **1765** al **1025** Periodo de la Dinastía Shang, la primera imperial de China. Al frente estaba el rey, que presidía una nobleza militar y elegía a los gobernantes territoriales.

c. **1750** Zimrilim, rey de Mari, lleva a cabo la decoración del palacio de Mari, con pinturas murales, conocidas por ser uno de los vestigios mejor conservados del arte mesopotámico. En ellas representa su investidura y animales mitológicos como grifos.

c. **1700** al **1500** En la región que hoy corresponde a Siria y Palestina aparece el alfabeto semítico, el primero conocido. Surge como una combinación de los símbolos cuneiformes y jeroglíficos, bajo el principio general de asignar símbolos gráficos a los sonidos. Los alfabetos hebreo, árabe y fenicio se originaron en el semítico.

c. **1700** La civilización del Indo decae rápidamente a causa de fenómenos físicos (inundaciones, sismos) que, sumados a una serie de transformaciones sociales y agrícolas, alteraron las características básicas de dicha civilización.

c. **1700** Un gran incendio destruye todos los palacios de Creta. Posteriormente muchos fueron reconstruidos, siendo el de Cnosos el único que recupera su esplendor original.

c. **1650** Muere el rey hitita Labarna, fundador del reino hitita. Labarna conquistó prácticamente toda la Anatolia central (en la actual Turquía) y extendió sus dominios al mar Mediterráneo.

c. **1640** al **1530** Etapa histórica de Egipto conocida como Segundo Periodo Intermedio, durante la cual las zonas alta y media del país estuvieron bajo el control de los hicsos, procedentes de Palestina. Los hicsos introdujeron herramientas y armas de bronce, el carro de guerra y otras novedades.

c. **1626** Una erupción volcánica en una isla cercana provoca la destrucción de muchos centros urbanos cretenses y de varios palacios.

c. **1600** Es esculpida la estatuilla *La diosa de las serpientes*, que muestra a una mujer con los pechos desnudos que sostiene una serpiente en cada mano; muy probablemente esté asociada al culto minoico de la fertilidad.

c. **1600** al **1200** Florecimiento en Grecia de la civilización micénica. Su núcleo fue la ciudad de Micenas, situada en el sureste de la región continental.

c. **1600** Se realiza el fresco de la *Danza del Toro* en las paredes del palacio de Cnosos; representa a unos atletas saltando sobre un toro. De la misma época es el fresco los *Boxeadores* que adorna el interior de una casa minoica.

c. **1595** Los hititas, al mando del rey Mursil I, saquean Babilonia y la someten al vasallaje.

c. **1550** al **1250** Auge de la arquitectura palaciega en Micenas. El rasgo distintivo de los palacios eran sus paredes interiores decoradas con pinturas sobre yeso, muchas de ellas realizadas al fresco. En los talleres de artesanía de los palacios se creaban obras de arte mobiliario en materiales locales, inspiradas en modelos exóticos (principalmente egipcios y mesopotámicos).

Sistema decimal chino

Proceso de fermentación

Palacio de Cnosos

Código de Hammurabi

Diosa de las serpientes

Danza del Toro

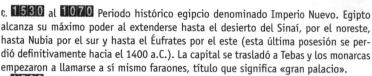

Búfalo chino

máscara funeraria

Tumba de Nebamon

Adoración dios sol (Atón)

Nefertiti

Tutankamón

c. 1530 al 1070 Periodo histórico egipcio denominado Imperio Nuevo. Egipto alcanza su máximo poder al extenderse hasta el desierto del Sinaí, por el noreste, hasta Nubia por el sur y hasta el Éufrates por el este (esta última posesión se perdió definitivamente hacia el 1400 a.C.). La capital se trasladó a Tebas y los monarcas empezaron a llamarse a sí mismo faraones, título que significa «gran palacio».

c. 1500 Pueblos pastores arios emigran de las regiones montañosas de Asia Central al norte de la India. Los arios hablaban una lengua indoeuropea que se convertiría en la principal fuente del sánscrito, del que se derivaron, a su vez, muchos idiomas indios.

c. 1500 al 1400 El hinduismo surge como la principal religión de la India. Nació a partir de una síntesis gradual de hábitos religiosos védicos autóctonos con elementos introducidos a partir de las invasiones de pueblos arios en el II milenio a.C. El hinduismo incluye la creencia en la reencarnación, el politeísmo y una visión jerarquizada de la sociedad, relacionada con el sistema de castas.

c. 1500 En China se domestica el búfalo para labores del campo.

c. 1500 Se hace la primera mención del reloj de sol en China, durante la Dinastía Shang.

c. 1500 El uso doméstico de pequeños ídolos de barro entre las comunidades agrícolas de Mesoamérica sugiere el surgimiento de creencias religiosas complejas.

c. 1500 Los alfareros de la cultura de La Chorrera, en la costa de Ecuador, elaboran hermosas piezas de cerámica decoradas con motivos naturalistas.

c. 1500 Una máscara funeraria, de hoja de oro, forma parte del tesoro hallado en tumbas reales micénicas de esta época.

c. 1500 Aparece en la zona del Índico y del Pacífico un estilo de cerámica grabada y dentada denominada lapita debido a que así se llamaba uno de los yacimientos de Nueva Caledonia, donde se encontró.

c. 1480 Se construye el templo mortuorio de la reina egipcia Hatshepsut, quien siempre aparece representada como hombre. El templo está formado por tres terrazas sobre columnatas, conectadas por una rampa.

c. 1450 Invasores procedentes de Micenas ocupan la ciudad de Cnosos y desplazan a los gobernantes minoicos.

c. 1420 Los egipcios inventan una especie de yugo (una barra en forma de T) para atar los cuernos de los animales que tiraban de los arados.

c. 1400 Se construye la tumba de Nebamon, célebre por sus pintura murales en las que fueron representados dos músicos de frente, mirando al espectador, singular variación de la estética egipcia.

c. 1400 Los hititas encuentran la forma de extraer hierro al fundir diversos minerales con calor del carbón vegetal. Se insinuaba así el comienzo de la Edad de Hierro. Los chinos lograron un tiempo después un material más flexible a través de fundiciones prolongadas.

c. 1400 al 1300 Desde esta época el teatro es toda una institución en la vida china. Las tramas en prosa se combinan con comentarios en verso y canciones. En este mismo siglo se consolida la narrativa con *Historia de tres reinos* de Luo Ben.

c. 1355 al 1335 Amenhotep (Amenofis), de la XVIII Dinastía egipcia, prohíbe el culto a cientos de dioses y trata de imponer el monoteísmo basado en el culto al disco solar (Atón). Cambia su propio nombre al de Akenatón, que significa «servidor de Atón». Sus sucesores retomaron la religión antigua.

c. 1350 El busto de la reina Nefertiti y una estatua que representa a su esposo, el rey Akenatón, son esculpidos. Las dos obras reflejan el cambio experimentado en el arte egipcio: mayor estilización de las figuras y la unión de lo femenino y lo masculino en la figura del faraón.

c. 1350 Surge el Imperio asirio en la zona del curso medio del Tigris, en Mesopotamia, actual territorio de Iraq y Siria. Su ejército conquistó Babilonia hacia el 1225 a.C.

c. 1350 al 600 La cultura asiria asimiló la babilónica en muchos aspectos. La vida social o familiar, las costumbres matrimoniales y las leyes de propiedad eran muy parecidas a las de Babilonia, así como las prácticas y creencias religiosas.

c. 1350 Se erige una ciudadela fortificada en la colina de la futura acrópolis ateniense. Construida con enormes piedras sin pulimentar se le atribuyó en la leyenda a los Cíclopes, gigantes de un solo ojo. Las pequeñas ciudades fortificadas se expanden por el mar Egeo.

c. 1346 al 1337 Las representaciones pictóricas y los restos de instrumentos que se han conservado en las tumbas egipcias permiten reconstruir un rico repertorio musical interpretado con arpas, liras, laúdes, flautas de caña e instrumentos de percusión.

c. 1340 al 1325 Reinado de Tutankamón. Sucedió a Akenatón, devolvió la estabilidad a Egipto y restauró el antiguo culto religioso.

c. 1325 La tumba de Tutankamón, el más famoso vestigio de la cultura egipcia, cuenta con innumerables muestras de arte de gran lujo, como su silla real, recubierta de oro, y su máscara dorada, muy fiel a sus rasgos.

c. **1300** Escritura del *Rig-veda*, en sánscrito antiguo, uno de los primeros himnos religiosos del hinduismo.

c. **1300** Se inicia en China la escritura pictográfica.

c. **1300** al **1200** El hogar fijo y circular en la habitación del trono del palacio de Micenas en Pilos, Grecia, un buen ejemplo de calefacción central.

c. **1296** al **1280** A causa de las pretensiones del faraón Ramsés II sobre Siria estalla la guerra entre egipcios e hititas. Aunque Ramsés II obtiene una gran victoria, los hititas continúan manteniendo sus posesiones en Siria. El rey hitita Hatusili III firma un tratado de paz con Ramsés II años después y lo sella dándole a su hija en matrimonio.

c. **1290** Se construye el templo de Karnak, el más largo y complejo de los templos egipcios a la orilla del río Nilo.

c. **1250** al **1200** El declive de la civilización minoica coincide con el inicio del periodo más próspero de la civilización micénica en Grecia.

c. **1250** Se construye en Micenas un túnel escalonado hecho de mampostería con vigas para acceder a una fuente de agua, así como la muralla defensiva de la ciudad, que cuenta entre sus hitos con la *Puerta de los leones*, esculpidos en piedra caliza.

c. **1250** Tras vivir esclavizado en Egipto, en tiempos del faraón Ramsés II, el pueblo hebreo obtiene su libertad. Conducido durante cuarenta años por el patriarca Moisés y su hermano Aarón, y finalmente por Josué, llegaron a Canaán o Palestina, la Tierra Prometida. Según la Biblia, durante la peregrinación Moisés recibió de Yahvé, en el monte Sinaí, las tablas de piedra en las que estaban escritos los Diez Mandamientos.

c. **1230** Se inicia la instalación de los hebreos en Canaán y, bajo la dirección de Josué, se forma la Confederación de las Doce Tribus, asociación hebrea político-religiosa.

c. **1225** En Egipto se construye el templo de Abu Simbel, caracterizado por las cuatro estatuas colosales del faraón Ramsés II sentado situadas a la entrada del templo.

c. **1200** al **1184** Tiene lugar la legendaria guerra de Troya, telón de fondo de la *Ilíada*, la célebre epopeya de Homero. Concluye cuando los griegos consiguen entrar a Troya en un caballo hueco de madera.

c. **1200** Invasores procedentes del norte del mar Egeo, conocidos históricamente como los «pueblos del mar», destruyen los centros de poder más importantes de Micenas. Luego atacan Anatolia, Siria, el delta del Nilo y Canaán. Algunos se instalan en este último país, donde se lea llamó filisteos.

c. **1200** Se descubre en Fenicia un tinte permanente para los tejidos. Aunque ya existían sustancias para teñir, éstas se decoloraban al ser expuestas al sol.

c. **1200** En este año ya se usaban las sillas de montar para el camello.

c. **1200** al **900** La civilización olmeca alcanza su máximo esplendor. Se desarrolló inicialmente en la costa este mexicana y se extendió posteriormente al altiplano central. Originó modelos políticos, sociales y religiosos de organización que prevalecieron en Mesoamérica hasta la conquista hispánica.

c. **1200** Hay indicios arqueológicos de que el chocolate, como bebida, se origina entre los olmecas de esta época.

c. **1200** al **900** Los olmecas construyen en México complejos centros ceremoniales y esculpen las colosales cabezas de basalto de 2,7 metros de altura y 25 toneladas de peso.

c. **1200** Durante este tiempo, los vasos de bronce se usaban en China en ceremonias rituales que incluían sacrificios en honor de los antepasados.

c. **1200** al **800** En los Andes septentrionales (Colombia, Ecuador, Perú) se inicia la orfebrería americana.

c. **1200** En el sur del Perú, en la península de Paracas, se desarrolla una cultura de tejedores en lana y algodón; confeccionaron piezas muy valoradas por su factura técnica y su rico colorido.

c. **1150** Los «pueblos del mar» se instalan en el reino hitita y, tras destruir su capital, provocan el aniquilamiento del Imperio.

c. **1150** Los dorios invaden Grecia continental, desplazan a los inmigrantes aqueos y jonios y, gracias a su superioridad militar (basada en las armas de hierro y en la utilización del caballo) acaban con la civilización micénica.

c. **1150** Alrededor de las antiguas fortalezas micénicas empiezan a desarrollarse en Grecia los nuevos centros urbanos, que derivarán en polis independientes. La forma monárquica de gobierno es sustituida por el poder de la oligarquía terrateniente.

c. **1125** al **1103** Reinado de Nabucodonosor I en Babilonia. Bajo su régimen, Babilonia experimenta un resurgimiento del poder militar.

c. **1100** al **900** Los fenicios desarrollan la escritura alfabética.

c. **1100** Los fenicios se consolidan como los más efectivos comerciante de las costas del Mediterráneo, siendo los primeros en darle a este mar su carácter de cuna de

Rig-veda

Puerta de los leones

Templo de Abu Simbel

El caballo de Troya

Cabeza megalítica

Orfebrería americana

Alfabeto fenicio

Barco fenicio

las civilizaciones. Sus flotillas llegan hasta el Atlántico y Gran Bretaña, y sus barcos y tripulaciones son solicitados por otros poderes del área.

c. **1100** Una línea de gobernantes sudaneses establece el reinado de Napatan. Construyen palacios y templos, así como cementerios con pequeñas pirámides. Durante un breve periodo estos reyes sudaneses gobernaron Egipto, pero después del 671 a.C. regresaron a su territorio trasladando la residencia real a Meroe.

c. **1070** al **700** Etapa histórica de Egipto conocida como Tercer Periodo Intermedio, durante la cual el poder central se hunde y el territorio se fracciona en varios Estados independientes. Hubo un pasajero renacimiento con Shesonk I (945-924 a.C.), que invade Israel y Judá.

c. **1027** al **221** Periodo de la Dinastía Zhou, fundada por el príncipe Wu, cuyo poder se extendió por casi todo el territorio que actualmente corresponde a China. Los Zhou delegaron su autoridad en reyes que desde ciudades amuralladas gobernaban grandes territorios.

Shesonk I

c. **1020** Escritura de los primeros textos del *I Ching*, libro chino de los oráculos, también conocido como el «Libro de las mutaciones». Posteriormente fue adoptado por Confucio y sus seguidores.

c. **1020** Tras vencer a filisteos, amonitas y amalecitas, Saúl logra la unión de las distintas tribus israelitas y se convierte en el primer monarca del antiguo Israel.

c. **1000** al **965** Periodo del reinado de David sobre Judá e Israel. Derrotó a los filisteos y a otros Estados vecinos que sometió al vasallaje. Conquistó Jerusalén a los cananeos y estableció la capital en Hebrón, ciudad próxima a Jerusalén que antiguamente había sido conquistada por Josué y que, según la tradición, alberga la tumba de Abraham y su familia (situada en una cueva conocida como la Cueva de los Patriarcas).

Textos del I Ching

c. **1000** Los arios se instalan en la fértil llanura del Ganges. Desarrollan una sociedad agrícola (arroz) formada por pequeños reinos tribales.

c. **1000** al **700** La metalurgia del hierro se extiende por Europa: supuso un salto cualitativo en el desarrollo material: las herramientas y las armas eran más duras y su elaboración más barata que las de bronce.

c. **1000** Se inventa la cometa en China. Las antiguas cometas se utilizaron con fines religiosos, para pescar y como señales militares.

c. **1000** En Amsa-dong (Corea), a orillas del río Han, se usan vasos con bases puntiagudas que se utilizan para cocinar.

Pirámide maya

c. **1000** al **770** Periodo hegemónico de la ciudad mediterránea de Tiro (en el sur del actual Líbano) sobre las restantes ciudades fenicias.

c. **1000** al **500** Periodo arcaico de la literatura griega, también conocido como jónico o dórico. Epopeyas homéricas y poemas de Hesíodo. Orígenes de la prosa y la filosofía. Surgen la mayoría de los géneros, formas y tópicos que dominarán la tradición literaria occidental.

c. **1000** El periodo formativo maya (o preclásico) abarca, aproximadamente, desde este año hasta el 300 d.C. Los mayas habitaron la zona costera del golfo de México, el actual estado mexicano de Chiapas y las tierras bajas de Guatemala.

Reino de Saba

c. **1000** Surge el reino de Saba en el suroeste de la península Arábiga (actual Yemen), mencionado en la Biblia en la historia sobre el encuentro entre el rey Salomón y la reina de Saba. Fue uno de los Estados más poderosos de la península hasta aproximadamente el 115 a.C. Mantuvo colonias a lo largo de las rutas comerciales que se dirigían a Palestina. Marib, la capital, fue una de las ciudades más ricas de la antigua Arabia.

c. **965** al **928** Reinado de Salomón. Fue un periodo pacífico, lo que le permitió centrar su actividad en proyectos de construcción.

Templo de Jerusalén

c. **954** Salomón ordena construir el Templo de Jerusalén para guardar el Arca de la Alianza, los mandamientos sagrados entregados por Yahvé a Moisés en el monte Sinaí.

c. **950** Surgen, en el marco de las manifestaciones musicales interpretadas en el Templo de Jerusalén, los estilos responsorial y antifonal.

c. **945** El poder dinástico en Egipto pasa a un jefe libio, Shesonk I quien, a través de una política expansionista, se apodera de Israel, Judá y Biblos (capital de los fenicios, situada cerca de Beirut, en el actual Líbano). Tras Shesonk I, Egipto vuelve a hundirse en un periodo de decadencia.

Libro de las odas

c. **928** Tras la muerte de Salomón, las tribus del Norte se rebelaron bajo el mando de su hijo Roboam. Las dos naciones, Israel en el norte y Judá en el sur, nunca volvieron a reunirse, y con frecuencia lucharon entre sí.

c. **900** El *Libro de las odas* constituye la primera antología de la poesía china. Los poemas reflejan la vida cotidiana de la gente común.

Textos sagrados

c. **900** Se redactan en India los *Brahmana*, textos sagrados del hinduismo escritos en sánscrito. Explica los rituales que practican los sacerdotes y los mitos que los sustentan.

Los albores de la humanidad y las antiguas civilizaciones
ANTES DE CRISTO

c. **900** al **700** El Pentateuco, que reúne los primeros cinco libros de la Biblia, fue compuesto en esta época por autores anónimos. Algunos investigadores han sugerido que adquirió su forma básica alrededor del 1100 a.C.

c. **900** Fundación de Esparta a partir de la fusión de cuatro aldeas dorias, en la península del Peloponeso.

c. **900** Primer poblamiento de una comunidad agrícola, en el emplazamiento de la futura Roma.

c. **900** al **200** Periodo de florecimiento de la cultura Chavín en el área andina septentrional del Perú y su zona costera norte. Desarrolló un singular estilo artístico, expresado en piezas de cerámica que representaban extraños dioses-animales.

Pentateuco

c. **800** En la costa mediterránea de África (cerca de la actual ciudad de Túnez) los fenicios establecen un centro de comercio que se convertirá con el tiempo en la ciudad de Cartago, uno de los más poderosos centros de la Antigüedad.

c. **800** al **600** En este periodo tiene lugar la gran expansión colonial de las ciudades griegas que lleva a la fundación de colonias a lo largo de todo el Mediterráneo, desde la península Ibérica hasta el mar Negro.

c. **800** al **750** Se escriben la Iliada y la Odisea, obras atribuidas a Homero, precursor de la literatura en la Antigua Grecia. La primera narra los acontecimientos ocurridos durante 51 días en el décimo y último año de la Guerra de Troya y la segunda narra la vuelta a casa del héroe griego Odiseo (Ulises, en latín) tras la Guerra de Troya. Poco después, el poeta Hesíodo escribe Los trabajos y los días, que constituye el primer poema griego que se centra en la vida cotidiana. La Teogonía, atribuida a Hesíodo, narra los mitos del origen del mundo y resume el parentesco de los dioses.

776 Celebración en Olimpia de los primeros juegos griegos en honor a Zeus.

c. **770** al **600** China se convierte en una federación de Estados independientes con dinastías locales, coincidiendo con una etapa de debilitamiento de la autoridad de los Zhou.

Arte Chavín

c. **753** Fecha tradicional de la fundación de Roma. Comienza el primer periodo de la historia de Roma, que transcurre bajo la monarquía (iniciada por el legendario Rómulo), que se extenderá hasta el 510 a.C., cuando es sustituida por el régimen republicano.

c. **750** Los etruscos perfeccionan el arco, arma conocida desde la Prehistoria, con limitada resistencia y potencia.

c. **750** al **600** Periodo de desplazamiento de la India aria hacia el Este. Los Mahajanapanadas, las dieciséis principales divisiones territoriales de la India coexisten con diversos Estados gobernados por príncipes y asambleas de nobles.

c. **735** Los griegos fundan las colonias de Siracusa y Naxos en Sicilia.

c. **730** Piye (o Piangi), rey del Estado nubio de Nepata, conquista Menfis y Tebas, somete a todos los reinos egipcios y funda la XXV Dinastía.

c. **730** al **650** Periodo de mayor extensión del Imperio asirio. Controla Oriente Medio desde Egipto hasta el golfo Pérsico.

La Iliada y la Odisea

c. **725** Esparta conquista la ciudad doria de Mesenia y se reafirma así como potencia.

c. **720** Bajo el reinado de Sargón II los asirios, que con anterioridad habían conquistado Samaria, capital de Israel, obligan al exilio a diez tribus, las tribus perdidas de Israel, cuyo destino se desconoce y ha dado lugar a innumerables leyendas.

c. **715** Construcción del primer acueducto para abastecer la ciudad de Jerusalén, por mandato de Ezequías, rey de Judá.

c. **715** Durante los reinados de Ajaz, rey de Judá, y de su hijo Ezequías, el profeta hebreo Isaías formula sus profecías.

c. **715** al **700** Shabaka, sucesor de Piye, somete todo el Delta y reunifica Egipto.

c. **710** Senaquerib, hijo y futuro sucesor de Sargón II de Asiria, crea el primer zoológico con el objetivo de conservar especies animales raras. En su palacio también hubo un jardín botánico.

Pared del palacio del rey Sargón II

c. **700** Tras la muerte del rey asirio Sargón II se levanta su ciudadela (que él mismo había planificado). Situada en el norte del actual Iraq, su magnífico palacio se caracteriza por sus torres defensivas, sus siete pisos, cada uno pintado de un color diferente y las puertas guardadas por toros alados.

c. **700** Se construye en Egipto el primer reloj de sol, un perfeccionamiento del trozo de madera que se clavaba en la tierra para saber la hora aproximada.

c. **700** Los pueblos y ciudades de Ática, península del sureste de Grecia (habitada por griegos jónicos), se unen políticamente a la ciudad estado de Atenas.

c. **700** Aquemenes funda en Persia la Dinastía Aqueménida.

c. **680** Asaradón, rey de Asiria, declara la guerra a Egipto, toma Menfis y logra el dominio del Delta.

c. **670** al **600** Surgen en distintas ciudades estado de Grecia las tiranías como forma de gobierno.

Reloj de sol egipcio

Ciudad-estado de Atenas

c. 670 Argos, el núcleo urbano más antiguo de Grecia, se ha transformado en la ciudad estado más poderosa del Peloponeso.

c. 670 Asurbanipal, hijo de Asaradón, inicia su reinado, durante el cual el Imperio asirio alcanza su mayor apogeo y esplendor. Asurbanipal hereda un gran reino que abarca desde el norte de Egipto hasta Persia y extiende sus dominios hasta el sur de Egipto y el oeste de Anatolia. Al final de su gobierno, perdió Egipto.

c. 670 Asurbanipal funda una gran biblioteca en su palacio de Nínive, que incluía textos eruditos y literarios, así como obras sobre magia.

c. 668 Relieve asirio en alabastro de la *Gran cacería de los leones*. Resalta especialmente esta pieza por la expresividad de la leona herida, uno de sus detalles.

c. 660 Esparta se convierte en un Estado militar, bajo el dominio político de una minoría.

c. 650 Psamético, gobernador de Egipto en nombre de Asiria, se declara independiente y expulsa a asirios y etíopes.

c. 650 al 550 Durante esta época vivió Safo, poetisa griega, de quien tan sólo se conservaron seiscientos cincuenta versos, extraídos de citas tardías y del moderno estudio de papiros. Se ha dicho que era profesora de una escuela de poesía fundada por ella, lo que es difícil de certificar, aunque sí es cierto que convivía con sus compañeras en un clima distendido y propicio a la contemplación y la recreación del arte y la belleza.

c. 650 *Dama de Auxerre*, estatuilla de mujer, una de las más antiguas muestras del arte griego.

c. 648 Ardis, rey de Lidia (reino que aproximadamente correspondió a la actual Turquía asiática), acuña monedas como medio de intercambio comercial. Nacimiento del dinero.

c. 632 El descontento social con el Areópago, consejo de nobles encargado de designar a los magistrados responsables de la dirección de los asuntos bélicos, religiosos y legislativos de Atenas, desemboca en un intento de acabar con él durante la dictadura de Cilón.

c. 621 La persistencia de la agitación social en Atenas lleva al legislador Dracón a promulgar un riguroso código legal que, aunque respaldaba al Areópago, limitaba el poder judicial de la nobleza. En la actualidad la expresión «leyes draconianas» designa a leyes muy estrictas.

c. 610 Fin del Imperio asirio tras la derrota final del rey Assur-Uballit II ante los medas, que se habían tomado Assur, la capital, en el 614 a.C.

c. 610 Asiria deja su principal legado artístico en los templos de Assur, Nimrud y Nínive, caracterizados por los relieves que revestían las paredes de las dependencias importantes.

c. 605 Nabucodonosor II, hijo de Nabopolasar, fundador de la Dinastía Caldea o Neobabilónica, sube al trono. Convierte a Babilonia en la capital de un amplio imperio que se extiende hasta Palestina y Siria.

Rey Assur-Uballit II

Gran cacería de los leones

Psamético

Safo

Dama de Auxerre

EDAD DE PIEDRA

Se llama Edad de Piedra al periodo prehistórico anterior al uso de los metales; por tanto, no se restringió al uso exclusivo de la piedra, sino que durante su transcurso el ser humano también se sirvió de otros materiales menos perdurables, como madera, hueso, cornamenta y fibras vegetales y animales. La historiografía suele dividir la Edad de Piedra en los periodos Paleolítico, Mesolítico y Neolítico.

Paleolítico Es el periodo durante el cual los seres humanos labraron implementos de piedra utilizando exclusivamente la técnica del desbastado mediante el martilleo con una piedra más dura. Estos implementos fueron usados para obtener y trabajar materiales orgánicos, por lo que hay que tener en cuenta que el empleo de la madera fue de enorme importancia en el utillaje paleolítico. El Paleolítico está a su vez está dividido en tres grandes fases sucesivas: Paleolítico inferior, medio y superior. La primera fase se da en distintas fechas según las zonas geográficas, y el registro más antiguo data de hace unos dos y medio millones de años en Etiopía. En él, los utensilios de piedra aparecen tallados mediante percutores para crear útiles apuntados o con filos por una sola cara, empleados para cortar, perforar o raer; es la tecnología más antigua y duradera de la humanidad. La segunda fase se dio durante la existencia del *Homo erectus* (antepasado directo del *Homo sapiens*), del que se han encontrado restos desde el sur de África hasta el sureste asiático, que abarca un periodo iniciado hace poco menos de dos millones de años y que se extendió hasta hace unos pocos centenares de miles de años; se caracterizó por el tallado de dos caras, como el corriente bifaz simétrico de filo largo, puntiagudo y cortante, con un extremo engrosado a modo de cabeza de martillo. El Paleolítico superior europeo corresponde ya a la presencia del hombre moderno y está asociado con una amplia variedad de útiles de piedra, hueso, cornamenta y marfil, incluidos propulsores, arpones y agujas y herramientas «industriales», como leznas, raspadores y grabadores. En el hemisferio norte, el Paleolítico superior acabó hace unos 10.500 años con el fin de la glaciación; en África se extendió hasta la Edad del Hierro; en América, la etapa más antigua de presencia humana, comenzó hace 15.000 años (algunos remontan su inicio hasta hace unos 50.000 años) y concluyó hacia el 5000 a.C. aproximadamente. A lo largo del Paleolítico, el ser humano fue cazador, recolector y, en menor medida, pescador; los grupos humanos se desplazaban constantemente según las estaciones, aunque también ocupaban cuevas y construían refugios rudimentarios, como por ejemplo cabañas con estructura de huesos de mamuts. Al Paleolítico también corresponde el inicio del empleo del fuego, hace aproximadamente un millón y medio de años; el inicio de la navegación, de las prácticas funerarias (Paleolítico medio) y de la aparición del arte figurativo en todos los continentes (Paleolítico superior), como arte rupestre, labrado o en forma de pequeñas estatuillas.

SABÍA USTED QUE...

El ladrillo es el primer material DURADERO de construcción hecho por el **hombre**. Sus muestras más antiguas datan del **8000** y proceden de Jericó.

Los **tejidos** más **antiguos** que se conocen proceden de **Anatolia**, del 6500. La lana fue la PRIMERA MATERIA PRIMA.

Hacia el **4000**, los **egipcios** desarrollan la TÉCNICA DEL EMBALSAMAMIENTO DE CADÁVERES.

La primera represa es construida por los **egipcios** cerca del 4000, para desviar el Nilo y proporcionar más terreno a la ciudad de **Menfis**.

La planificación urbana tiene sus primeros ejemplos en LAS URBES CHINAS de los años cercanos al **4000**, que se organizan de acuerdo a UN TRAZADO en damero.

Las representaciones visuales egipcias dan cuenta del inicio del **uso** DEL **MAQUILLAJE** hacia el 3750; práctica que NO **ERA** EXCLUSIVA de las MUJERES.

Los **pozos** más antiguos, datados alrededor del 3000, son los de CHANDRUDARO y MOHENJO-DARO en Pakistán, construidos con una pared circular hecha con ladrillos en forma de cuña.

Se calcula que alrededor del 2800, la antigua **ciudad de Ur**, en MESOPOTAMIA, tiene alrededor de **34.000** HABITANTES.

Hacia el 2780, se conoce el PRIMER EJEMPLO DE **columna** como elemento constructivo, usada en la sala de entrada de la **pirámide** del faraón Zoser.

Según los rituales del culto oficial del reino de Ur, ... realizados hacia el 2500, cuando el señor muere todos sus sirvientes deben SUICIDARSE con CICUTA.

El sistema de ALCANTARILLADO más antiguo del que se tiene constancia es construido en la ciudad de MOHENJO-DARO, hacia el 2500, en el VALLE DEL INDO.

Alrededor del 2500, las famosas crecidas del **NILO**, que depositan el fértil limo en las zonas de inundación, ocurren de JULIO a SEPTIEMBRE, tras el deshielo en las montañas abisinias.

En épocas cercanas al **2000**, el oficio de los «tejeros» egipcios es el de hacer injertos de piel. **Primer antecedente conocido del TRASPLANTE QUIRÚRGICO.**

La **DIETA** de los egipcios de los años cercanos al 2000 la componían dátiles, cebolla, pan de cebada, carnes y pescados, miel, frutas y distintos productos lácteos.

El registro más antiguo de **ESCRITURA CHINA,** datado cerca del 2000, lo constituyen las inscripciones en **huesos de cerdos y bueyes usados en ritos de adivinación.**

El proceso de recubrir superficies con **LACA** se desarrolla en CHINA durante la **Dinastía Shang, hacia el 1700.**

Hatshepsut es probablemente la **primera mujer de la historia en ejercer COMO GOBERNANTE,** alrededor del 1490. A la muerte de su esposo y hermanastro, Tutmosis II, se hace proclamar faraón.

El arte de **ILUMINAR** manuscritos comienza en **Egipto con el LIBRO DE LOS MUERTOS,** datado cerca del 1310.

La técnica del **ESMALTE FUNDIDO** tiene su origen en la **cultura micénica, hacia el 1200.**

EL PARAGUAS Y LA SOMBRILLA se inventan en China, alrededor del 1100, y luego se usaron en **Asiria, India y Persia.** Más tarde pasaron a **Egipto,** donde significaron categoría y distinción.

Hacia el 700, los **etruscos** ya realizaban **PRÓTESIS DENTALES.** Los **dientes** se tallaban en hueso o marfil o procedían **de otros humanos.**

EL LEGENDARIO rey frigio Midas, admirado por sus grandes riquezas en **oro,** se suicida en el 690 cuando su reino, asentado en Anatolia, es destruido por los cimerios.

En los años cercanos al 650, el culto orgiástico a **DIONISIO,** dios griego del vino, es celebrado exclusivamente **por mujeres.** Se realiza en el bosque, en pleno invierno, bebiendo y danzando hasta el agotamiento.

Durante los trabajos de restauración del **TEMPLO DE JERUSALÉN** en el 621 es encontrado el texto del **DEUTERONOMIO,** cuyo autor, según la tradición, **Moisés** y que contiene el código que estableció para su pueblo.

SABÍA USTED QUE...

Mesolítico Los límites cronológicos del Mesolítico varían de acuerdo al lugar, pero en general tuvo lugar entre el año 10000 a.C. y el 3500 a.C. Los grupos mesolíticos siguieron siendo cazadores-recolectores, pero pasaron a cazar otras especies de animales muy diferentes (como el cerdo en vez del reno) debido al cambio del clima, que se hizo más templado tras la glaciación. La «caja de herramientas de piedra» refleja este cambio ambiental y está caracterizada por la presencia de puntas geométricas, que no sólo se usan en las flechas sino también como parte de instrumentos complejos (como hoces, por ejemplo), uniéndolas, con resina, a mangos de madera o astas. También se emplearon hachas de piedra para el trabajo de la madera.

Neolítico Comprende desde el Mesolítico hasta el inicio de la Edad de los Metales, que suele fecharse entre el 7000 a.C. y el 2500 a.C. El nombre se refiere al nuevo modo de pulir la piedra por el hombre, más evolucionado que en el Paleolítico. Durante este periodo, el ser humano dejó de lado las costumbres nómadas de caza, pesca y recolección, para hacerse sedentario y dedicarse al cultivo de la tierra y a la cría y pastoreo de ganado doméstico. Grandes avances marcan este periodo: la invención de la rueda, el desarrollo de la alfarería y el tejido, la fusión del cobre, el inicio de la navegación a vela y la confección de calendarios. Se pasó de vivir en cuevas a poblados construidos con cabañas o chozas. Se han hallado restos arqueológicos neolíticos en Oriente Medio, en el valle de Tehuacán (México), al sureste de Asia (Iraq, Siria, Turquía) y en China (Yangshao). El Neolítico alcanzó su apogeo hacia el 5000 a.C. en la región de la Medialuna Fértil, desde el golfo Pérsico hasta Siria, y se expandió luego a Europa y el Mediterráneo. La cerámica fue la primera manifestación del arte exclusivamente neolítico; otras importantes expresiones artísticas fueron las esculturas adoradas como diosas madres y los monumentos megalíticos de piedra dedicados al culto religioso. La pintura se hizo predominantemente esquemática y simbólica.

LA INDIA

La llanura de Asia Central, bañada por los ríos Indo, Ganges y Bramaputra, fue el escenario donde surgió la primera civilización de la India: Harappa y Mohenjo-Daro. La historia de la antigua India se divide en cuatro periodos:

Harappa y Mohenjo-Daro (2600-1500 a.C.) La civilización de Harappa y Mohenjo Daro, que apareció hacia el año 2600 a.C., surgió de las aldeas campesinas asentadas en las riberas del Indo y que se especializaron, inicialmente, en el transporte de mercancías; sus primeros núcleos urbanos estaban constituidos por conjuntos de casas, de piedra y adobe, amurallados para protegerse de las crecidas del río. Las ruinas de sus principales ciudades muestran un alto desarrollo urbano: acueductos, canales de riego, construcciones defensivas, calles principales, edificios administrativos, sistemas de alcantarillado, tiendas y talleres. El desarrollo de un sistema de escritura y sus delicadas estatuillas de bronce son otros de los aspectos que muestran el desarrollo de esta cultura. La primera civilización del valle del Indo fue también agrícola y ganadera, algunos de sus principales productos fueron el arroz y el trigo, que sirvieron no sólo para alimentar a su población sino también para desarrollar un sistema de comercio con pueblos vecinos. La decadencia de Harappa y Mohenjo Daro se inició hacia el 1700 a.C. y su principal causa estuvo en una serie de incontrolables inundaciones y terremotos que tuvieron ocurrencia alrededor de este año.

Periodo védico (1500-1000 a.C.) Este periodo inició con la invasión de los arios a la llanura del Indo. Los arios, que habitaban las regiones montañosas de Asia Central, se impusieron por medio de las armas y formaron varios reinos a lo largo del territorio indio. Su invasión llevó al surgimiento del hinduismo, una religión que recoge los hábitos religiosos védicos autóctonos y los integra a las creencias del pueblo invasor.

Periodo brahmánico (1000-321 a.C.) A partir del año 1000 a.C., los arios se desplazan a la llanura del Ganges y a la meseta del Decán. La lucha entre reinos, que caracterizó este periodo, impidió la unificación política del territorio, que se encontraba dividido en dieciséis *mahajanapanadas* (grandes reinos) que coexistían con diversos Estados gobernados por príncipes y asambleas de nobles. Sin embargo, tuvieron lugar la redacción de los *Brahmana*, los textos sagrados del hinduismo, y el surgimiento y afianzamiento del budismo, una alternativa de gran acogida al brahmanismo.

Imperio maurya (322-180 a.C.) La acción conquistadora de gobernadores como el príncipe de Magada y el emperador Asoka contribuyó a la expansión del territorio indio hasta el sur del Decán y a la instauración del Imperio maurya. Los diferentes reinos fueron cooptados por un poder central erigido en la capital: Pataliputra (actualmente Patna). El Imperio alcanzó su mejor momento durante el reinado de Asoka (268-233), profesante budista. Su fin tiene origen en la invasión de pueblos procedentes de Asia Central, que nuevamente dividieron el territorio en principados, y por el intento del emperador Pushyamitra de restablecer las prácticas de los sacrificios védicos, en contra del budismo.

MESOPOTAMIA

La región de Mesopotamia («tierra entre ríos», en griego) geográficamente corresponde a la llanura aluvial situada entre los ríos Tigris y Éufrates, en el actual Iraq. Como región histórica comprende también parte del este de Siria y parte del oeste de Irán. Su paisaje es diverso: al Norte es montañoso y árido, y al Sur, una sabana fértil, propicia para la agricultura y la ganadería. En las riberas de los mencionados ríos se desarrollaron, pues, los poblados agrícolas que darían lugar a los primeros centros de civilización urbana. Los periodos de la historia de Mesopotamia coinciden, entonces, con la de estas civilizaciones, entre las que hubo continuidad histórica y cultural: todos los imperios fueron gobernados por reyes guerreros y despóticos, que se consideraban representantes de los dioses; la posesión de la tierra estuvo siempre en manos de reyes, sacerdotes y nobles terratenientes; la sociedad estuvo dividida en libres, subalternos y esclavos; y los imperios se regían por leyes recopiladas en códigos. La religión era politeísta y creían en la divinidad de los astros. Algunos dioses representaban la naturaleza: el viento, el agua, los rayos, la agricultura.

Algunos de los aportes de la cultura mesopotámica fueron la diferenciación entre estrellas y planetas, la invención de un calendario lunar de 12 meses y la escritura, su principal contribución a la humanidad. Los primeros rastros de escritura datan del 3200 a.C., en pleno auge de la civilización sumeria.

Los signos escritos en forma de cuña (cuneiforme) eran hechos con cuchillas puntiagudas sobre láminas de arcilla.

Civilización sumeria (3600-2350 a.C.) El pueblo sumerio fue el primero en mostrar logros culturales e intelectuales, propios de una civilización. Fue el primero en idear una forma de escritura y en organizar a su población en ciudades estado que más tarde evolucionarían hacia una monarquía. Los primeros templos, tumbas y palacios fueron diseñados y construidos por los sumerios. La jerarquización de la población en gobernantes y gobernados, y la apertura de canales de riego para facilitar la agricultura, fueron otros adelantos de esta civilización. Hacia el 3100 a.C., existían varias de ciudades de estas características, con aglomeraciones urbanas de más de 10.000 habitantes. Fue la pugna entre las principales ciudades por imponer su hegemonía la que finalmente conduciría al final de la primera civilización. Entre las ciudades sumerias cabe mencionar Uruk (actualmente Warka, en Iraq), que, fundada en 3600 a.C., es considerada la ciudad más antigua del mundo y una fuente primordial de información arqueológica.

Imperio acadio (2350-2000 a.C.) La invasión del pueblo acadio, de cultura semita, iniciada hacia el 2350 a.C., concluyó con la instauración del Imperio acadio fundado por el rey Sargón I, quien limitó la autoridad de las ciudades estado, centralizó la organización socio-política en un gobierno monárquico y consolidó su poder concediendo a los servidores reales la administración de grandes propiedades. Durante este periodo, Mesopotamia se extendió hacia Persia y Siria y desarrolló el comercio marítimo por el golfo Pérsico con pueblos vecinos. Su capital fue la ciudad de Acad.

Imperio babilónico (1894-1595 a.C.)

El Imperio babilónico fue establecido por los amorritas, pueblo de origen semita que se estableció en la ciudad de Babilonia, ubicada en el curso inferior del Éufrates y el Tigris, hacia el 2000 a.C. Los amorreos asimilaron fácilmente la lengua, la religión y la cultura acadia, y provocaron el declive de su Imperio. Hammurabi, el rey más importante de este periodo (1792-1750 a.C.) reunificó Mesopotamia, extendió su poder a Sumer y Acad y estableció el código de su nombre, recopilación y adaptación de todas las leyes existentes durante la historia de la Mesopotamia, que en adelante regirían el Imperio babilónico. En 1595 a.C., los hititas (primer pueblo en usar el hierro), que vivían en los montes de Anatolia central, invadieron y saquearon Babilonia, con lo que indujeron el ocaso del Imperio.

Imperio asirio (1360-612)

Los asirios constituyeron un pueblo guerrero que habitó al norte de Mesopotamia e impuso su poder por medio de la fuerza. El ejército asirio derrotó y conquistó Babilonia hacia 1225 a.C., y en el 1100 a.C., había logrado el dominio de la costa occidental mediterránea. Hacia 910 a.C. combatió a arameos, caldeos y otras tribus, llegando a su máxima expansión en el 650 a.C., cuando el rey Asurbanipal (o Sardanápalo) se apoderó de Egipto. Durante el reinado de Asurbanipal (hasta el 627 a.C.) Asiria alcanzó su mayor apogeo y esplendor, aunque al final de su gobierno, perdió Egipto. Aún se conservan en el Museo Británico restos de una gran biblioteca que creó. Las presiones internas y los ataques de los medos y los caldeos babilonios provocaron el colapso del Imperio en 612 a.C.

Imperio neobabilónico (612-539)

El Imperio neobabilónico fue impuesto por los caldeos que, cansados del régimen asirio, reconstruyeron Babilonia para hacerla su capital y erigieron un imperio similar. Su primer rey y fundador fue Nabopolasar, quien murió en el año 605 a.C., dejando a su hijo Nabucodonosor en el trono. Los intereses imperialistas de éste lo llevaron a iniciar campañas conquistadoras contra Siria y Palestina, las cuales le permitieron ampliar su territorio. De este periodo datan los Jardines Colgantes de Babilonia, una de las antiguas siete maravillas del mundo. La muerte del monarca conquistador en el año 562 a.C. desató una crisis interna que concluyó con el ascenso de Nabonido en el 555 a.C., quien delegó el gobierno del país a Belshazar, su corregente, cuya mano dura generó un profundo descontento popular que facilitó el avance de los persas y la caída del Imperio. Con la invasión persa, la cultura mesopotámica desapareció, los invasores impusieron su cultura y los pobladores se fusionaron totalmente con los conquistadores.

EGIPTO

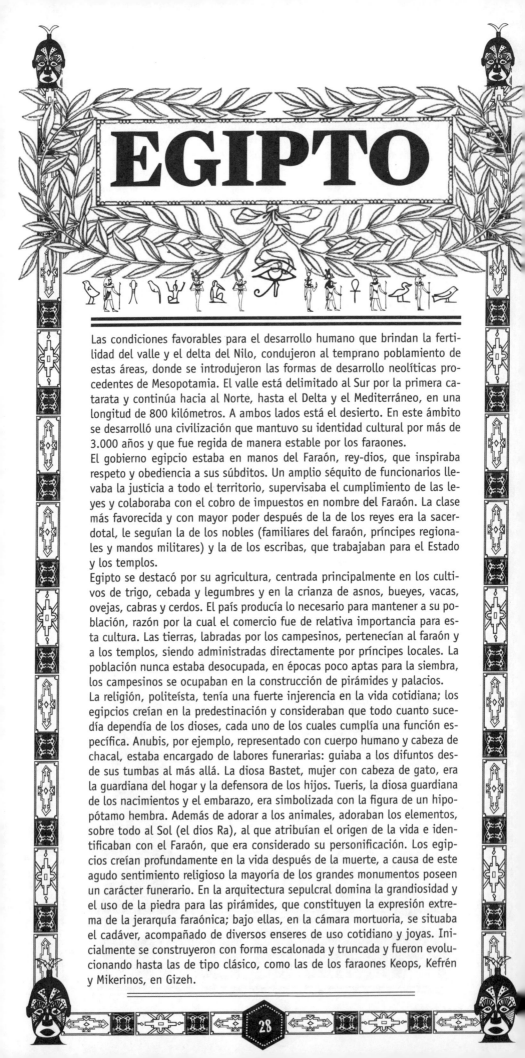

Las condiciones favorables para el desarrollo humano que brindan la fertilidad del valle y el delta del Nilo, condujeron al temprano poblamiento de estas áreas, donde se introdujeron las formas de desarrollo neolíticas procedentes de Mesopotamia. El valle está delimitado al Sur por la primera catarata y continúa hacia al Norte, hasta el Delta y el Mediterráneo, en una longitud de 800 kilómetros. A ambos lados está el desierto. En este ámbito se desarrolló una civilización que mantuvo su identidad cultural por más de 3.000 años y que fue regida de manera estable por los faraones.

El gobierno egipcio estaba en manos del Faraón, rey-dios, que inspiraba respeto y obediencia a sus súbditos. Un amplio séquito de funcionarios llevaba la justicia a todo el territorio, supervisaba el cumplimiento de las leyes y colaboraba con el cobro de impuestos en nombre del Faraón. La clase más favorecida y con mayor poder después de la de los reyes era la sacerdotal, le seguían la de los nobles (familiares del faraón, príncipes regionales y mandos militares) y la de los escribas, que trabajaban para el Estado y los templos.

Egipto se destacó por su agricultura, centrada principalmente en los cultivos de trigo, cebada y legumbres y en la crianza de asnos, bueyes, vacas, ovejas, cabras y cerdos. El país producía lo necesario para mantener a su población, razón por la cual el comercio fue de relativa importancia para esta cultura. Las tierras, labradas por los campesinos, pertenecían al faraón y a los templos, siendo administradas directamente por príncipes locales. La población nunca estaba desocupada, en épocas poco aptas para la siembra, los campesinos se ocupaban en la construcción de pirámides y palacios.

La religión, politeísta, tenía una fuerte injerencia en la vida cotidiana; los egipcios creían en la predestinación y consideraban que todo cuanto sucedía dependía de los dioses, cada uno de los cuales cumplía una función específica. Anubis, por ejemplo, representado con cuerpo humano y cabeza de chacal, estaba encargado de labores funerarias: guiaba a los difuntos desde sus tumbas al más allá. La diosa Bastet, mujer con cabeza de gato, era la guardiana del hogar y la defensora de los hijos. Tueris, la diosa guardiana de los nacimientos y el embarazo, era simbolizada con la figura de un hipopótamo hembra. Además de adorar a los animales, adoraban los elementos, sobre todo al Sol (el dios Ra), al que atribuían el origen de la vida e identificaban con el Faraón, que era considerado su personificación. Los egipcios creían profundamente en la vida después de la muerte, a causa de este agudo sentimiento religioso la mayoría de los grandes monumentos poseen un carácter funerario. En la arquitectura sepulcral domina la grandiosidad y el uso de la piedra para las pirámides, que constituyen la expresión extrema de la jerarquía faraónica; bajo ellas, en la cámara mortuoria, se situaba el cadáver, acompañado de diversos enseres de uso cotidiano y joyas. Inicialmente se construyeron con forma escalonada y truncada y fueron evolucionando hasta las de tipo clásico, como las de los faraones Keops, Kefrén y Mikerinos, en Gizeh.

La historia política del antiguo Egipto se divide en cinco períodos:

Imperio arcaico (4000-3100 a.C.) El período del Egipto arcaico inició hacia el año 4000 a.C. y se caracterizó por el asentamiento de comunidades agrícolas en el valle del Nilo, que más tarde formaron dos reinos: Bajo Egipto y Alto Egipto.

Imperio tinita (3100-2800 a.C.) Hacia el 3100 a.C., el Alto Egipto se impuso sobre el Bajo Egipto y unificó el territorio bajo un solo gobierno. Este momento coincide con el inicio de un sistema de escritura que hace uso de un tipo de pictogramas llamados jeroglíficos. Los reyes de esta época pertenecían a la ciudad de Thinis o Tinis. Su primer faraón fue Menes (el primero del que se poseen datos históricos), quien construyó la ciudad de Menfis, al Norte, como segunda capital política y económica del Imperio. Se hizo reconocer como monarca de origen divino y como jefe político y religioso de un Estado absoluto. Algunos de sus sucesores fueron Horo Get, Aha, Djer, Udimu y Qaa; este último cerró la Dinastía Tinita, y su gobierno se caracterizó por desórdenes internos que llevaron al fin del Imperio.

Imperio antiguo (2800-2200 a.C.) La capital del Imperio antiguo fue Menfis. Para este periodo, el gobierno había evolucionado hacia un sistema teocrático, razón por la cual el faraón era considerado un dios con poder terrenal, haciéndose acreedor de una autoridad absoluta sobre el Imperio. Este periodo se identifica por la construcción de pirámides para conservar los cuerpos momificados de los faraones. Bajo la IV Dinastía alcanzó su máximo esplendor, expresado en la construcción de las grandes pirámides de Gizeh. Las revueltas internas y la descentralización del poder dieron como resultado el fin del Imperio antiguo. Siguió un periodo que se conoce como *Primer Periodo Intermedio* (2140-2040 a.C.), en el que los gobernadores locales acrecentaron su poder a costa del real y llevaron a la división del país.

Imperio medio (2040-1640 a.C.) Fue creado por los príncipes de Tebas, los cuales unificaron nuevamente Egipto tras la atomización del poder sufrida al final del Imperio antiguo. Hubo un importante renacimiento de la cultura, la arquitectura, el arte y la literatura. Territorialmente se extendió hacia el Sur, sobre la Baja Nubia y abrió rutas comerciales hacia el Sinaí, Creta y Biblos. Durante el *Segundo Periodo Intermedio* (1640-1530 a.C.), se dio la invasión de los hicsos, pueblo procedente de Medio Oriente, que se estableció en el Bajo Egipto.

Imperio nuevo (1530-1070) Constituye el periodo de mayor poderío de Egipto, que se convirtió en potencia del Mediterráneo gracias a las conquistas hechas por Tutmosis I, Tutmosis III y Ramsés II. A este Imperio también se debe la necrópolis real de Tebas conocida como «El valle de los reyes», lugar que sirvió de cementerio para los faraones de este periodo y para algunos de sus sucesores. Uno de sus procesos más destacados fue el episodio de la revolución religiosa, en el que Amenofis IV trató de imponer un monoteísmo basado en el culto al disco solar (Atón).

Decadencia La invasión de pueblos provenientes del Sur y el consecuente debilitamiento del último gobierno del Imperio nuevo crearon un escenario de crisis y decadencia (715 a.C.) que se ahondó con las invasiones sucesivas de etíopes, asirios y persas (525 a.C.). En el 332 a.C., Egipto fue ocupado por los griegos acaudillados por Alejandro Magno. Tras el dominio griego se instaló en el trono egipcio la Dinastía de los Lágidas, cuya última representante, Cleopatra VII, no pudo evitar la caída del país bajo el poder romano en el 30 a.C.

LA ANTIGUA CHINA

梳瞀珏  栈㷉燅

El surgimiento de la agricultura hacia el tercer milenio antes de Cristo en los valles del río Hoang-Ho o Amarillo, que nace en el área central del país y tras un curso de 4.667 kilómetros desemboca en el Pacífico, impulsó el nacimiento de centros urbanos; pero sólo hasta el 2000 a.C. la China conforma una unidad política y cultural, cuando la Dinastía Xia impone su mando.

Los periodos históricos de la antigua China son:

Dinastía Hsia o Xia (2000-1765 a.C.) Según la tradición, la Dinastía Hsi o Xia fue la primera que existió en China. Los relatos cuentan que fue fundada por Yu el Grande y que tuvo aproximadamente 17 monarcas. Al parecer, el final de esta dinastía tuvo que ver con la expulsión de su último gobernante, quien habría instalado un mandato tiránico. Las noticias que tenemos sobre este periodo, pues aún no se han detectado restos arqueológicos, han llegado a través de escritos de periodos posteriores que documentan, por ejemplo, el desarrollo de la acupuntura y de la industria de la seda, el uso del pincel y la confección de libros de bambú.

Dinastía Shang (1765-1025 a.C.) La primera dinastía imperial de China fue fundada por los Shang, pueblo proveniente de Asia Central que conquistó el Norte, adoptando rápidamente la cultura de sus súbditos. La Dinastía Shang ocupó la llanura del río Hoang-Ho y estableció un sistema feudal de varios reinos que estaban al mando de monarcas guerreros. Los emperadores Shang contaron solamente con poderes religiosos y morales, ya que la autoridad política estaba en manos del gobernante de cada reino. Durante este periodo nace el teatro y se consolida la narrativa. Técnicamente consiguen la domesticación del búfalo para labores agrícolas.

Dinastía Zhou o Chou (1027-221 a.C.) Esta dinastía surgió cuando el príncipe Wu del reino Zhou se impuso sobre los demás por medio de las armas y extendió su poder por casi todo el territorio que corresponde a la actual China. Aun cuando los emperadores de esta dinastía lograron una centralización del poder, las ciudades mantuvieron un grado de autonomía que mantuvo crónicamente débil la autoridad central. Fue un periodo de gran desarrollo económico e intelectual, en el que, por ejemplo, surgieron los sistemas religiosos y filosóficos más importantes de la China antigua, el taoísmo y el confucianismo, se redactaron los primeros textos del *I Ching* y el estratega Sun Tzu escribe *El arte de la guerra*, el tratado militar más antiguo. Entre los logros técnicos están la cometa, la ballesta y el arado. Hacia el año 600 a.C., se agudiza el debilitamiento dinástico y China se convierte en una federación de Estados independientes que se enfrentarán entre sí y contra los Zhou, hasta alcanzar un inmanejable estado de anarquía en todo el territorio.

Periodo Ch'in o Qin (221-206 a.C.) Zheng, rey de Qin, estado feudal del occidente chino, se autoproclama primer emperador de la dinastía Qin o Ch´in (de donde proviene el nombre de China), con el nombre de Qin Shi Huangdi. Su gobierno se caracterizó por tomar el control sobre todos los reinos del territorio chino (dividido en 42 provincias), utilizando instituciones políticas y otorgando cargos públicos según los méritos de los candidatos y no por los lazos familiares como se hacía hasta entonces. Durante este periodo también se unificaron el peso, la escritura, las leyes y la moneda como parte del proceso de consolidación política y económica del país. Hay que destacar dos logros que aún hoy siguen sorprendiendo al mundo, la construcción de la Gran Muralla china, para contener las invasiones mongoles del Norte, y del complejo funerario del emperador Qin Shi Huangdi, caracterizado por los más de 6.000 guerreros de terracota de tamaño natural. Y no hay que olvidar que el emperador ordenó quemar todos los documentos históricos con el fin de desterrar de la memoria las tradiciones feudales.

Dinastía Han (206 a.C.-220 d.C.) En el año 206 a.C., Gaozu, quien fuera oficial del ejército de la Dinastía Ch'in, se autoproclama emperador e inaugura la dinastía Han, que gobernará por cerca de cuatrocientos años bajo la tutela del confucianismo, impuesto oficialmente como ideología de Estado. Durante este periodo, los emperadores ampliaron el territorio chino mediante campañas militares que les permitieron anexionar Manchuria, Corea y Mongolia y extenderse a Asia Central. La comercialización de la seda con India y Europa, a través de la Ruta de la Seda, no sólo permitió intercambios económicos sino también culturales: un ejemplo fue la entrada del budismo proveniente de la India. Los logros técnicos más importantes de este periodo son la invención del papel y de las esclusas para el control del nivel de los canales. Tras este periodo, el territorio se fragmentó y no volvió a unificarse hasta el 589 d.C., con la Dinastía Sui.

La Ruta de la Seda Atravesaba Asia a lo largo de una red de caminos de 6.400 kilómetros que unía a China con la India, Asia Menor y Europa. Empezó a usarse durante la Dinastía Han, hacia el año 100 a.C. El fin de esta ruta fue en principio netamente comercial, cientos de caravanas, largas reatas de camellos, se aventuraban por los diferentes caminos para llevar a otras culturas el principal producto de exportación china: la seda. Con el paso del tiempo, sirvió también para comercializar otro tipo de productos, como plata, oro, especias, lana, piedras preciosas, esencias, tintes y textiles; unos venidos de la India, otros de Roma, otros de Bizancio y de otros países. A lo largo de la Ruta también se transmitieron costumbres, tradiciones, religiones y conocimientos. Durante el siglo V, la Ruta de la Seda entró en desuso a causa de la división del Imperio romano y la aparición del islamismo.

El pensamiento religioso chino La religión de las primeras comunidades de la China fue la naturalista, una creencia politeísta en la que se adoraban diversos dioses locales, manteniendo como principales deidades al cielo y al Sol. Esto se mezclaba con la adoración a los antepasados que cada familia ejercía dentro de su hogar. Más adelante, hacia el siglo VI a.C., el filósofo Lao-Tsé introdujo el taoísmo, doctrina que exigía la supresión de los deseos como norma para descubrir la propia espiritualidad. Este sistema expresaba los principios contrarios de la naturaleza: el Yang, lo masculino, regía el verano, la vida, lo duro, la alegría; el Yin, lo femenino, regía el invierno, la muerte, lo blando, la tristeza. Una evolución del naturalismo y el taoísmo fue creada por Confucio (551-479 a.C.), quien introdujo el confucianismo como doctrina que buscaba la vida serena y la paz interior.

Para los pobladores chinos, el Emperador tenía una relación especial con lo divino y gobernaba por disposición de los dioses. Su trabajo era de mediador entre el cielo y la tierra. El ser un portavoz de los dioses lo hacía merecedor del respeto de sus súbditos: nadie podía darle la espalda, ni mucho menos estar de pie ante él, la postura correcta era de rodillas o en cuclillas. Los enterramientos de los primeros reyes muestran el grado de importancia que la muerte tenía para los chinos. Al igual que en otras culturas, ellos creían en la inmortalidad del alma y por esto procuraban que nada les faltara en la otra vida. Algunas de las ofrendas encontradas en los sepulcros de los emperadores son perros y personas sacrificadas, artículos de bronce, jade y hueso y moneda del momento.

CRETA

La primera civilización europea surgió en la isla de Creta, en el mar Egeo; recibe el nombre de civilización minoica por el legendario rey Minos que, según las crónicas griegas, dominaba el Egeo al mando de una poderosa flota. Esta civilización nació alrededor del año 2000 a.C. y se mantuvo por aproximadamente 550 años. Los palacios fueron lugares centrales para los minoicos, que funcionaban como centros políticos, económicos y religiosos. Algunos de estos fueron el palacio de Festo, el de Malia, el de Zakro y el de la ciudad de Cnosos, el más fastuoso tenía una altura de tres o cuatro pisos y contenía muchas habitaciones extensas y pasillos; entre sus pinturas llaman la atención las escenas del salto del toro, una actividad que quizás dio paso al mito griego del Minotauro; los santuarios, dentro del palacio, proporcionaban un lugar para adorar a una diosa madre.

Los cretenses tuvieron un activo intercambio comercial con egipcios, hititas y otros pueblos de Medio Oriente y Asia Menor. Egipto, por ejemplo, vendía a Creta cerámica y lino, entre otros productos. La economía minoica se basaba en la agricultura y la ganadería. El cultivo de olivo, vid, palmas datileras, trigo, cebada y legumbres; y la cría de vacunos y ovinos, no sólo permitieron la alimentación de la población sino también el comercio con pueblos vecinos. Paralelamente se produjo un desarrollo sobresaliente de las artes menores, cuyos ejemplos se ven en objetos cerámicos decorados con motivos vegetales y de animales marinos. La clase alta minoica estaba conformada por los sacerdotes y los comerciantes, que, además de ser poseedores de grandes riquezas, tenían cierta influencia en los asuntos políticos del país. La sociedad cretense era alfabeta, su primer sistema de escritura (lineal A) data del año 1700 a.C.; fue sustituido más adelante por un sistema procedente del continente (lineal B). Por esta misma época sobrevino un periodo de destrucción, que se atribuye a terremotos que causaron, entre otros siniestros, el incendio de todos los palacios, muchos de los cuales fueron reconstruidos, incluido el de Cnosos. Hacia 1450 a.C., las ciudades minoicas entraron en un proceso de decadencia e invasores procedentes de Micenas, en Grecia continental, ocuparon Cnosos y desplazaron a los gobernantes nativos.

GRECIA I
(1770 A.C.-500 A.C.)

La antigua civilización griega se extendió por los territorios de la península Balcánica, las islas del mar Egeo y la península de Anatolia. La invasión micénica a Creta, hacia 1500 a.C., dio inicio a la historia de Grecia, la cual se divide en cuatro periodos:

Grecia micénica (1500-1100 a.C.) La imposición del pueblo micénico (procedente de los Balcanes) a partir del 2000 a.C., sobre los pueblos helenos de la Grecia continental y Creta, marcó la tradición política, económica y social del primer periodo de la historia griega. Hacia 1600 a.C., ya había fundado varias ciudades fortificadas, estableciendo su capital en Micenas (de acá su nombre), en el centro-este de la región continental. Los invasores retomaron la cultura de los territorios conquistados y la moldearon a sus necesidades. Aunque el comercio marítimo por el Egeo y el Mediterráneo occidental constituyó un renglón importante en su economía, los micénicos desarrollaron una cultura eminentemente agraria, basada en el cultivo de la tierra y el pastoreo de animales. Su forma característica de poblamiento fue la ciudad fortificada agrupada en torno a los palacios. Los artistas micénicos desarrollaron la pintura al fresco, basada en escenas de batallas y cacerías y una cerámica estilizada (utilitaria y antropomorfa) decorada con motivos de la naturaleza. La sociedad estuvo dividida en tribus de parentesco, que formaban reinos independientes, cada uno de los cuales era gobernado por un rey con poderes religiosos, políticos y militares. Cada reino contó con el apoyo de un consejo de jefes de las tribus, que ayudaban al monarca en la toma de decisiones importantes. La civilización micénica llegó a su fin con la violenta invasión de los «pueblos del mar», procedentes del Egeo septentrional, en el 1200 a.C. Durante los siglos posteriores, Grecia atravesó una «edad oscura» de la que se conoce muy poco. Los «pueblos del mar», que no han podido ser históricamente identificados (algunos los asocian con los filisteos) continuaron, en su ruta de destrucción hacia Oriente Medio y Asia Menor. Un capítulo especial en la historia de la Grecia micénica fue la guerra de Troya, ocurrida hacia el año 1300 a.C., en la que los ejércitos se tomaron la ciudad con el propósito de eliminar el control troyano sobre los Dardanelos. El relato legendario de esta guerra será desarrollado muchos siglos después por Homero.

Grecia homérica (1100-776 a.C.) Este periodo de la historia griega comenzó con la devastación causada por los «pueblos del mar», que, una vez retirados, abrieron espacio para una nueva oleada de invasiones, esta vez protagonizada por los dorios, un pueblo griego procedente del Norte, conocedor de la tecnología del hierro. Hacia el siglo IX a.C., ya era notable la recuperación del comercio marítimo y el desarrollo nuevos centros urbanos, que derivarán en *polis* independientes, bajo gobiernos ya no monárquicos sino dirigidos por las nuevas oligarquías terratenientes. Poco a poco fue dándose una expansión ultramarina de las ciudades griegas que llevaría a la fundación de colonias desde la península Ibérica hasta el mar Negro. El final de este periodo lo marca la composición (o compilación) de los textos de la *Iliada* y la *Odisea*, obras atribuidas a Homero, que anticipan de manera sublime un renacimiento cultural.

Grecia arcaica (776-500 a.C.) La Grecia arcaica comenzó con los primeros Juegos Olímpicos, en el año 776 a.C. La consolidación de las ciudades y su establecimiento como Estados independientes mostraron la ideología política de los griegos: individualista, regionalista y antiimperialista. Cada ciudad o *polis* era independiente y políticamente autónoma, convivían ciudadanos, extranjeros y esclavos. Los primeros, hijos de ciudadanos y nacidos en la ciudad, contaban con todos los derechos que la ley griega otorgaba. Los segundos, nacidos en otras ciudades, aunque podían comerciar y dedicarse a alguno de los oficios, no tenían permitido poseer tierras. Los esclavos no gozaban de ningún beneficio.

El crecimiento del comercio, el auge de empresas marítimas, el aumento de la población y las posibilidades de una vida mejor, llevaron a algunos griegos a explorar tierras nuevas y a establecer colonias en ellas. Las islas del Mediterráneo oriental, las costas del mar Negro y algunos territorios del norte de África, Sicilia, Córcega y Francia, fueron poblados por griegos, que transmitieron su cultura y costumbres a los pobladores nativos. Esta ola de colonizaciones generó un interesante intercambio comercial entre las *polis* y sus colonias; estas últimas ofrecían nuevos productos jamás usados en Grecia. Además, el contacto con otras potencias del comercio marítimo, como los fenicios, generaron importantes avances en la navegación. Aun cuando estos nuevos territorios fueron colonias griegas, lograron ejercer cierto control y actuar de forma independiente respecto de sus metrópolis, conservando vínculos que los hacían sentir griegos como la lengua, el arte, la religión y el deporte.

GRUPO CULTURAL	UBICACIÓN ~espacio-temporal	COMENTARIO
AIMARAS: Pueblo indígena americano que agrupa a 1.250.000 personas en Bolivia y 300.000 en el Perú. Están repartidas en varios grupos étnicos: collas, lupacas, pacasés y otros.	Habitan en la alta meseta del lago Titicaca (Perú y Bolivia). En 1450, año en que fueron conquistados por los incas, conformaban numerosos reinos dispersos. En su área se encuentra la antigua ciudad preincaica de Tiahuanaco, centro urbano sustentado por un sistema de agricultura en terrazas.	Los actuales aimaras basan su **economía** en los **cultivos** de papa, maíz, quina y coca, en el **pastoreo** de la llama y la alpaca, y en la **pesca** en el **LAGO TITICACA.**
ALAMANES: Confederación de **tribus germanas**.	En el siglo V, conquistaron la actual Alsacia (Francia) y una gran parte de Suiza. En 506, fueron sometidos por Clodoveo I, rey de los francos.	**EL NOMBRE DE ALEMANIA DERIVA DE ESTAS TRIBUS.**
ANGLOSAJONES: Grupo de pueblos **germanos** que se asentaron en Britania en el periodo de los procesos migratorios europeos de los siglos V y VI. 	Procedentes de los Países Bajos y Noruega, comprendían diversos pueblos: anglos, sajones (que ocuparon la mayor parte del actual territorio inglés) y jutos, que inicialmente ocuparon zonas diferenciadas de Britania. También llegaron frisones, francos y turingios, aunque en menor número. En el siglo IX ocurrió una invasión danesa. Hacia mediados del siglo X, Inglaterra quedó unificada bajo el dominio anglosajón, que perduró con relativa estabilidad hasta la conquista normanda de 1066.	La estructura administrativa inglesa basada en el condado fue una creación de los reyes anglosajones del siglo X. Harold II fue el último rey anglosajón y murió luchando contra Guillermo el Conquistador en la batalla de Hastings (1066). 
ÁRABES: Habitantes originarios de la península Arábiga, desde donde se extendieron a otras regiones. Relacionados entre sí por la lengua (semítica), la cultura y, no siempre, la religión.	Durante el primer milenio antes de Cristo, se dedicaban a la siembra y al pastoreo. Tras la penetración romana experimentaron un proceso de urbanización, dando origen a ciudades como Petra y Palmira. A partir del siglo VII, ya islamizados, iniciaron la expansión territorial y cultural, llegando a ocupar un vasto territorio desde la península Ibérica y el norte de África, hasta el Indo.	Considerados como descendientes de Ismael, el hijo de Abraham y Agar, origen que comparten con los hebreos. En la actualidad son más de doscientos millones, distribuidos en los países de las cuencas sur y oeste del Mediterráneo, en la península Arábiga y en el noroeste de África.
ARIOS: Pueblo muy antiguo del que se supone que proceden los pueblos indoeuropeos. De la lengua de los arios (hoy desconocida) derivaron el sánscrito, el persa y la mayoría de los idiomas europeos.	Hacia el 1500 a.C., estaban asentados en el norte de la llanura del río Indo y se fueron desplazando hacia el Sureste hasta el valle del río Ganges, donde desarrollaron (900 a.C.) una civilización. Por el Oeste, se desplazaron hasta Persia, donde la rama de los medos estableció un imperio que se fusionó en el reino persa en el siglo VI a.C.	La palabra ario es también usada en lingüística y antropología como sinónimo de indoeuropeo. 
AZTECAS: Pueblo nahua que estableció un imperio en Mesoamérica, cuyo foco de expansión fue la zona pantanosa del lago Texcoco. 	En 1325 fundaron la ciudad de Tenochtitlán, cuyo asentamiento coincide con el de la actual Ciudad de México. En cien años lograron el dominio de un territorio que se extendía desde el centro de México hasta la actual frontera con Guatemala. El fin del Imperio se debió a las luchas de las provincias por su independencia y a la conquista española (1520).	En sus ceremonias, se ofrecían sacrificios humanos (en particular a Huitzilopochtli, deidad del Sol), en la creencia de que su fuerza activa dependía de este «alimento». Para los guerreros, el honor máximo consistía en caer en la batalla u ofrecerse como voluntarios para el sacrificio.
BANTÚES: Pueblos africanos subsaharianos emparentados por nexos lingüísticos. 	Originarios del territorio de Camerún, entre los años 1000 y 400 a.C., emigraron continuamente al África meridional. Se escindieron en dos ramas: la oriental (Zimbabwe, Mozambique y Suráfrica) y la occidental (Angola, Namibia y Botswana).	En la actualidad, más de sesenta millones de personas de dichos países se consideran bantúes. Los grupos indígenas descendientes son: shona, xhosa, kikuyu y zulú, herero y tonga.

PUEBLOS Y CULTURAS

GRUPO CULTURAL	UBICACIÓN espacio-temporal	COMENTARIO
CARIBES: Pueblos indígenas americanos con nexos lingüísticos y étnicos. 	Hacia el siglo XV, estaban establecidos en las Antillas Menores y en la costa noreste de Suramérica. Tras la llegada de los europeos, fueron sometidos por éstos, situación que, sumada a las nuevas enfermedades, condujo a su casi total exterminio.	No estaban organizados en estructuras jerárquicas. Manejaban la piragua de vela con destreza y sus flotas guerreras llegaban a tener hasta cien de ellas. En la actualidad sobreviven unos 40.000 en Venezuela y Guayana.
DORIOS: Uno de los tres pueblos principales de Grecia. Los otros fueron los eolios y los jonios. 	Se establecieron hacia el siglo IX a.C. en el sur de la Grecia continental, desde donde invadieron y ocuparon Creta, el archipiélago del Dodecaneso, el sureste de Asia Menor, Sicilia y el sur de Italia. Destruyeron la civilización micénica y convirtieron a sus súbditos en ilotas en Esparta y Creta.	Su organización era la de una sociedad guerrera, de la que Esparta conservó muchos rasgos. 
CELTAS: Pueblos europeos que conformaron sociedades tribales de base agrícola dispersas por casi todo el continente.  **CELTAS**	Hay registros de su presencia desde los inicios del primer milenio antes de Cristo en el oeste, noroeste y centro de Europa. En el siglo VI a.C., establecieron dominios permanentes. En el siglo III a.C., movimientos migratorios de otros pueblos los empujaron hacia el mundo grecorromano. En el siglo I a.C., fueron casi del todo asimilados por el Imperio romano.	En Gales, Escocia, Irlanda y la región francesa de Bretaña, su cultura celta perduró, experimentando un renacimiento en la Edad Media. Hacia el siglo XII, tras la conquista normanda de Inglaterra, la cultura celta empezó a declinar.
EOLIOS: Uno de los tres principales pueblos de Grecia, los otros fueron los dorios y los jonios. 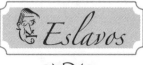	Desde antes del siglo XI a.C., se estableció en Tesalia, posteriormente emigraron a la isla de Lesbos y a la costa oeste de la actual Turquía, donde fundaron numerosas colonias. En el siglo III a.C., se integraron al reino helenístico de Pérgamo.	Según la mitología, los eolios eran descendientes de Eolo, dios de los vientos, de quien deriva su nombre. 
ESLAVOS: Grupo étnico, el más numeroso de todos los europeos, con más de 250 millones de personas.	Originalmente vivían en el este de Polonia y el oeste de Rusia, Bielorrusia y Ucrania. A partir del año 150, comenzaron a expandirse en todas las direcciones. Fueron frenados en Europa central por los germanos y los celtas. Por el Sur llegaron en el siglo VII hasta los mares Adriático y Egeo, y ocuparon buena parte, de la península de los Balcanes. Por el Este, llegaron en el siglo XIX al océano Pacífico.	Los eslavos modernos se mantienen unidos por sus raíces comunes y su afinidad lingüística; desde esta perspectiva se dividen en eslavos orientales (rusos, bielorrusos y ucranianos), occidentales (polacos, checos y eslovacos) y meridionales (eslovenos, serbocroatas, macedonios y búlgaros).
FENICIOS: Pueblo de lengua semítica cuya nación, Fenicia, estuvo conformada por una federación de pequeños reinos urbanos-marítimos. **FENICIOS**	Fenicia estuvo situada en la costa este del Mediterráneo, ocupando buena parte del actual Líbano. Entre sus ciudades se destacaron Biblos, Sidón, Trípoli, Tiro y Beirut. Hacia el 333 a.C., Fenicia fue sometida por los griegos y poco a poco fue helenizándose. En el 64 d.C., pasó a ser parte de la provincia romana de Siria.	Dominaron el Mediterráneo y fundaron en toda su costa colonias comerciales. Sin duda, el aporte más importante de los fenicios a la civilización fue el alfabeto. La buena calidad de sus textiles, tintes y cristales es legendaria.
FRANCOS: Grupo de tribus germánicas que lograron el dominio de buena parte de Europa. A mediados del siglo III se escindieron en francos salios y francos ripuarios.	A finales del siglo V, los salios lograron el dominio del territorio romano del Rin y, bajo Clodoveo I, el reino llegó a abarcar desde los Pirineos hasta Frisia y desde el Atlántico hasta el río Main, tras someter a galos, alamanes, burgundios, visigodos y ripuarios.	El máximo desarrollo del poder franco se alcanzó con Carlomagno, coronado emperador por el Papa en el 800. La actual Francia, que toma su nombre de los francos, corresponde aproximadamente al territorio franco del Imperio de Carlomagno.

LA CONSOLIDACIÓN DE LAS NUEVAS CULTURAS

600 A.C.   600 D.C.

c. **58** al **51** César escribe los siete tomos de *Comentarios sobre la guerra de las Galias*.

c. **53** al **52** Durante una campaña contra los partos muere Craso. Para contrarrestar las aspiraciones unipersonales de César, el Senado reconoce a Pompeyo como único cónsul.

c. **50** Los chinos usan las esclusas para lograr trechos navegables que, mediante una compuerta, podían cerrarse a voluntad.

c. **49** al **48** César invade Italia con sus legiones y desencadena la guerra civil. Derrota a Pompeyo, que huye a Egipto, donde es asesinado por orden del faraón. César llega a Egipto e interviene en la sucesión dinástica en favor de Cleopatra VII, quien recupera el poder. Cleopatra y Julio César se hacen amantes.

c. **48** En medio de un levantamiento popular contra el poder romano, un incendio destruye la biblioteca de Alejandría.

46 Sócígenes, astrónomo de Julio César, perfecciona el calendario egipcio, al que agrega un cuarto de día, por lo cual, cada cuatro años, el año tendría 366 días.

c. **45** César derrota a los hijos de Pompeyo y se convierte en dueño absoluto del poder.

44 La aristocracia prepara una conspiración contra César, que es asesinado en el recinto del Senado. Nombró heredero, en su testamento, a su sobrino Octavio, el futuro emperador Augusto.

c. **47** Judea queda bajo el control absoluto del procurador Antípatro.

43 al **40** Se forma el segundo triunvirato entre Marco Antonio, Lépido y Octavio. Marco Antonio recibe el gobierno de Oriente, Lépido el de África, Octavio el de Occidente, mientras que Roma y la península Itálica quedan bajo dominio común.

43 al **17** d.C. Vida de Ovidio, autor de *Metamorfosis*, obra épica en la que relata, con un claro componente erótico, leyendas mitológicas. Entre sus obras líricas se encuentran *Amores* y *El arte de amar*.

c. **40** Los fenicios descubren el procedimiento del vidrio soplado en caliente, que permite expandir el material y lograr todo tipo de formas.

39 Primera biblioteca de que se tenga noticia en Roma, reunida por Asinio Polio.

38 Las legiones romanas derrotan a las fuerzas de Orodes II, rey de los partos, que habían cruzado el Éufrates e invadido Siria.

c. **37** Herodes el Grande, hijo del procurador Antípatro, se convierte en rey de Judea.

c. **34** al **33** Lépido sale del triunvirato al ser nombrado Pontífice Máximo. Antonio rompe con Octavio, cede los territorios romanos de su dominio a Cleopatra y asume como corregente de Egipto.

c. **31** En Accio (noroeste de Grecia) se enfrentan la flota de Octavio (bajo el mando de Marco Vipsanio Agripa) y la dirigida por Marco Antonio y Cleopatra. La victoria de Octavio convirtió a éste en el único dirigente de Roma.

c. **30** Marco Antonio se suicida; Cleopatra también opta por quitarse la vida luego de sus infructuosas negociaciones con Octavio. Egipto se convierte en provincia romana.

27 Octavio recibe del Senado el nombramiento de Augusto («el reverenciado»), título asimilado al de Emperador y que también lo identificará. Nace el Imperio romano y muere la República.

c. **27** al **19** El poeta latino Virgilio escribe, por encargo del emperador Augusto, la *Eneida*, un poema épico que exalta la fundación de Roma. Es una de las obras maestras de la literatura.

c. **27** El arquitecto romano Marco Vitrubio escribe *De Architectura*, tratado que recoge disertaciones sobre la arquitectura y la construcción.

c. **26** El historiador romano Tito Livio inicia la redacción de *Décadas*, una de las fuentes más importantes sobre la historia más antigua de Roma.

c. **25** La ciudad de Petra, capital de los nabateos (en la actual Jordania), situada en el cruce de rutas que van desde el Mediterráneo hasta Damasco y el golfo Pérsico, se convierte en un importante centro de comercio.

c. **12** Se talla la *Gemma Augustea*, camafeo de ónice que representa al Emperador sentado con los dioses.

9 Augusto inaugura el Altar de la Paz (*Ara Pacis*), que había empezado a construirse en el año 13 tras su regreso triunfal de las campañas contra hispanos y galos.

c. **4** Muere Herodes el Grande, rey de Judea. Comenzó a reconstruir el Templo de Jerusalén y construyó las fortalezas fronterizas para proteger a Judea de las incursiones árabes. En la tradición cristiana es conocido por ser el responsable de la muerte de los «santos inocentes».

c. **4** Nace Jesús en Belén. Figura central del cristianismo, para la mayoría de los cristianos es el Hijo de Dios. Se considera que la era cristiana comienza el año de su nacimiento, pero en la actualidad se calcula un error de cuatro a ocho años.

)) La consolidación de las nuevas culturas
)) ANTES DE CRISTO

c. **180** Yeshuá ben Shirá (Jesús, hijo de Sirá) compone el *Eclesiástico*, libro del Antiguo Testamento (en las versiones católica y ortodoxa de la Biblia). Consta de una serie de máximas y refranes de naturaleza proverbial.

c. **168** Antíoco IV Epífanes de Siria ilegaliza la religión judía y, en respuesta, los judíos, liderados por los macabeos, inician una rebelión que termina en la derrota de los sirios. Los macabeos fueron reyes de un Estado judío independiente.

c. **154** El gobierno romano decreta que el 1 de enero sea en adelante considerado como el primer día del año.

c. **150** El hinduista Patanjali escribe el *Sutra del Yoga*, por lo que es considerado el fundador del yoga. El objetivo último del yoga es la unión del alma con la divinidad.

c. **150** Los constructores romanos inventan la argamasa al mezclar el cemento natural con sustancias inertes (arena y piedras de tamaño pequeño).

c. **149** al **146** Los cartagineses atacan Numidia (Argelia) y los romanos, aduciendo que los cartagineses rompían los acuerdos de rendición de 202, atacan Cartago. Comienza la Tercera Guerra Púnica, que concluye con la total destrucción de Cartago.

c. **146** Macedonia y Grecia se convierten en una sola provincia romana.

PUEBLO JUDÍO

LA RUTA DE LA SEDA

c. **140** al **87** El emperador de China Wudi incluye en la administración imperial la participación de los legistas confucianos, de donde provino la poderosa clase de los mandarines. Amplía los territorios imperiales al anexionar Manchuria, Corea y Mongolia, y asegura la Ruta de la Seda, que une la capital con el Mediterráneo oriental.

c. **134** al **121** Tiberio y Cayo Graco, tribunos de la plebe, impulsan reformas que buscan convertir a los proletarios en campesinos con tierra. Tiberio es asesinado en c. 133 y Cayo muere en c. 121 en su intento de huir de Roma.

c. **117** al **115** Los Han conquistan el norte de China y se extienden por Asia Central.

c. **109** Aprovechando la decadencia seléucida tras la muerte de Antíoco VII, Juan Hircano de Jerusalén se independiza y emprende una política expansionista; incorpora al reino Samaria e Idumea, cuyos habitantes fueron obligados a aceptar el judaísmo.

c. **105** Las legiones romanas son derrotadas a orillas del Ródano por las fuerzas de los cimbrios y teutones, pueblos que emigraban del norte de Europa en busca de mejores condiciones de vida en el sur.

c. **104** Cayo Mario reforma el Ejército romano: servicio militar de 16 años de duración; pensión de vejez e incorporación de los proletarios a la carrera de las armas.

Siglo I Tras la muerte de Juan Hircano de Judea estalla la guerra civil propiciada por la rivalidad entre sus hijos Hircano II y Aristóbulo II.

Siglo I Romanos y griegos hacen uso de la rueda hidráulica, que aprovecha la energía de las corrientes de agua para mover las muelas de los molinos de cereales.

Siglo I Construcción de la ciudad de Teotihuacán. Se convertirá en el principal centro de poder del valle de México y mantendrá una posición hegemónica hasta el siglo VI. Sus principales construcciones tienen carácter sagrado, como las grandes pirámides del Sol y de la Luna.

DINASTÍA HAN

CIUDAD DE TEOTIHUACÁN

c. **95** Sima Qian escribe *Memorias históricas*, la primera historia completa de China.

c. **90** al **89** Se le concede la ciudadanía romana a todos los aliados de Roma.

c. **88** En el marco de su lucha contra el poder de Roma, Mitrídates, rey del Ponto, ordena el asesinato de 80.000 romanos e itálicos residentes en Asia Menor.

c. **87** al **54** Vida de Catulo, poeta romano en cuyas composiciones predominan los poemas de contenido erótico, satírico y elegiaco.

c. **73** al **71** Espartaco, esclavo y gladiador romano, lidera una rebelión de esclavos, siervos y proletarios. Reunió más de 70.000 partidarios y derrotó en tres ocasiones al ejército romano. En 71, el general Marco Craso derrotó a los rebeldes, mató a su jefe y crucificó a más de 6.000 esclavos.

c. **65** al **8** Vida del poeta romano Horacio, autor de las *Odas*, colección de poemas que celebran la paz, la amistad, el vino y la sencillez.

c. **64** Cicerón, jurista y orador romano, es nombrado cónsul con el apoyo de los conservadores. Se opone a las aspiraciones absolutistas de Cayo Julio César, y devela la conspiración de Catilina mediante las famosas piezas de oratoria que se conocen como las *Catilinarias*.

62 Las legiones romanas entran a Jerusalén y hacen de Judea un Estado dependiente de Roma.

c. **60** El poeta romano Lucrecio escribe *Sobre la naturaleza de las cosas*, que describe el universo como si estuviera formado por las partículas de Demócrito.

c. **60** Julio César es elegido cónsul. Forma con los generales Pompeyo y Craso el primer triunvirato, una alianza para neutralizar el Senado.

c. **58** al **51** César asume el mando sobre las Galias (territorio que corresponde aproximadamente a Francia), somete a los pueblos galos y extiende las fronteras del Imperio romano hasta el Rin.

SIMA-QIAN

ESPARTACO

JULIO CÉSAR

c. **237** En virtud del tratado de paz con Cartago, Roma obtiene el dominio de Cerdeña.

c. **237** El general cartaginés Amílcar Barca (que había sido derrotado en Sicilia) inicia la conquista de la península Ibérica. Lo acompañan Asdrúbal, su yerno, y su hijo Aníbal.

c. **230** El matemático griego Apolonio de Perga define y describe las propiedades de la elipse, la parábola y la hipérbola.

c. **230** A medida que el Imperio maurya (India) decae, el reino Andhras surge y se expande.

c. **228** Asdrúbal, jefe supremo de las fuerzas cartaginesas tras la muerte de Amílcar (c. 228), funda Cartago Nova (Cartagena) en el levante español y ordena su fortificación.

c. **221** El monarca de Qin, Estado feudal del occidente chino, se autoproclama como primer emperador de la Dinastía Qin (o Ch'in), o Qin Shi Huangdi. Bajo su gobierno el país es unificado y adopta una administración centralizada que controla las 42 provincias.

c. **221** al **204** Construcción de la Gran Muralla china, fortificación que se extiende por 4.000 kilómetros a lo largo de la frontera norte y noroeste de China para detener las invasiones mongólicas. Su altura es de 6 a 8 metros y a intervalos tiene torres de 12 m. Fue reforzada en los siglos XIV y XV.

c. **220** al **210** Construcción del complejo funerario de Qin Shi Huangdi. El ajuar mortuorio del Emperador consistió en el enterramiento de más de 6.000 guerreros de tamaño natural en terracota, muchos de ellos con sus caballos. Los guerreros son un gran ejemplo del desarrollo en cuanto a armas y tácticas de mando, y del arte de los antiguos ceramistas chinos.

c. **218** El general cartaginés Aníbal, que asumió la jefatura del Ejército tras la muerte de Asdrúbal, desencadena la Segunda Guerra Púnica al dirigirse a Roma desde Hispania, al frente de un poderoso ejército de 60.000 infantes, 9.000 jinetes y 60 elefantes de guerra.

c. **216** Después de cruzar los Alpes, Aníbal derrota en Cannas las tropas romanas, que sufren 50.000 bajas. Los cartagineses se instalan en Capua, que se ha pasado a su bando.

c. **211** Aníbal toma Tarento, pero los romanos recuperan Capua, a la que le infligen un severo castigo.

c. **210** al **207** Aníbal dirige sus fuerzas a Roma, pero debe abandonar su intento de tomarla. En c. 207 pide ayuda a su hermano Asdrúbal Barca, quien es derrotado y muerto nada más llegar a Italia.

c. **206** Gaozu, quien fuera oficial del Ejército de la Dinastía Qin, se autoproclama emperador e inaugura el reinado de la Dinastía Han en China. Convierte el confucianismo en ideología del Estado.

c. **204** El general romano Publio Cornelio Escipión, el Africano, luego de apoderarse de Hispania, desembarca en las costas africanas. Aníbal es llamado a Cartago, que se encontraba bajo la amenaza de las fuerzas romanas, y debe abandonar Italia.

c. **202** Escipión vence a Aníbal en la batalla de Zama (en la costa norte africana). Termina la Segunda Guerra Púnica.

Siglo II Asimilación del género épico griego por parte de los poetas latinos, que abandonan sus versos tradicionales por la métrica griega.

c. **200** De alrededor de este año datan los manuscritos del Mar Muerto, hallados en 1947. Incluyen el libro de Isaías y fragmentos de todos los demás del Antiguo Testamento, excepto del de Ester. Posteriormente se encontrarían más manuscritos.

c. **200** Es esculpida la *Dama de Elche*, escultura ibera consistente en un busto en piedra caliza que representa a una mujer ricamente ataviada.

c. **198** El rey seléucida Antíoco III de Siria vence a los egipcios y anexiona Judá. Los seléucidas inician una campaña para reemplazar el judaísmo por el helenismo.

c. **196** Se talla la *Piedra de Rosetta* con un decreto en honor a Tolomeo V en tres escrituras distintas. Sirvió para que el francés Jean-François Champollion pudiera descifrar la escritura jeroglífica en el siglo XIX.

c. **190** Es esculpida la *Victoria de Samotracia*, que representa a Niké, personificación de la victoria. La estatua de mármol, realizada para conmemorar una victoria naval griega, representa a una mujer alada que parece posarse sobre la proa de un barco.

c. **190** al **120** Vida de Hiparco de Nicea, astrónomo griego. Inventó un método para localizar posiciones geográficas por medio de latitudes y longitudes, catalogó el brillo de unas mil estrellas y sentó las bases de la trigonometría moderna.

c. **186** El Senado romano prohíbe la celebración de bacanales (fiestas orgiásticas en honor de Baco, dios del vino), por considerarlas inmorales y perniciosas.

c. **180** Asesinato de Pushyamitra, de la Dinastía Asoka, en la India, quien había reaccionado contra las medidas inspiradas en el budismo, para restablecer la práctica de los sacrificios védicos.

QIN SHI HUANGDI

GRAN MURALLA CHINA

GUERREROS TERRACOTA

HIPARCO

VICTORIA DE SAMOTRACIA

ferenciar los nervios motores de los sensoriales y estudiar la composición sanguínea de las arterias.

c. **300** De esta época datan las pinturas rupestres y las figuras de terracota halladas en Nok (Nigeria). Proceden de sociedades que empezaban a fundir el hierro.

c. **300** Toman su forma definitiva los *Veda*, textos sagrados del hinduismo. Están compuestos por *Himnos védicos*, que exalta la fuerza de la naturaleza; *Vedanta*, el sistema filosófico; *Brahmana*, oraciones; y cuatro colecciones de preceptos y rezos. Su composición se remonta a la llegada de los arios a la India, hacia el 1300 a.C.

c. **300** Se comienza a escribir el *Ramayana*, poema que narra el amor y las aventuras de las divinidades hindúes Rama y Sita. Su autoría se le atribuye a Valmiki, un piadoso brahmán errante.

c. **300** El poema épico hindú *Mahabharata*, una de las obras maestras de la literatura universal, fue escrito alrededor de este año. Describe el conflicto entre dos familias de la India interpolando profundas lecciones de moral práctica.

c. **298** Tolomeo I, rey de Egipto, construye un centro de investigación que alberga la famosa biblioteca de Alejandría.

c. **295** al **230** Vida de Apolonio de Rodas, poeta y gramático griego, director de la biblioteca de Alejandría. Autor de *Los Argonautas*, obra en la que plasma la historia de Jasón y la expedición de la nave Argos, y que presenta ya características de la novela.

c. **290** Para conmemorar la victoria que la ciudad obtuvo sobre las tropas macedonias, los habitantes de Rodas inauguran una estatua de 35 metros de altura que representa al dios Helios y que se conocerá como el Coloso de Rodas. Su autor es el escultor Cares.

c. **287** al **212** Vida de Arquímedes. Fue el primero en aplicar las matemáticas a la ingeniería en el mundo griego. Definió la ley de la palanca, inventó la polea compuesta e ideó un método para calcular áreas y volúmenes.

c. **283** Se da inicio en Alejandría a la traducción al griego de la Torá.

c. **280** Los griegos inventan el pergamino para escribir, material muy duradero hecho con pieles de animales. El nombre viene de Pérgamo, donde se producía el material de mejor calidad.

c. **280** al **275** En el marco de la campaña por la conquista de Italia, Pirro, rey de Epiro, obtiene sobre los romanos las victorias de Heraclea y Asculum, si bien este triunfo le costó importantes bajas entre sus tropas. El nombre de Pirro servirá en adelante para referirse a una victoria militar inútil conocida como victoria pírrica.

c. **275** Se levanta en Alejandría el primer faro, llamado así por Faros, la isla donde fue construido. Es considerado una de las siete maravillas de la Antigüedad.

c. **272** Los romanos logran el dominio completo de Italia con la conquista de Tarento, en la región de Apulia, en el sur de la península.

c. **270** El astrónomo griego Aristarco (c. 310-230) idea un método para calcular las distancias relativas del Sol y de la Luna desde la Tierra. Fue el primero en afirmar que la Tierra gira alrededor del Sol.

c. **269** El físico griego Ctesibios inventa la clepsidra, un reloj de agua que, mediante un sistema de engranajes, podía indicar la duración del día y de la noche.

c. **268** al **233** El Imperio maurya de la India alcanza su mejor momento durante el reinado de Asoka. Convertido al budismo, envió misioneros al actual Sri Lanka, a Indonesia, Asia Central, Egipto, Siria y Anatolia.

c. **264** Roma y Cartago se enfrentan en Sicilia, dando lugar a la Primera Guerra Púnica. El conflicto duró hasta 241 y concluyó con la victoria de Roma sobre los cartagineses comandados por Amílcar Barca, a pesar de haber obtenido éste importantes victorias.

c. **263** Se suicida el filósofo Zenón de Citio, fundador de la escuela filosófica del estoicismo (c. 300). Afirmaba que el sabio debe renunciar a la vida cuando ya no puede gozar de los dos bienes supremos: el conocimiento y el autodominio.

c. **260** En la India se desarrolla el sistema de numeración arábiga. Probablemente pasó al mundo árabe hacia el siglo VII d.C.

c. **254** al **184** Vida de Plauto, dramaturgo romano. Introdujo la canción y la danza a la nueva comedia griega. Obras: *Anfitrión, Casina, Los prisioneros, El soldado fanfarrón* y *La venta de los asnos,* entre otras.

c. **250** al **247** El rey parto Arsaces funda la Dinastía de los Arsácidas y establece un Estado cuyos dominios coinciden, más o menos, con los del actual Irán.

c. **241** Fin de la Primera Guerra Púnica (se había iniciado en c. 264). Los cartagineses son expulsados de Sicilia (que pasa a ser provincia romana) y Roma consigue la hegemonía en el Mediterráneo.

c. **240** Eratóstenes (c. 284-192), director de la biblioteca de Alejandría, calcula la duración correcta del año y el diámetro de la Tierra (con un error de tan sólo ochenta kilómetros).

FIGURAS NOK

RAMAYANA

BIBLIOTECA DE ALEJANDRÍA

COLOSO DE RODAS

FARO DE ALEJANDRÍA

ALEJANDRO

ALEJANDRÍA

c. **338** Atenienses y tebanos se unen en contra de Filipo II, pero éste los derrota en la batalla de Queronea, en la que su hijo Alejandro participa al mando de la caballería.

c. **336** Filipo II es asesinado mientras alista la invasión a Persia. Le sucede su hijo Alejandro, que está por completar sus veinte años.

c. **335** Alejandro arrasa Tebas cuando ésta encabeza una sublevación contra Macedonia.

c. **334** al **330** Expedición militar de Alejandro sobre Persia y Egipto. La batalla de Isos (333) termina con una gran victoria de Alejandro sobre el ejército principal persa, bajo el mando del rey Darío III. Luego arrasa Tiro, en Siria (murieron 8.000 tirios y 30.000 fueron esclavizados), captura Gaza y libera Egipto del poder persa.

c. **331** Alejandro ordena la construcción de la nueva ciudad de Alejandría, en Egipto, en honor a sus conquistas.

c. **331** Judá pasa a ser provincia del Imperio alejandrino. Según la tradición, Alejandro fue especialmente benévolo con los judíos, y cientos de ellos emigraron a Alejandría después de su fundación.

c. **330** Muere el escultor griego Praxíteles, autor de bellísimas esculturas que exaltan la figura humana, como la de *Hermes con el niño Dionisos*.

c. **327** al **326** Alejandro cruza el Indo, pero presionado por sus soldados debe encaminarse de nuevo a Macedonia.

c. **326** Es sancionada una ley romana que prohíbe la esclavitud por deudas. Favorece, sobre todo, a los campesinos.

c. **325** El científico griego Piteas comanda una expedición que zarpa de Massalia (Marsella), pasa Gibraltar, continúa hacia el Norte por las costas de Portugal, España y Francia, cruza el canal de la Mancha hasta Cornualles y prosigue por la costa oeste de Bretaña.

c. **324** Alejandro de Macedonia ordena que 10.000 macedonios contraigan matrimonio con muchachas de la aristocracia persa. Él mismo se casa con Barsine, hija de Darío III.

HERMES

c. **323** Alejandro muere en Babilonia a los 32 años, tras haber realizado la conquista más grande de la historia. Su inmenso imperio se desvanece en medio de las luchas por el poder entre sus sucesores.

c. **323** al **30** Tras la muerte de Alejandro, la Dinastía Tolemaica o Lágida gobierna Egipto. Es fundada por Tolomeo I Sóter; su último representante es Cleopatra VII.

c. **322** La poderosa Dinastía Maurya logra unificar casi todo el subcontinente indio bajo una única autoridad. El rey Chandragupta controlaba todo el territorio desde la capital Pataliputra (actualmente Patna), mediante un desarrollado sistema burocrático de gobierno central y local.

c. **321** Tras la muerte de Alejandro Magno sus generales Seleuco y Antígono reciben Babilonia y Asia Menor, respectivamente.

c. **312** Apio Claudio, funcionario romano, construye la Vía Appia (560 kilómetros de longitud) como parte de la estrategia de guerra y conquista propia del Imperio romano. Construye también el primer acueducto romano; en este tipo de acueducto, a fin de lograr la altura necesaria, se superponían varios pisos de arcadas.

CLEOPATRA

c. **311** Los diadocos (sucesores de Alejandro Magno) Lisímaco de Tracia, Tolomeo de Egipto, el regente macedonio Casandro y Antígono, el estratega de Asia, firman un tratado de paz según el cual reconocen y confirman mutuamente sus cargos y funciones.

c. **304** al **301** Seleuco funda la Dinastía Seléucida y, tras someter a Antígono, se convierte en rey de un territorio que se extiende desde Asia Menor hasta el actual Pakistán.

Siglo III Migraciones chinas y coreanas pueblan las islas que más tarde formarán Japón.

Siglo III Como consecuencia de las guerras de conquista llegan enormes contingentes de esclavos a Roma. Una de las inmediatas consecuencias fue la ruina de los pequeños agricultores y la concentración en enormes latifundios de la propiedad agraria.

Siglo III La arquitectura civil romana introduce el peristilo, un patio rodeado de columnas, y el sistema de desagües del tejado, que desemboca en una cisterna subterránea del patio interior.

Siglo III Se consolida, dentro de la administración romana, el cargo de cónsul. Los cónsules siempre eran dos y ocupaban el cargo durante un año. Negociaban las alianzas extranjeras, tenían el dominio sobre el Ejército, nombraban a los tesoreros y ejercían funciones judiciales. Los ciudadanos podían pedirles cuentas al final de sus mandatos.

DINASTÍA MAURYA

c. **300** El matemático griego Euclides escribe *Elementos de geometría*, un tratado sobre geometría plana, proporciones, propiedades de los números y geometría del espacio.

c. **300** El médico griego Herófilo desarrolla un sistema de estudio basado en la disección, que le permitió reconocer el cerebro como centro del sistema nervioso, di-

399 Acusado y condenado por corromper la juventud, el filósofo griego Sócrates es obligado a envenenarse. Había nacido en 469.

c. **398** Llega a Jerusalén el maestro y escriba Esdras, enviado por la comunidad judía de Babilonia con el fin de introducir las reformas que terminen de una vez con la falta de disciplina religiosa en Jerusalén. Esdras es considerado como el segundo fundador (después de Moisés) de la nación judía, tras la cautividad de Babilonia.

c. **396** Las repúblicas etruscas del centro y el norte de Italia decaen mientras Roma asciende como potencia. Los etruscos estaban organizados en una federación de ciudades estado gobernadas, cada una, por una aristocracia guerrera.

c. **395** Tebas, Argos, Atenas y Corinto, con el apoyo de Persia, se rebelan contra la hegemonía espartana.

c. **390** Los celtas inician un amplio movimiento de migración, que los lleva a la llanura del Po, en Italia, desde donde organizan la penetración del sur de esta península. Otros grupos ocuparon vastas zonas de Europa central y oriental (Grecia y los Balcanes).

c. **387** El dictador Marco Furio Camilo reorganiza las fuerzas romanas y consolida el dominio de Roma sobre la mayoría del territorio italiano.

c. **386** Con la mediación de Persia, Atenas y Esparta acuerdan la paz. Las ciudades jonias de Asia Menor quedan bajo la tutela de Persia y Esparta actúa como potencia garante del acuerdo.

c. **384** al **322** Vida de Aristóteles, fundador del Liceo. Discípulo de Platón en la Academia, para él, el mundo está compuesto por individuos (sustancias) que se presentan en tipos fijos (especies). Autor de *Poética*, un tratado muy influyente tanto en la Antigüedad clásica como en la Edad Media y la Edad Moderna.

c. **379** Tebas y Atenas se coaligan para enfrentar a Esparta.

c. **377** Atenas, junto con otras muchas ciudades estado, participa en la conformación de una nueva liga marítima en contra de Esparta.

c. **373** al **287** Vida del filósofo griego Teofrasto, fundador de la botánica. Sus obras *Historia de las plantas* y *Etiología de las plantas*, constituyeron el primer tratado completo de la botánica.

c. **371** Esparta es derrotada por las fuerzas tebanas al mando de Epaminondas en la batalla de Leuctra. Esparta deja de ser la mayor potencia del Peloponeso y Grecia.

c. **370** El pensador griego Eudoxio expone la teoría de las esferas concéntricas, la primera que explica el movimiento de los planetas.

c. **369** Es disuelta la alianza del año 377 ante la amenaza expansionista de Epaminondas. Esparta y Atenas unen sus fuerzas terrestres.

c. **360** Mausolo, sátrapa persa de Caria, en Asia Menor, ordena la construcción de su suntuosa tumba, que será considerada como una de las siete maravillas del mundo: estaba construida completamente en mármol, tenía dos pisos y medía 49 metros de altura.

c. **356** El templo de Artemisa en Éfeso, considerado como una de las siete maravillas del mundo, es incendiado por Heróstrato, un heleno desconocido que quería lograr fama universal.

c. **356** al **352** Las constantes guerras entre las ciudades estado de Grecia dan la posibilidad a los macedonios, que ya se habían apoderado de las minas de oro de Anfípolis (en Tracia), para penetrar el territorio. Macedonia, bajo el mando del rey Filipo II, se convierte en la gran potencia militar de Grecia central cuando derrotan a Onomarco, comandante supremo de la Fócida, que había logrado el predominio en la región.

c. **350** El *Panchatantra*, compilación de fábulas humorísticas, aparece en la India.

c. **350** Arquitectos griegos construyen el teatro circular de Epidauro. Con capacidad para 14.000 espectadores, sigue en activo hoy día.

c. **350** Los chinos inventan la ballesta.

c. **346** Filipo II firma la paz con Atenas y luego los tebanos piden su apoyo en contra de Fócida, ganando así el derecho de participar en los asuntos políticos griegos.

c. **343** El rey persa Artajerjes III invade Egipto y logra la reconquista y el dominio de todo el territorio.

c. **343** El poeta chino Qu Yuan escribe una de las obras maestras de la poesía china: Lisao (*Dolor de la lejanía*).

c. **342** Aristóteles se hace cargo de la educación de Alejandro de Macedonia (más tarde conocido como Alejandro Magno) hijo de Filipo II.

c. **341** al **270** Vida de Epicuro. Conocido como el «filósofo del jardín», su pensamiento hace de las sensaciones el criterio del conocimiento y de la moral.

c. **340** Surge en Grecia la escuela filosófica del cinismo, fundada por Diógenes de Sínope. Afirma que la civilización es antinatural y preconiza el regreso a la vida natural.

SÓCRATES

ESDRAS

ARISTÓTELES

BALLESTA

FILIPO II

ARISTÓTELES Y ALEJANDRO

457 Culmina en Olimpia la construcción del templo de Zeus. Se ha levantado en conmemoración de los juegos realizados en esta ciudad; tiene en su frontón el conocido relieve de la *Batalla de los lapitas y los centauros*.

450 Concluye la redacción la Ley de las Doce Tablas, el más antiguo código de Derecho romano. Su objeto fue atender las reclamaciones de los plebeyos, contrarios a la aplicación que de las normas hacían los patricios.

450 El pensador griego Empédocles (c. 493-433) afirma que hay cuatro elementos: fuego, aire, agua y tierra, de los que «brotan todas las cosas que fueron, que son y que serán, los árboles y los hombres y las mujeres, las bestias y las aves, y los peces criados en el agua».

c. **450** Los sofistas griegos adquieren gran reputación por ser capaces de convencer a las personas de cualquier causa, justa o injusta, a través técnicas de argumentación.

TEMPLO DE ZEUS

c. **450** El escultor griego Mirón realiza su famoso *Discóbolo*, estatua de un joven atleta en actitud de lanzar el disco.

c. **448** al **380** Vida de Aristófanes, poeta satírico griego, representante de la comedia antigua. De sus obras destacan *Los caballeros*, *Las nubes*, *Lisístrata* y *Las ranas*.

c. **447** al **432** Se realiza, por encargo de Pericles, la construcción del Partenón (consagrado a Atenea, diosa de la sabiduría) bajo la dirección de los arquitectos Ictino y Calícrates y del escultor Fidias, quien esculpió buena parte de los frontones y metopas.

PARTENÓN

c. **445** Nehemías, gobernador de Judá en nombre de los persas, inicia la reconstrucción de Jerusalén e implanta reformas religiosas tales como la prohibición de los préstamos usurarios y de los matrimonios mixtos con no judíos.

c. **440** El filósofo griego Leucipo funda el atomismo (teoría según la cual la materia se compone de partículas diminutas e indestructibles) y el mecanicismo, teorías que posteriormente desarrollará Demócrito.

DORÍFORO

c. **440** El escultor griego Policleto realiza su *Doríforo*, estatua en la que el personaje recarga sobre su cadera el peso del cuerpo, postura propia del arte clásico.

430 al **350** Vida de Jenofonte, historiador, militar y filósofo griego, discípulo de Sócrates. Comandante del ejército mercenario al servicio de Ciro el Joven de Persia, tras la muerte de éste dirigió la «Retirada de los diez mil», que narra en *Anábasis*.

436 Fidias construye su estatua de Atenea en madera, cubierta de oro y marfil. También esculpió la de Zeus de Olimpia en el estadio en el que se realizaban los Juegos Olímpicos.

JENOFONTE

c. **431** al **404** Entre estos años las ciudades hegemónicas de Atenas y Esparta se enfrentan en la Guerra del Peloponeso que concluirá con el establecimiento de la hegemonía espartana sobre Grecia.

c. **430** El navegante cartaginés Hannón lleva a cabo la exploración de la costa atlántica africana. Llegó hasta la actual Sierra Leona.

429 La peste asuela Grecia y se ensaña sobre todo con Atenas.

428 al **347** Vida del filósofo griego Platón, discípulo de Sócrates. Funda (c. 387) su escuela en los jardines dedicados al héroe Academo, de donde surgió la denominación de Academia. Sus tesis, que marcaron las concepciones mentales de Occidente, las expuso, fundamentalmente, mediante el mito de la caverna, en *La República*.

ESTATUA DE ZEUS

c. **425** Culmina la redacción del *Pentateuco*, los cinco primeros libros de la Biblia (*Génesis*, *Éxodo*, *Levítico*, *Números* y *Deuteronomio*). En el judaísmo corresponden a la Torá.

415 al **413** En el marco de la Guerra del Peloponeso, Atenas interviene en Sicilia con la intención de someterla, pero los siracusanos, apoyados por Esparta, destruyen la flota y el ejército ateniense. Ante el desastroso final de esta expedición numerosas ciudades abandonan la Liga de Delos, con lo que se debilita más el poderío de Atenas.

c. **408** Eurípides termina su tragedia *Orestes*, de la que sobrevive en la actualidad un trozo coral, muestra de la música griega.

c. **404** Capitulación de Atenas ante Esparta. Los espartanos suprimen las instituciones democráticas en las ciudades sometidas, imponiendo mandos aristocráticos. Sobreviene el gobierno de los treinta tiranos, que, tras un alzamiento en Atenas, es derrocado al año siguiente, restableciéndose la democracia.

PLATÓN

c. **403** al **221** La Dinastía Zhou (o Chou) entra en un periodo de decadencia a causa de la incapacidad de sus gobernantes para legitimar su poder. Este periodo se caracteriza por la anarquía interestatal en todo el territorio chino.

Siglo IV En este siglo ya está documentada la *Asthadhyayi*, obra del gramático indio Panini en la que expone un extenso grupo de reglas gramaticales del sánscrito, escritas en verso.

CATAPULTA

c. **400** Los griegos inventan la catapulta, primera pieza de artillería.

c. **500** Los orfebres asentados en lo que actualmente es Colombia, desarrollan las técnicas de percusión y cera perdida para producir sus piezas más elaboradas.

500 al **428** Vida del pensador griego Anaxágoras. Explicó el origen del Universo de forma evolucionista y llegó a conclusiones muy exactas de la luz y los eclipses de Sol y Luna.

c. **499** Las ciudades jonias de Asia Menor, lideradas por Mileto, inician una sublevación contra la dominación persa; concluye en 494 a.C. con la completa destrucción de Mileto.

c. **496** al **406** Vida del dramaturgo Sófocles. Entre sus más de cien obras destacan: *Edipo Rey*, *Electra*, *Áyax* y *Antígona*. Introdujo un tercer actor en la escena y rompió con la moda de las trilogías, dando a cada obra una unidad dramática independiente.

492 al **490** La expansión persa sobre las ciudades griegas de Asia Menor induce las Guerras Médicas (o Persas). La Primera comienza tras el desembarco de las fuerzas de Darío I en Atenas. El ateniense Milciades logra la victoria, en la batalla de Maratón.

c. **490** Se esculpe la estatua del *Guerrero moribundo*, que representa la heroicidad griega tal como era concebida en la épica homérica.

487 Atenas promulga una constitución democrática. Instaura la pena de ostracismo para castigar a los políticos que buscan gobernar dictatorialmente. Temístocles se impone como estratega y consolida su programa de construcciones navales.

c. **484** al **425** Vida del viajero e historiador griego Heródoto, conocido como el «padre de la historia». Escribió una *Historia*, dividida en nueve libros en honor a las nueve musas.

480 al **479** Atenas y Esparta enfrentan en la Segunda Guerra Médica al rey persa Jerjes (hijo de Darío I), que pasa el Helesponto (los Dardanelos) con más de 150.000 hombres, saquea Beocia y Ática y ocupa Atenas. Los griegos intentan detenerlo en el desfiladero de las Termópilas, donde mueren el rey Leonidas de Esparta y sus 1.400 hombres. Esto da tiempo a los griegos para reorganizar sus fuerzas y derrotar a los persas en la batalla naval de Salamina. Meses después, los griegos logran la victoria definitiva en Platea.

c. **480** Comienza un periodo de esplendor y creatividad en la arquitectura y las artes griegas: invención del frontón triangular, las metopas cuadradas, varias formas de columnas y cariátides, la planeación urbana y la cerámica decorada con figuras rojas.

c. **480** al **406** Vida del dramaturgo griego Eurípides. Sus temas recurrentes son las pasiones e intereses humanos, la exaltación de Atenas y la amargura del destino humano. Entre sus obras se destacan *Medea*, *Hipólito*, *Electra* y *Las troyanas*.

477 Como consecuencia de las guerras médicas se crea la Liga de Delos, que agrupa a las ciudades del archipiélago, la Jonia y el Helesponto bajo la dirección de Atenas.

475 Jerjes I de Persia manda construir la *Puerta de las Naciones*, guardada por dos toros alados; es una majestuosa muestra del arte mesopotámico y persa.

470 La estatua de bronce *El Auriga de Delfos* conmemora el triunfo de Polizalo, tirano de Gela (Sicilia) en las carreras. Es una de las primeras obras del periodo clásico griego.

470 al **400** Vida de Tucídides. Escribe una *Historia de las guerras del Peloponeso* (conflicto en el que participó), con la que alcanza la objetividad y espíritu crítico que le faltó a Heródoto.

469 al **399** Vida de Sócrates, creador de la mayéutica. El principio socrático «conócete a ti mismo» fue de gran influencia en la historia posterior del pensamiento. Precursor de Platón y Aristóteles.

c. **463** al **456** Los egipcios, con el liderazgo del príncipe libio Inaro, se rebelan en contra de la dominación persa. Reciben apoyo de Atenas, pero finalmente son derrotados por el ejército de Artajerjes, el nuevo soberano persa.

464 Como consecuencia de un terremoto, Esparta pierde la mitad de su ejército.

462 Durante su gobierno, Efialtes despoja a los arcontes atenienses de su poder e impulsa la instauración de la democracia al trasladar las competencias del Areópago a la Asamblea popular, al Tribunal popular y al Consejo de los quinientos.

461 Tras el asesinato de Efialtes, Pericles asume el liderazgo político. Durante su gobierno, Atenas vivió uno de los momentos de mayor esplendor.

c. **460** al **377** Vida del médico griego Hipócrates, considerado el padre de la medicina. Su aporte principal es la consideración del cuerpo como un todo, la observación meticulosa y el estudio de la historia clínica de los enfermos.

459 Se inicia la lucha entre Atenas y Esparta por la hegemonía en Grecia.

c. **458** La evolución democrática ateniense culmina con la admisión de la clase popular en el acontado.

PIEZA DE ORO

GUERRERO ESPARTANO

SÓFOCLES

FRONTÓN TRIANGULAR

EURÍPIDES

PUERTA DE LAS NACIONES

549 Ciro II impone su dominio a los medos e incorpora su territorio (norte del actual Irán) a Persia.

546 Ciro II doblega la coalición formada por Lidia, Caldea (baja Mesopotamia) y Egipto. Se anexiona Lidia, que ocupaba casi la mitad de Asia Menor.

540 al **475** Vida del filósofo griego Heráclito. Consideraba que el mundo se encontraba en un estado constante de cambio. Introdujo la noción de «ser» y el concepto de «devenir».

c. **540** Ciro II finaliza la conquista de Asia Menor.

CIRO II

c. **540** Los etruscos, que dominaban el norte de la península Itálica (Toscana), se alían con los cartagineses y vencen a los griegos en la batalla de Alalia.

c. **539** Babilonia cae bajo el poder de los persas, cuyo imperio, el mayor del mundo hasta entonces, abarca desde el Mediterráneo hasta India.

538 Ciro II autoriza a los judíos regresar a su patria y ordena la reconstrucción del templo de Salomón. Judá pasa a ser una provincia persa relativamente autónoma.

c. **538** El género apocalíptico, asociado con la escritura de los textos sagrados, surge en Israel tras el cautiverio de los judíos en Babilonia.

c. **535** Es esculpida *La delicada*, que representa a una muchacha vestida en la que se acentúan los principales rasgos del cuerpo. Ejemplo representativo del final del periodo del arte arcaico griego.

c. **530** La *Estela de los Dioses y los Gigantes,* en el recién construido santuario de Apolo en Delfos, es una de las primeras muestras de los relieves de batallas.

SIDDHARTA GAUTAMA

c. **532** Siddharta Gautama, Buda, abandona a su familia para entregarse a la meditación; una noche, sentado al pie de una higuera, experimenta la iluminación y el conocimiento de las cuatro santas verdades sobre las miserias humanas y la forma de superarlas.

c. **526** El rey Cambises de Persia conquista Egipto, lo convierte en una satrapía y se hace proclamar Faraón, el primero de la XXVII Dinastía.

525 al **456** Vida del dramaturgo griego Esquilo. Alternó el diálogo con la parte lírica, fijó el vestuario de los actores y concedió gran importancia al coro. Autor de la *Orestíada*, trilogía trágica compuesta por *Agamenón, Coéforas* y *Euménides*.

ESQUILO

c. **521** al **486** Reinado de Darío I en Persia. Reorganizó el Imperio con la creación de satrapías e implantó la capital en Susa. Anexionó Tracia y Macedonia.

520 Cartago inicia la conquista del litoral mediterráneo de la península Ibérica.

c. **520** Los alfareros griegos introducen el método de las figuras rojas, consistente en rellenar el fondo con pintura negra y siluetear las figuras en la superficie roja original.

516 Los judíos concluyen la reconstrucción del Templo de Jerusalén. Para la tradición judía, esta fecha marca el verdadero fin del exilio babilónico.

TEATRO GRIEGO

c. **515** al **440** Vida del pensador griego Parménides, el primero en elaborar un método filosófico. Sólo se conservan los fragmentos del poema didáctico *Sobre la naturaleza*.

510 Tras el destronamiento y expulsión de Tarquino el Soberbio, el último rey de Roma, se instaura el régimen republicano, con el Senado como órgano supremo. Se establece la igualdad jurídica entre las clases libres y se instaura un sistema electoral democrático.

c. **510** El médico griego Alcmeón disecciona cadáveres para conocer la anatomía y la fisiología humanas. Identifica el cerebro como el asiento fisiológico del entendimiento.

ARTE OLMECA

c. **510** Clístenes reforma el sistema político ateniense dando paso a una democracia basada en la igualdad de derechos para todos los ciudadanos.

Siglo V El teatro o género dramático nace en Grecia. Buscaba la reflexión del espectador sobre los problemas que atañen al ser humano. Sobresalieron autores como Esquilo, Sófocles y Eurípides.

Siglo V El budismo se extiende por la India. Sus tesis básicas son: el origen del dolor está en el deseo, que ata el ser a las necesidades de la materia; para romper esta atadura debe lograrse el nirvana (extinción del dolor y liberación de la ley de causalidad).

TEMPLO DE JERUSALÉN

500 El rey Darío I traslada la capital del Imperio persa a Persépolis.

c. **500** El estratega chino Sun Tzu escribe *El arte de la guerra,* el tratado militar más antiguo.

c. **500** Meroe, capital del reino sudanés de Nepatán, es una ciudad plenamente establecida que alberga la sociedad más desarrollada del África subsahariana.

c. **500** Aparece el ábaco en Egipto.

c. **500** Últimas muestras de arte olmeca en México. Sobresalen los bajorrelieves de soberanos y escenas de animales sobrenaturales atacando a seres humanos.

c. **500** Con la construcción de Monte Albán, en el valle de Oaxaca, se inicia el desarrollo de las primeras ciudades estado de Mesoamérica. La sociedad zapoteca desarrolló un sistema comercial extensivo basado en la producción manufacturera.

))) La consolidación de las nuevas culturas
))) ANTES DE CRISTO

Siglo VI El judaísmo, religión monoteísta centrada en el culto a Yahvé, se desarrolla luego de la deportación del pueblo judío a Babilonia (586 a.C.).

Siglo VI Los alfareros de Ática introducen las figuras negras pintadas sobre el fondo rojo de la arcilla pulida; se añaden toques en blanco y rojo purpúreo para las vestimentas y para reproducir el color de la piel.

c. 600 Nabucodonosor II ordena la construcción de los jardines colgantes de Babilonia, considerados una de las siete maravillas del mundo antiguo.

c. 600 Los chinos dominan las técnicas de fundición, moldeado y forja del hierro. Las nuevas herramientas, entre las que se destaca el arado, impulsan la agricultura.

c. 600 En el sur de Colombia, en la región andina, inicia su desarrollo la cultura de San Agustín, caracterizada por su estatuaria monumental, sus oratorios y sus necrópolis.

c. 600 El profeta persa Zoroastro funda una religión basada en la creencia en un dios supremo de la justicia, Ahura Mazda. La nueva religión se conocerá como zoroastrismo.

c. 600 El filósofo griego Tales de Mileto concluye que el agua es el elemento común a toda la naturaleza y que la naturaleza se conduce de acuerdo a leyes inalterables que se pueden llegar a conocer. A partir de esta idea nace el concepto de «ciencia».

c. 600 Se crea, en Grecia, el orden arquitectónico dórico: templos de planta rectangular con peristilo y pórtico, y una cámara que alberga la estatua objeto de culto. En la Grecia oriental (las islas jónicas) surge el orden jónico más ornamentado.

c. 600 El *Kouros de Sunion*, estatua griega de un muchacho desnudo, fue una de las más altas que jamás se realizaron. Evidencia la influencia del arte egipcio.

598 El rey babilonio Nabucodonosor II conquista Jerusalén, capital de Judá, y envía al exilio en Babilonia a la clase superior judaica. El exilio había sido anunciado por los profetas mucho tiempo atrás como castigo divino.

594 Solón es nombrado arconte de Atenas. Promulga una constitución que sentará las bases de la democracia, reduce los privilegios de la nobleza, prohíbe la esclavitud de los campesinos y adelanta una codificación del derecho.

588 Judá (apoyada por Egipto) se rebela contra Babilonia. En respuesta, Jerusalén es sitiada por el ejército babilonio.

586 Las fuerzas de Nabucodonosor II asuelan Jerusalén. Destruyen el templo de Salomón y capturan a Sedecías, rey de Judá. La población es llevada en cautiverio a Babilonia.

c. 586 Nace el nomos pítico; es un himno litúrgico en honor a Apolo (dios griego del día, la poesía, la música y las artes), cantado por un solo intérprete acompañado de la lira.

c. 582 Nace el filósofo y matemático griego Pitágoras, famoso por la formulación del teorema que lleva su nombre. Consideró la Tierra como un globo que gira junto a otros alrededor de un fuego central.

575 Se inicia la construcción de la muralla interior de Babilonia. Flanquea la vía procesional, posee ocho grandes puertas y está revestida de ladrillos vidriados en los que se modelaron más de 700 toros, dragones y leones.

571 La ciudad fenicia de Tiro es sometida por Nabucodonosor II.

570 Se talla el *Moscóforo*, escultura en la que un joven lleva en sus hombros un ternero como sacrificio y muestra la «sonrisa arcaica», propia del arte griego antiguo.

c. 570 al 490 Vida del filósofo chino Lao-tsé. Fundó el taoísmo, cuyas doctrinas expuso en el *Tao Tê-King* (o *Libro de la Vía y de la Virtud*).

563 al 486 Vida de Siddharta Gautama, fundador del budismo y más tarde conocido como Buda («el iluminado»). Durante 45 años recorrió la India llevando su doctrina.

562 Muere Nabucodonosor II. Es sucedido por Avil-Marduk, quien libera a Joaquín, rey de Judá (cautivo desde 597) y lo acoge en su corte.

c. 560 La historia de Israel (hasta el exilio de 586 a.C.), conformada por *Deuteronomio*, *Josué*, *Jueces*, *Samuel* y *Reyes*, constituye un relato unificado que debió ser escrito hacia este año.

c. 560 Muere Esopo (nacido en c. 620), creador y compilador de numerosas fábulas, muchas de ellas de la tradición oral indoeuropea.

c. 555 Se funda en la India el jainismo, religión derivada del hinduismo que predica el rechazo al placer y la no violencia, y preconiza el vegetarianismo.

c. 551 al 479 Vida del filósofo chino Confucio. Sus enseñanzas, compiladas en *Analectas*, incorporan los principios de virtud, humanidad, respeto por la enseñanza y reciprocidad.

550 al 529 Reinado de Ciro II el Grande en Persia. Miembro de la Dinastía Aqueménida, fue el verdadero fundador del Imperio persa.

550 El zoroastrismo se convierte en la religión oficial de Persia.

550 Esparta se convierte en la máxima potencia militar de Grecia.

C. = hacia, alrededor de.

FIGURAS NEGRAS

JARDINES COLGANTES

SAN AGUSTÍN

TALES DE MILETO

KOUROS DE SUNION

PITÁGORAS

c. **5** El general romano Tiberio, a quien Augusto ha designado como heredero, derrota a los lombardos en la desembocadura del Elba.

c. **6** Judea es administrada directamente por Roma, al ser incorporada a la provincia de Siria.

14 Muere el emperador Augusto, en Roma. Tiberio es proclamado emperador.

26 Poncio Pilatos es nombrado gobernador de Judea. Es famoso por su intervención en el juicio y ejecución de Jesucristo.

c. **27** al **28** Jesús comienza su ministerio. Las bases de su doctrina son la Trinidad, la Encarnación, la Redención y las enseñanzas referentes al amor y la fraternidad.

c. **30** Jesús es acusado de blasfemia y condenado a morir crucificado. Pilatos intenta salvarlo, pero el temor a un levantamiento judío hizo que finalmente accediera a las demandas del pueblo.

c. **30** Tras el ministerio de Jesús, su movimiento religioso queda bajo la dirección de los doce apóstoles elegidos por él. Sólo tres de ellos se mencionan como líderes continuadores: Santiago el Mayor, que parece predicó en Hispania; Juan, hermano del primero, posiblemente autor del cuarto Evangelio y del Apocalipsis, y Pedro, uno de los primeros dirigentes de la Iglesia y realizador de varios viajes misioneros.

TIBERIO

c. **35** Pablo de Tarso, defensor de la ortodoxia judía, se convierte al cristianismo e inicia una labor misionera que lo llevará por Asia Menor, Galacia, Macedonia, Grecia y Roma. El *Nuevo Testamento* contiene trece epístolas que llevan su nombre, siete de ellas escritas por él con certeza.

37 Josefo, líder judío nacido este año, escribe dos célebres historias sobre el pueblo hebreo: *La guerra de los judíos* y *Las antigüedades judías*.

37 Muere el emperador Tiberio y le sucede su sobrino Calígula, quien transforma el gobierno en una tiranía teocrática.

JESÚS ES ACUSADO

41 Calígula es asesinado y Claudio es proclamado emperador por la guardia imperial. Claudio restaura la tradición administrativa de Augusto.

43 El emperador Claudio somete gran parte de Britania al Imperio romano.

44 Herodes Agripa I de Jerusalén ordena la muerte del apóstol Santiago el Mayor.

50 El médico griego Pedanio Dioscórides escribe *De materia médica*, considerado el primer tratado de farmacología.

50 Se construye la *Porta Maggiore* en Roma, ejemplo de la elegancia que intentaba proferírsele al acueducto a su paso por Roma.

50 al **120** Vida de Plutarco, autor de *Vidas paralelas*, biografías de personajes griegos y romanos.

JOSEFO

54 Claudio es asesinado por su esposa Agripina. Le sucede el hijo de ésta, Nerón.

59 Nerón hace asesinar a su madre, que se interponía en su ejercicio pleno del poder.

64 Un incendio destruye Roma casi completamente, el emperador Nerón culpa a los cristianos y ordena su persecución.

c. **65** al **67** Los apóstoles cristianos Pedro y Pablo sufren martirio en Roma.

65 Muere el poeta romano Lucano, autor de la *Farsalia*, en la que exalta a Pompeyo y ataca a Julio César.

65 Muere Séneca, filósofo, dramaturgo y político hispanorromano. Antiguo tutor de Nerón, en 65 se vio involucrado en una conspiración para asesinarle, tras lo cual se suicidó por orden del Emperador.

CLAUDIO

66 El escritor romano Petronio se suicida a causa de las falsas acusaciones que lo enemistaron con Nerón. Escribió *Satiricón*, un romance satírico sobre la vida romana del siglo I.

68 Nerón es depuesto por el Senado, que nombra a Galva como emperador. Al comprobar que la guardia imperial lo ha abandonado, Nerón se suicida.

PORTA MAGGIORE

69 Tras el asesinato de Galva y las luchas consiguientes por la sucesión, Vespasiano es proclamado emperador. Este mismo año sofoca la rebelión judía de Palestina y el alzamiento de los germanos bátavos en el Rin.

70 Tito, hijo de Vespasiano, sofoca en Judea la rebelión iniciada en 66. Arrasa Jerusalén y su templo, hace prisioneros y asesina a la mayoría de sus pobladores; el resto fue obligado al exilio. Tras su regreso de Judea es nombrado cónsul.

73 Los romanos toman la fortaleza de Masada (a orillas del Mar Muerto), donde se habían refugiado los judíos rebeldes tras la caída de Jerusalén. Los asediados (alrededor de mil) se matan mutuamente antes de que los soldados romanos penetren la fortaleza.

NERÓN

77 El enciclopedista romano Plinio el Viejo comienza la publicación de su *Historia Natural* (37 volúmenes), obra que abarca prácticamente todas las áreas del saber (astronomía, geografía, anatomía, biología, horticultura, medicina, bellas artes, etc.).

79 Tito es nombrado emperador de Roma luego de la muerte de su padre. Su gobierno respetó los privilegios del Senado.

79 La erupción del Vesubio provoca la destrucción de las ciudades de Pompeya, Herculano y Stabiae, que son sepultadas bajo la lava y las cenizas del volcán.

80 Se inaugura el Coliseo de Roma, importante ejemplo de la arquitectura civil romana; podía albergar hasta 50.000 espectadores sentados en una gradería de tres niveles.

81 Se inaugura el Arco de Tito en el foro romano, cuyos bajorrelieves representan el desfile triunfal del Emperador con los tesoros del templo de Jerusalén.

81 Domiciano asume como emperador al morir su hermano Tito. Organiza la defensa del Imperio frente a los bárbaros, pero impone el terror en el interior: ejecuta a muchos aristócratas por supuestas traiciones, expulsa a los intelectuales y persigue implacablemente a los cristianos.

COLISEO ROMANO

96 Domiciano es asesinado en una conjura de los oficiales de la corte. Nerva es designado emperador; inicia una etapa de pacificación política y social.

98 Trajano, hijo adoptivo de Nerva y al momento gobernador de Germania superior, accede al trono imperial. Bajo su mandato continúa la persecución a los cristianos.

Siglo II La cultura zapoteca, asentada en México, entra en un segundo periodo de florecimiento, que se extenderá hasta el siglo IX. De ello dan fe los templos, palacios, plazas y observatorio que pueden contemplarse en Monte Albán.

Siglo II El budismo se extiende a China y el sureste de Asia con la expansión del comercio entre India y estos territorios, y gracias a la labor de los misioneros.

Siglo II Los romanos inventan y desarrollan la bóveda de cañón, diseñada como el desarrollo horizontal de un arco de medio punto apoyado sobre muros rectos.

ARCO DE TITO

105 El papel es inventado en China en el ámbito de la corte de los Han, que registra un auge de la ciencia, la industria y las técnicas.

113 El arquitecto romano Apolodoro construye la *Columna de Trajano*, que conmemora la campaña del Emperador en Dacia (Rumania actual). Con 42 metros de altura, la columna contiene una escalera de caracol excavada en su interior y un friso en espiral decorado con 155 escenas que relatan los sucesos de la campaña.

FÁBRICA DE PAPEL

114 al **116** Trajano ocupa Armenia, Mesopotamia y Asiria. Máxima extensión territorial del Imperio.

114 al **128** Adriano ordena la reconstrucción del panteón de Agripa en Roma, una de las más importantes obras de la arquitectura universal. Es característica su cúpula semiesférica de 43 metros de diámetro perforada en su cénit por un óculo circular.

117 Adriano, de origen hispano, sucede a Trajano. Adelanta una política de integración territorial y el patrocinio de las principales manifestaciones artísticas.

120 El historiado y filósofo griego Arriano escribe la biografía de Alejandro Magno.

125 al **180** Vida del escritor romano Apuleyo, autor de *El asno de oro*, en la que mezcla el humor con reflexiones filosóficas y religiosas.

c. **131** al **199** Vida de Claudio Galeno, matemático, filósofo y médico. Sus estudios y observaciones sobre la anatomía y la fisiología dominarán la teoría y la práctica de la medicina durante siglos.

TOLOMEO

132 al **135** Motivado por el proyecto de Adriano de construir una ciudad pagana en el emplazamiento de Jerusalén, Barcokebas se autoproclama Mesías y dirige una rebelión contra Roma, que es cruelmente aplastada por el ejército imperial. Adriano decreta que ningún judío puede vivir en la ciudad.

138 Muere el emperador Adriano y le sucede su hijo adoptivo, Antonino Pío. Durante su mandato, las estructuras socioeconómicas y políticas se mantuvieron estables.

140 El astrónomo griego Tolomeo plantea un universo en el que los planetas, el Sol y la Luna giran alrededor de la Tierra, modelo que fue aceptado durante varios siglos.

144 El Imperio kamishka ocupa todo el noroeste de la India, desde la llanura del Ganges hasta el Asia Central.

150 Aparece *Institutes*, del jurista Cayo, texto que sirvió por mucho tiempo como manual de derecho romano.

EL NUEVO TESTAMENTO

c. **150** Es probable que para este año ya estuvieran redactados los textos que componen el canon vigente del Nuevo Testamento. Su idioma original parece que fue el griego, aunque hay hipótesis que señalan al arameo como la lengua original.

c. **150** En la región central de la actual Nigeria la cultura Nok (asentada desde el siglo V a.C.) está en pleno auge; desarrolla una muy elaborada metalurgia del hierro (que le permite avanzar en el desarrollo agrícola) y sus artistas realizan singulares piezas de terracota que representan figuras humanas y de animales de tamaño natural.

c. **160** El escritor griego Luciano de Samosata escribe *Historias verdaderas*, una parodia en la que se narra por primera vez en la literatura occidental un viaje a la Luna.

160 al **220** Vida de Tertuliano, primer gran escritor cristiano y uno de los primeros padres de la Iglesia, autor, entre otras obras, de *Apologético*, defensa apasionada de los cristianos contra las acusaciones paganas de inmoralidad y subversión política. Sostuvo que los cristianos deberían aceptar la persecución sin huir de ella.

MARCO AURELIO

161 Muere Antonino Pío; es sucedido por su yerno Marco Aurelio.

c. **175** Se funde en bronce la estatua ecuestre de Marco Aurelio, obra maestra de la escultura de la Antigüedad, que se convirtió en prototipo de ulteriores estatuas ecuestres.

176 Marco Aurelio nombra a su hijo Cómodo coemperador.

179 Marco Aurelio autoriza por primera vez que un grupo de germanos preste servicio militar en el Ejército imperial.

180 Muere Marco Aurelio y comienza la decadencia de Roma. Defendió a las clases menos pudientes e intentó humanizar las leyes penales. Escribió *Pensamientos*, un compendio de preceptos morales.

184 Estalla en China la rebelión de los «Turbantes Amarillos» dirigida por campesinos que se oponen al régimen impositivo de los terratenientes.

185 al **254** Vida de Orígenes, autor de *Hexapla* y *De los primeros principios*, los cuales se consideran las primeras obras de exégesis bíblica cristiana.

193 Tras el asesinato de Cómodo tiene ocurrencia un convulso periodo en el que la sucesión imperial es incierta y que culmina con la proclamación de Séptimo Severo por parte de sus legiones. Acentuó el carácter militar y despótico del poder imperial.

Siglo III Florecimiento del gnosticismo, cuyos seguidores aspiraban a un conocimiento secreto del reino divino. Supuso un desafío para el cristianismo ortodoxo.

Siglo III La versión griega del Antiguo Testamento conocida como *Septuaginta* («setenta»), es incorporada al canon cristiano. Su origen se remonta al siglo III a.C. cuando, bajo el patrocinio de Tolomeo II, fue encargada su traducción del hebreo.

Siglo III Se concluye la redacción del *Bhagavad-Gita*, obra de la literatura religiosa hindú, y se incorpora al *Mahabharata*.

202 Tras la muerte de Séptimo Severo le sucede su hijo Caracalla, luego de asesinar a su hermano Geta.

205 El emperador Caracalla ordena la construcción, en Roma, de unas grandiosas termas. Inauguradas en 216, se conocerán como las Termas de Caracalla.

222 Después de varias sucesiones inciertas es proclamado emperador, a la edad de trece años, Alejandro Severo. Durante su minoría de edad, la regencia fue ejercida por su madre Julia Mamea. Alejandro mantuvo privilegios para los judíos y toleró el cristianismo.

224 Fundación del nuevo Imperio persa por Ardachir I, de la Dinastía Sasánida, tras salir victorioso en la rebelión que lideró contra los partos.

235 El general Maximino el Tracio es proclamado emperador de Roma. Gobierna hasta 238, cuando es sucedido por Gordiano III tras una disputa entre otros aspirantes.

238 Se esculpe un sarcófago que representa la escena del *Genio del Senado señalando a Gordiano III*, obra de gran dramatismo, que muestra las facciones de terror de este joven emperador.

240 El sabio persa Mani funda el maniqueísmo, una religión de carácter dualista que se propagó rápidamente, provocando la hostilidad de los líderes del zoroastrismo.

249 El emperador romano Decio promulga un decreto según el cual todos los habitantes del Imperio tienen que rendir culto a los dioses del Estado; se desata así una persecución sistemática contra los cristianos.

250 De este año datan las tumbas regias, de la cultura mochica, halladas en la costa peruana. Los reyes de Sipán fueron sepultados con sus trajes ceremoniales y numerosas ofrendas.

253 Los francos y los alamanes invaden la Galia.

260 Las fuerzas del rey de Persia Sapor I, que había subido al trono en 241, derrotan al ejército del emperador de Roma, Valeriano, que es hecho prisionero. Sapor ya había reconquistado territorios a los emperadores Giordano III y Filipo el Árabe.

260 Galieno sucede a Valeriano. Promulga un edicto de tolerancia religiosa e introduce reformas en el Ejército para enfrentar la penetración de las tribus bárbaras.

265 al **280** En China la Dinastía de los Ts'in restablece la unidad del Imperio, que se había dividido en tres reinos: el reino de Shu (continuador de la Dinastía Han); el reino Wei, de la familia Ts'ao, y el reino Wu, de la familia Suen.

267 Zenobia, reina de Palmira (norte de Siria), logra el dominio total de Siria, Egipto y la mayor parte de Asia Menor.

270 Una alianza germánica penetra el norte de Italia y derrota a las fuerzas imperiales. El nuevo emperador, Aureliano, ordena la construcción de una muralla para la protección de Roma. La alianza es derrotada el año siguiente por el Emperador.

272 al **273** Aureliano emprende la campaña contra el reino de Palmira, obtiene el control de sus dominios, sitia la ciudad, apresa a Zenobia y la envía a Roma.

275 Aureliano es asesinado. Tras su muerte se da un periodo de confusión en el interior del Imperio que concluye con la proclamación de Diocleciano como emperador en 284.

275 Las fuerzas de una nueva alianza germánica atraviesan el Rin y asuelan amplias regiones de las Galias.

286 Diocleciano encarga a Maximiano el gobierno de la parte occidental del Imperio, mientras que él mismo asume el control de la región oriental.

293 Diocleciano nombra dos corregentes más (Galerio y Constancio) e impone así la tetrarquía. Esta reforma, aunada a otras de tipo administrativo, permite la recuperación territorial y el mantenimiento de las fronteras ante el asedio de los bárbaros.

CÓMODO

TERMAS DE CARACALLA

MANIQUEÍSMO

SAPOR I

ZENOBIA

AURELIANO

DIOCLECIANO

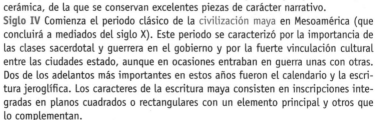

300 El religioso egipcio san Antonio, después de ceder todos sus bienes a los pobres, se retira con muchos de sus discípulos al desierto, fundando así la forma de vida monástica.

300 Zósimo de Tebas, que había realizado experimentos con el ácido sulfúrico y el mercurio, reúne en un tratado los principios básicos de la alquimia.

300 En China es inventado el estribo de metal, que facilita la cabalgata y da mayor abrigo al pie en las épocas de frío.

300 En las costas del norte del Perú está en pleno desarrollo la cultura mochica. Realizaron obras de ingeniería hidráulica para la irrigación agrícola, levantaron inmensas plataformas piramidales, dominaron la metalurgia, el tejido y, sobre todo, la cerámica, de la que se conservan excelentes piezas de carácter narrativo.

Siglo IV Comienza el periodo clásico de la civilización maya en Mesoamérica (que concluirá a mediados del siglo X). Este periodo se caracterizó por la importancia de las clases sacerdotal y guerrera en el gobierno y por la fuerte vinculación cultural entre las ciudades estado, aunque en ocasiones entraban en guerra unas con otras. Dos de los adelantos más importantes en estos años fueron el calendario y la escritura jeroglífica. Los caracteres de la escritura maya consisten en inscripciones integradas en planos cuadrados o rectangulares con un elemento principal y otros que lo complementan.

Siglo IV A comienzos de este siglo san Frumencio convierte el reino de Aksum (norte de Etiopía) al cristianismo copto y traduce la Biblia al etíope clásico.

303 Diocleciano decreta la persecución del cristianismo y cualquier otra secta opuesta a la religión del Imperio romano.

305 Abdicación de Diocleciano y Maximiano.

305 al **312** La sucesión imperial y la complejidad de la tetrarquía provoca un periodo de enfrentamientos bélicos que termina en 312 cuando Constantino (hijo de Constancio) queda dueño de la parte occidental del Imperio y Licinio, de la parte occidental.

312 Constantino ordena la construcción de su Arco del Triunfo para celebrar la reunificación del Imperio.

313 Constantino, que se convirtió al cristianismo al triunfar en su lucha por el trono, promulga, en conjunto con Licinio, el Edicto de Milán que ordena la tolerancia del cristianismo en el Imperio romano, lo que impulsó la expansión de esta religión por la corte romana.

319 Arrio, sacerdote de Alejandría, niega la total divinidad de Jesucristo y funda la herejía que se conocerá como arrianismo.

320 La Dinastía Gupta, en las personas de Chandragupta II y su hijo Samudragupta, reunifica la India septentrional, inaugurando un periodo de gran esplendor cultural.

325 Se convoca en Nicea (actualmente Iznik, en Turquía) el primer concilio ecuménico de la Iglesia. El concilio decide en contra la teoría de Arrio, emana el Credo (que define al Hijo y al Padre como consustanciales) y establece como fecha para la fiesta de la Resurrección el primer domingo posterior al primer plenilunio de primavera.

325 Eusebio de Cesárea publica en Palestina *Crónica*, base de la cronología hasta 323.

330 Constantino, tras reconstruir la ciudad de Bizancio, la convierte en la capital imperial con el nombre de Constantinopla.

330 Nace Gregorio de Nicea, creador de la teoría de la «apocatástasis», consistente en la reconstrucción de la condición feliz y divina, como fue en el principio.

337 A la muerte de Constantino, sus hijos Constancio II y Constante I se imponen como emperadores, el primero en la parte oriental y el otro, en la occidental.

341 En el Concilio de Roma el papa Julio I reivindica la primacía de su sede.

350 El misionero Ulfilas, de la secta de los arrianos, traduce gran parte de la Biblia al idioma de los godos, creando así la base del idioma alemán.

350 El rey Ezana de Aksum conquista la ciudad de Meroe, desde el siglo V a.C. una de las más desarrolladas del África subsahariana, y se apodera de la Ruta del Incienso, que conduce de la península Arábiga al Mediterráneo.

350 al **400** La cultura Yayoi se extiende por las islas del Japón. Sus habitantes acondicionan canales para los arrozales y crean herramientas de hierro.

354 al **430** Vida de san Agustín, máxima figura del pensamiento cristiano vinculado directamente a la filosofía. Es célebre especialmente por sus obras *La ciudad de Dios* y *Confesiones*, en las que narra su vida y su conversión.

361 El general Juliano (llamado el Apóstata), proclamado emperador tras vencer a los francos, sucede a Constancio II. Intentó convertir la doctrina neoplatónica en la religión oficial. Murió en 363 y le sucedió Joviano.

361 San Martín de Tours funda un monasterio en las Galias, desde el que extiende el cristianismo por todo el país.

364 Luego de la muerte de Joviano asume como emperador Valentiniano, que profesa el catolicismo. Le da a su hermano Valente, que profesa el arrianismo, el gobierno de la parte oriental.

SAN ANTONIO

LOS MOCHICA

CALENDARIO MAYA

ARCO DEL TRIUNFO

CONCILIO ECUMÉNICO

LA CIUDAD DE DIOS

366 al 384 Periodo del pontificado de Dámaso I. Convirtió el latín en la lengua litúrgica de la Iglesia y obtuvo del Estado la jurisdicción sobre el clero.

367 Atanasio, obispo de Alejandría, establece como canónicos los 27 libros que actualmente siguen siendo los constitutivos del Nuevo Testamento.

374 San Ambrosio es nombrado arzobispo de Milán. De él recibió el canto ambrosiano su nombre, que se caracteriza por sus melodías monódicas y su alto contenido de drama.

377 San Jerónimo se retira a Belén, donde pasó el resto de su vida (muere en 419) dedicado a la traducción de la Biblia al latín, versión que se conoce como la Vulgata.

SAN JERÓNIMO

378 En las cercanías de Adrianópolis (actual Edirne, en Turquía), los visigodos derrotan a las tropas del emperador Valente, quien fallece en el combate y es sucedido al año siguiente por Teodosio I el Grande.

381 El concilio de Constantinopla reconoce los derechos del Patriarca de esta ciudad, medida que desemboca en la creación de la Iglesia ortodoxa.

394 Teodosio derrota a Eugenio, usurpador del Imperio de Occidente desde 392. El Imperio romano queda de nuevo bajo un solo gobierno, pero a la muerte de Teodosio (el año siguiente), se dividirá definitivamente.

395 Honorio asume el control de la parte occidental del Imperio romano y Arcadio, el de la parte oriental.

IGLESIA ORTODOXA

396 Los visigodos invaden el Imperio de Oriente al mando de Alarico, pero son repelidos por el general Estilicón. Se retiran con un cuantioso botín de guerra.

c. **400** El médico hindú Sushruta realiza descripciones de la malaria, la tuberculosis y la diabetes mellitus.

c. **400** La carretilla, uno de los instrumentos más útiles para transportar objetos, es inventada en China.

Siglo V En este siglo comienza el proceso de unificación del archipiélago japonés, dividido hasta ahora en pequeños Estados.

401 al 403 Los visigodos, comandados por Alarico, realizan varias incursiones sobre Italia, pero Estilicón nuevamente los repele.

405 De aproximadamente este año son los manuscritos iluminados de los textos de Virgilio de la Biblioteca Vaticana, que se cuentan entre los más hermosos códices conservados hasta nuestros días.

SUSHRUTA

410 Alarico invade la península Itálica y saquea la ciudad de Roma, en tanto que el emperador Flavio Honorio permanece en Ravena.

414 Ataúlfo, sucesor de Alarico, se casa con su cautiva Gala Placidia, hermana de Honorio. Es liberada tras el asesinato de Ataúlfo, en el año siguiente. Se casó de nuevo con el general Constancio, quien en 421 fue nombrado Augusto por Honorio.

418 Los visigodos del rey Valia reciben la provincia de Aquitania en calidad de confederados de Roma.

c. **420** El dramaturgo indio Kalidasa escribe *Sakuntala*, una historia de amor que ilustra el ideal caballeresco de los brahmanes.

422 Celestino I asume la dignidad papal. Introduce en Roma el canto antifonal para la música litúrgica.

PAPA CELESTINO I

425 Gala Placidia asume como regente del Imperio de Occidente en nombre de su hijo Valentiniano III; su influencia fue decisiva en el gobierno del Estado hasta poco antes de su muerte.

429 Bajo el liderazgo del rey Genserico, los vándalos se establecen en el norte de África, tras atravesar el estrecho de Gibraltar. Establecerán en Cartago su capital.

430 Gala Placidia ordena la construcción de su mausoleo en Ravena, que guarda los mosaicos mejor conservados del siglo V.

LOS HUNOS

432 El papa Celestino I envía a san Patricio a Irlanda con la tarea de evangelizar a los habitantes de la isla.

c. **449** Tras ser abandonada por el poder imperial, Britania se divide en pequeños reinos locales que no pueden contener la invasión de sajones y anglos.

c. **451** Los hunos de Atila, luego de haber conquistado la cuenca del Danubio y haber invadido la península Itálica (donde se detuvieron a las puertas de Roma a instancias del papa León I), invaden la Galia, en alianza con Genserico. El general romano Flavio Aecio los derrota en la batalla de los Campos Cataláunicos, cerca de la actual ciudad francesa de Troyes.

455 Genserico conquista Roma y permite su saqueo durante catorce días.

469 Teodorico I asume como rey de los ostrogodos, que se establecen en el curso inferior del Danubio como aliados de Zenón, emperador romano de Oriente.

TEODORICO I

470 Los hunos iranios invaden la India y destruyen el reino de los Gupta, que sufría un proceso de decadencia.

476 Odoacro, general de los mercenarios germánicos al servicio de Roma, depone al emperador Rómulo Augústulo. Se extingue el Imperio romano de Occidente.

480 al 525 Vida de Boecio, escritor romano, autor de *De consolatione*, tratado en forma de diálogo donde el autor conversa con la Filosofía. También es autor de estudios sobre la teoría musical griega.

481 Clodoveo es proclamado rey de los francos. Con él se funda la Dinastía Merovingia.

491 Anastasio es elegido emperador de Oriente.

498 Clodoveo se hace bautizar en la Navidad de este año.

Siglo VI El arte bizantino adquiere un carácter específico y una de sus manifestaciones más dicientes son los iconos, representaciones pictóricas de un santo u otros personajes sagrados.

Siglo VI Los estudiosos babilónicos concluyen el Talmud, cuerpo de la ley civil y religiosa del judaísmo, que consta de un código de leyes e incluye comentarios sobre la Torá. El Talmud de Jerusalén se había concluido a comienzos del siglo anterior.

501 Gundobaldo logra conservar el reino burgundio (centro y sur de Francia) ante la arremetida de los merovingios. Ordena una codificación jurídica.

507 Clodoveo vence a los visigodos en Voullé y se anexiona casi todos sus territorios en las Galias, estableciendo en firme el reino franco.

516 Los sajones fundan el reino de Wessex, entre la isla de Wight y el alto Támesis, en Inglaterra.

520 El monje indio Bodhidharma fundó en China la escuela budista Zen, que integra elementos del taoísmo y el budismo, otorgando gran importancia a la meditación.

526 Fundación del reino sajón de Essex, con capital en Londres.

527 al 565 Mandato de Justiniano I (482-565) sobre el Imperio romano de Oriente. Sobrino y sucesor de Justino I, impulsó el derecho romano a través del código *Corpus Iuris Civilis* (534).

529 San Benito de Nursia funda el monasterio de Montecassino, en el centro de Italia.

532 Justiniano ordena la construcción de la basílica de Santa Sofía, en la que se aplicó el principio de la cúpula hemisférica sobre una base cuadrada.

534 Belisario, jefe de los ejércitos de Justiniano, expulsa de África a los vándalos.

c. 537 San Benito escribe una regla monástica que adoptan casi todos los monasterios cristianos occidentales. Hacía énfasis en la vida comunitaria y las labores manuales.

540 Belisario conquista Ravena y aprisiona al rey ostrogodo Vitiges.

543 La Peste, proveniente de Egipto, empieza a extenderse por Europa desde el puerto de Marsella.

c. 547 De aproximadamente este año data el mosaico que representa a la corte del emperador Justiniano I y su esposa Teodora, en la iglesia de San Vital en Ravena, Italia.

548 Muere la emperatriz Teodora, esposa y corregente de Justiniano. Ejerció una influencia decisiva en la política imperial.

c. 550 Los mayas construyen las excepcionales edificaciones de la ciudad de Tikal (a unos 280 kilómetros al norte de la actual ciudad de Guatemala).

552 El reino ostrogodo de Italia es definitivamente aniquilado y queda bajo el dominio de Justiniano tras las campañas del general imperial Narsés.

c. 552 El budismo llega a Japón; su filosofía resultó muy atrayente para los japoneses, que lo incorporaron a la vida cotidiana.

560 al 636 Vida del teólogo y enciclopedista español san Isidoro de Sevilla, autor de *Las Etimologías*, 20 volúmenes en que reúne el conocimiento de la época.

560 Los sasánidas de Persia establecen una alianza militar con los turcos provenientes del Altai, en Asia Central.

567 al 586 Reino visigodo de Leovigildo en España; traslada la capital a Toledo.

c. 570 El sintoísmo, la religión autóctona de Japón, inicia un proceso de consolidación para diferenciarse del budismo. Su doctrina mantiene que los dioses (kami) residen tanto en los seres vivos como en los objetos inanimados.

c. 570 Nace Mahoma en La Meca, profeta del Islam, conocido como el Alabado.

c. 581 Yang Chien se convierte en el primer emperador de la Dinastía Sui. Unifica todo el territorio chino y redacta un nuevo código legal.

587 El rey visigodo Recaredo, sucesor de Leovigildo, abjura del arrianismo y se convierte al catolicismo.

590 Asume el papado el monje benedictino Gregorio I, de quien toma su nombre el canto gregoriano, que reúne la música litúrgica codificada por la Iglesia romana.

597 El misionero romano Agustín convierte al cristianismo al rey anglosajón Etelberto de Kent. Agustín fija su residencia en Canterbury, donde construye la catedral que en el futuro será la sede del primado de Inglaterra.

c. 600 Se construyen en Persia los primeros molinos de viento; se usan para moler el grano y para la irrigación de cultivos.

600 Esplendor de la ciudad maya Uaxactún (a 18 kilómetros al norte de Tikal), sede de uno de los complejos astronómicos mayas más antiguos. Sus principales manifestaciones artísticas son unas enormes estelas decoradas con relieves.

ANASTASIO

REINO DE WESSEX

SAN BENITO

BASÍLICA DE SANTA SOFÍA

LA PESTE

SAN ISIDORO DE SEVILLA

MAHOMA

GRUPO CULTURAL	UBICACIÓN espacio-temporal	COMENTARIO
GERMANOS: Grupo de tribus y pueblos indoeuropeos que lograron hacia el siglo V el dominio del centro y occidente de Europa, marcando fin al Imperio romano de Occidente. Algunos grupos germanos son: alamanes, anglos, anglosajones, cuados, cimbrios, francos, godos, hérulos, jutos, lombardos, marcomanos, teutones, valones y yázigas.	Hacia el siglo II a.C., ocupaban el norte de la actual Alemania (Germania) y el sur de Escandinavia. A partir de este siglo empezaron a presionar las fronteras del Imperio romano, pero no lograron establecerse en el occidente del Rin. Sólo hasta el siglo III, los godos, alamanes y francos penetraron las fronteras exitosamente. En el siglo V, presionados por los movimientos migratorios de los hunos, ocuparon todo el Imperio romano de Occidente. Durante los siglos siguientes, las tribus germanas se convirtieron al cristianismo y sentaron las bases de la Europa medieval.	Las lenguas germánicas se hablan en Alemania, Austria, Suiza, Escandinavia, los Países Bajos, Bélgica, Suráfrica, y los países de habla inglesa. 
GITANOS: Pueblo indoeuropeo de costumbres nómadas originario del noroeste de la India, aunque sus miembros se consideraron por muchos siglos descendientes de los egipcios. 	A partir del siglo XI migraron hacia el Oeste en una ruta que los llevó lentamente por Asia Menor, el Imperio bizantino y el noreste de África. En el siglo XIV entraron, a través de Grecia, a Europa, donde debieron enfrentar discriminación. En España se prohibió su vestimenta y su lengua; de París e Inglaterra fueron expulsados y en Hungría y Rumania, esclavizados. En Rusia y en los territorios bajo dominio otomano fueron bien tolerados. Durante la Segunda Guerra Mundial, unos 250.000 murieron en campos de concentración nazis.	Actualmente viven en todo el mundo y su población se calcula (con base en estadísticas muy frágiles) en unos veinte millones de personas. Están divididos en «naciones», definidas por el área geográfica de asentamiento o procedencia reciente.
GODOS: Pueblo germano que estableció una importante potencia, que coincidió con la decadencia del Imperio romano.	Procedentes de Suecia, tras cruzar el Báltico se instalaron en el bajo Danubio (siglo III) e iniciaron violentas incursiones en Europa oriental y Asia Menor, devastando la región. En el siglo IV dominaban desde el mar Báltico hasta el mar Negro.	A partir de las invasiones de los hunos (c. 370), se dividieron en ostrogodos, que se asentaron alrededor del mar Negro (Ucrania y Bielorrusia) y visigodos, cuyo dominio se extendía hasta el Danubio.
HEBREOS: Grupo de tribus nómadas semitas identificadas religiosamente con el judaísmo, credo en el cual Yahvé es el único Dios. Se les llama también israelitas y judíos. 	A comienzos del II milenio a.C. emigraron desde Mesopotamia a Palestina (Canaán). Posteriormente se trasladaron a Egipto, donde fueron esclavizados. Hacia el 1250 a.C., obtuvieron su libertad y se asentaron de nuevo en Palestina. En el 1020 a.C., fundaron un reino que fue destruido por los asirios en el 721 a.C. De 587 a 537 a.C., sufrieron cautividad en Babilonia. En el 135 d.C., se sublevan contra el poder romano y son derrotados y expulsados de Judea, o vendidos como esclavos. Se inicia así su segunda gran diáspora.	Los modernos hebreos, a pesar de las incesantes persecuciones que han enfrentado como pueblo disperso, han logrado mantener su identidad durante casi diecinueve siglos: desde la disolución final de la provincia romana de Judea en el 135, hasta el establecimiento del moderno Estado de Israel en 1948.
HITITAS: Pueblo de origen desconocido, cuya lengua se relaciona con la de los pueblos indoeuropeos. En la Biblia se les llama «hijos de Heth». 	A comienzos del segundo milenio a.C. estaban asentados en Anatolia y Siria. Extendieron sus dominios al Mediterráneo y, en 1595 a.C., el rey Mursil I dominó Babilonia. Hacia el 1450 a.C., una nueva dinastía rivalizó con Egipto y Asiria. El rey Hatusili III firmó en 1265 a.C. la paz con los egipcios. Hacia el 1200 a.C., los hititas fueron arrasados por los llamados «pueblos del mar».	Fueron unos exitosos innovadores en la administración de justicia, que se basaba fundamentalmente en el principio de restitución en lugar de la retribución o venganza. Sus técnicas metalúrgicas también fueron muy avanzadas; muy probablemente fueron los primeros en trabajar el hierro.
INCAS: Grupo no étnico de pueblos andinos que creó un imperio pluricultural y llegó a tener una población de 16 millones. El término «inca» también hace referencia específica al soberano de este imperio.	En 1200, el legendario Manco Cápac fundó la dinastía gobernante del Imperio, que se extendió desde el sur de Colombia hasta Chile y el norte de Argentina. A la muerte de Huayna Cápac, en 1525, la rivalidad entre sus hijos degeneró en una guerra civil que coincidió con la llegada del conquistador Francisco Pizarro y sus huestes, que disolvieron el Imperio.	Fue un imperio teocrático basado en la agricultura, en el sistema de *ayllus* (conjunto de personas con un antepasado común) y dominado por el Inca, que era adorado como un dios viviente.
INDOEUROPEOS: Grupo de pueblos no relacionados antropológicamente, pero que poseen una lengua ancestral común cuyo núcleo original posiblemente está en la India.	De este tronco común derivan las lenguas albana, armenias, bálticas, celtas, eslavas, germánicas, griega, griega clásica, indoiranias, itálica y románicas, sánscrita y otras ya desaparecidas como la anatolia, la hitita y la tocaria.	Más de 1.500 millones de personas hablan lenguas indoeuropeas. El término indoeuropeo suele usarse en lingüística y antropología como sinónimo de ario.
INDOS: Desarrollaron la civilización del Indo, de la que son testigo las ciudades de Harappa y Mohenjo-Daro, que también le dan nombre.	Se desarrolló entre los años 2500 y 1700 a.C. en el valle del río Indo (Pakistán), ocupándolo en casi toda su extensión, incluyendo zonas de Irán, en el Oeste, y la India, en el Este.	Sus ciudades se desarrollaron en torno a grandes edificios públicos agrupados en dos conjuntos bien diferenciados, uno de los cuales solía amurallarse. Su decadencia y extinción se debieron principalmente a severos cambios ambientales.

GRUPO CULTURAL	UBICACIÓN espacio-temporal	COMENTARIO

JONIOS: Uno de los tres pueblos principales de Grecia, los otros fueron los dorios y los eolios.

Hacia el año 1000 a.C. ocuparon Ática, la mayoría de las islas del mar Egeo y la costa mediterránea de la actual Turquía. En los siglos VII y VI a.C. fundaron grandes ciudades (Efeso, Mileto, etc.) que cayeron bajo el dominio persa hacia el 545 a.C.

Los pensadores jonios realizaron contribuciones fundamentales a la cultura occidental; entre ellos están Tales de Mileto, Anaximandro, Anaxímenes y Heráclito.

MAYAS: Grupo de pueblos indígenas americanos que comparten los ámbitos económico, artístico, religioso e intelectual.

Asentado desde el 3000 a.C. en Mesoamérica (México, Honduras, Belice y Guatemala). Entre los años 300 y 900, la civilización maya vivió su periodo de mayor esplendor.

Hoy en día viven en comunidades y caseríos rurales, a pesar de que emigran cada vez más a las ciudades. Casi tres millones de personas hablan alguna lengua maya.

MONGOLES: Grupo étnico asiático que estaba conformado por varias tribus nómadas dedicadas a la caza y al pastoreo hasta la aparición de Gengis Kan. No poseían escritura y practicaban el chamanismo.

A principios del siglo XIII, Gengis Kan los unificó y formó un poderoso ejército conquistador con el que formó el imperio más grande de la Historia: desde el Caspio y los Urales hasta el mar de Japón. Sus descendientes gobernaron grandes áreas de China, Rusia y Asia Menor, que fueron dispersando en kanatos, hasta su disolución en el siglo XIV.

Los mongoles viven actualmente diseminados por Asia y la mayor parte del Sureste asiático. Su población ronda el millón y aún son nómadas en gran medida.

OSTROGODOS: pueblo germano escindido de los godos, que dominaba hacia el año 370 la región al este del río Dniéster, alrededor del mar Negro.

OSTROGODOS

Los ostrogodos fueron sometidos por los hunos en el 370. A la muerte de Atila recuperaron su independencia y se asentaron en Panonia (Hungría, Croacia, Eslovenia, Serbia y Austria). Teodorico invadió Italia en 488 y se proclamó rey. Los bizantinos iniciaron la conquista de la Italia ostrogoda, que culminaron en el 555.

Tras la derrota ante los bizantinos, los ostrogodos fueron absorbidos por otros pueblos germanos (alanos, vándalos, francos y burgundios), que se establecieron en los territorios del antiguo Imperio romano.

QUECHUAS: Grupo de pueblos andinos relacionados lingüísticamente; el quechua fue la lengua oficial de los incas, por lo que su uso se extendió por un extenso territorio de Suramérica.

Al parecer, vivieron originalmente en las montañas meridionales del Perú y se convirtieron en el conglomerado humano más importante del Imperio inca. Hoy en día habitan principalmente el Perú, Ecuador y Bolivia y conservan muchos elementos de su cultura.

Los misioneros españoles utilizaron la lengua quechua para propagar el cristianismo. En la actualidad lo hablan varios millones de personas en el Perú, Bolivia, Ecuador, Chile y el noroeste de Argentina.

SEMINOLAS: Pueblo indígena norteamericano de la región cultural del Sureste, en Estados Unidos.

Surgieron en el siglo XVIII como un grupo disidente de una confederación de tribus, al que se sumaron otros indígenas refugiados y esclavos negros fugitivos. Se asentaron en Florida, territorio que poco después fue adquirido por Estados Unidos, que inició una política de despojo y desalojo. A pesar de la feroz resistencia que opusieron, fueron derrotados y la mayoría fue obligada a instalarse en reservas del actual estado de Oklahoma, donde establecieron un sistema de autogobierno modélico.

A comienzos del siglo XXI, menos de 20.000 personas se consideraban descendientes de los seminolas.

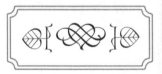

Seminolas

VIKINGOS: Conjunto de pueblos germanos que engloba a daneses, suecos y noruegos, que se dieron a sí mismos este nombre colectivo.

VIKINGOS

Desde el siglo VIII hasta comienzos del XII llevaron a cabo una campaña expansionista, principalmente marítima y fluvial, por toda Europa. Los noruegos ocuparon Irlanda, Islandia y Groenlandia; los daneses, Inglaterra, la península Ibérica y Francia, donde, en el año 912, les fue cedida la futura Normandía; y los suecos, las cuencas de los mares Negro y Caspio. Siglo y medio después de asentarse en Normandía, sus descendientes conquistaron Inglaterra (1066) y Sicilia (1060-1090).

Los vikingos o normandos realizaron su expansión actuando básicamente como depredadores; sin embargo, se les reconocen logros como el de la introducción del sistema de jurados en la justicia y el desarrollo de una gran literatura extendida en forma de sagas.

VIKINGOS

VISIGODOS: Pueblo germano escindido de los godos, que dominaba a finales del siglo IV la región comprendida entre los ríos Dniéster y Danubio.

En el 378 el emperador Teodosio I firmó la paz con los visigodos, quienes, a su muerte, se reorganizaron e iniciaron nuevas campañas que los llevaron a unificar bajo su dominio España y Provenza. En 507, los francos les arrebataron Provenza. El último monarca, Rodrigo, fue derrotado y muerto por los musulmanes en 711, hecho que permitió la ocupación musulmana de la península Ibérica.

El obispo godo Ulfilas (311-382) tradujo la Biblia al gótico y fue responsable de la conversión de los godos a una herejía del cristianismo denominada arrianismo.

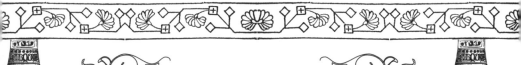

GRECIA

II
(500 a.C. - 167 a.C.)

Grecia clásica (500-336 a.C.) La Grecia clásica fue el periodo de mayor esplendor intelectual, artístico y literario. Así mismo, fue un periodo de intensos cambios en los modelos de gobierno; muchas ciudades pasaron del gobierno aristocrático al gobierno oligárquico y muy pronto al tiránico. Atenas, por su parte, hizo la transición a la democracia, que permitía a los ciudadanos elegir, ser elegidos y opinar sobre las decisiones políticas referentes a la *polis*. Atenas fue una de las ciudades estado más importantes del mundo antiguo, su historia se remonta a la época micénica, cuando jonios y aqueos se instalaron en la llanura de la península Ática y sentaron las bases de la cultura ateniense. Gran parte de la economía de la *polis* estuvo sujeta al comercio marítimo, privilegiado por su cercanía al mar. En lo político, Atenas atravesó por varios sistemas de gobierno: monárquico, aristocrático, oligárquico y democrático. Este último fue introducido por el político y legislador griego Clístenes en el 510 a.C. y entendido como el gobierno del pueblo, ya que en él los ciudadanos tenían derecho a participar en la vida política. Con la democracia, Clístenes eliminó el gobierno tiránico iniciado por Pisístrato y continuado por sus descendientes.

Las guerras médicas Constituyeron uno de los acontecimientos más importantes en la historia ateniense. En general fueron una serie de conflictos librados durante el siglo V a.C. por Atenas y otras ciudades griegas contra el Imperio persa. Las principales causas de los enfrentamientos fueron el bloqueo comercial, sufrido por varias ciudades griegas de la costa asiática, y la destrucción de Mileto, ambos hechos causados por los persas. La primera guerra, ocurrida en el año 490 a.C., enfrentó a persas y atenienses. El triunfo de Atenas en este enfrentamiento le dio gran prestigio ante las demás ciudades griegas. La segunda guerra o Guerra de las Termópilas, iniciada en el 480 a.C., se dio como consecuencia de la invasión persa a la ciudad de Atenas. La victoria persa significó la invasión total de Atenas y su posterior destrucción por parte de los ejércitos del rey Jerjes. La batalla naval de Salamina, último conflicto de las guerras médicas, finalizó con el triunfo ateniense sobre los ejércitos persas. Los resultados más notables de la derrota persa en Grecia fueron: 1) La recomposición del comercio marítimo de las ciudades de la costa asiática griega y el restablecimiento de su independencia política; 2) El fin de la expansión persa hacia Europa; y 3) Atenas se convirtió en la ciudad griega más importante y poderosa.

Siglo de Pericles (439-338 a.C.) Con el gobierno de Pericles, Atenas llegó a su máximo esplendor; jamás en su historia la *polis* ateniense lograría un apogeo igual al vivido durante este siglo. El fomento de las artes generó

un especial florecimiento de la escultura y la arquitectura, en este periodo Policleto realizó su famoso *Doríforo*, Fidias construyó la estatua de Atenea (madera cubierta de oro y marfil) y esculpió la de Zeus para el estadio de Olimpia y se construyó el teatro circular de Epidauro, que sigue activo hoy en día. En las ciencias y las letras se destacaron, entre otras, figuras como Demócrito, con su teoría atómica del universo; Heródoto de Halicarnaso, padre de la historia; Teofrasto, fundador de la botánica; y el filósofo Platón, cuyas tesis marcaron las concepciones mentales de Occidente.

Esparta Otra ciudad estado que merece ser destacada. Fundada por los dorios en la península del Peloponeso, fue tierra especialmente propicia para la agricultura. La forma de gobierno espartana fue la «diarquía», una monarquía dual, hereditaria y de carácter religioso y militar. El consejo, constituido por 28 ciudadanos mayores de 60 años, elaboraba las leyes; la asamblea, compuesta por ciudadanos mayores de 30 años, se encargaba de aprobar o rechazar las leyes propuestas por el consejo; y los éforos eran los encargados de supervisar la ética, la disciplina y la moral del Estado y de cada uno de sus funcionarios. Al finalizar el periodo de la Grecia arcaica, Esparta extendía su poderío por gran parte del territorio del Peloponeso. Dicho dominio la llevó a fundar la Liga del Peloponeso, confederación de ciudades que favorecía acuerdos bilaterales entre Esparta y otros Estados de la región. Su sociedad estaba dividida en tres estratos: espartanos (ciudadanos con todos los derechos y consagrados a la labor militar); periecos (que vivían en la periferia, eran comerciantes, artesanos o soldados; e ilotas (siervos que trabajaban la tierra de sus amos). Esparta tuvo el mejor ejército de toda Grecia. Desde temprana edad, los niños eran educados para la guerra; a los siete años comenzaban el entrenamiento militar y a los veinte se integraban a las filas del Ejército, al cual pertenecían hasta los sesenta años. El triunfo sobre Atenas en la Guerra del Peloponeso refleja el excelente nivel que tenía el ejército espartano.

Guerras del Peloponeso La guerra entre atenienses y espartanos y sus respectivos aliados, se desarrolla entre los años 431 y 402 a.C. y concluye con la victoria de Esparta en Hagios Potamos y el inicio de una nueva fase histórica señalada por la hegemonía espartana. Esta hegemonía, a su vez, terminó en 371 a.C. cuando la ciudad de Tebas, bajo el mando de Epaminondas, venció a Esparta en la batalla de Leuctra y afirmó su propio poder. Mientras el espacio griego se veía sacudido por estas guerras entre las distintas ciudades estado, en el Norte, en Macedonia, se desarrollaba un nuevo poder, que alcanzó su mayor desarrollo con el rey Filipo II (359 a.C.-336 a.C.).

Filipo II de Macedonia Inmediatamente después de subir al trono, Filipo anexionó las colonias del sur de Grecia, en la costa de Macedonia y Tracia. En 338 a.C. poseía el suficiente poder para convocar un congreso de todos los Estados griegos, en el que reconocieron la superioridad de Macedonia en la península y nombraron a Filipo comandante en jefe de las fuerzas griegas.

Periodo helenístico (336-148 a.C.) La conquista macedonia sobre Grecia dio paso a un acuerdo entre las dos partes, en el que los griegos aceptaban la hegemonía de Macedonia, liderada por el rey Filipo, sobre su territorio. Alejandro (356-323), hijo de Filipo, extendió su imperio desde Egipto y Mesopotamia, antiguos territorios del Imperio persa, hasta el valle del río Indo, propagando la lengua y la cultura griegas y absorbiendo elementos que cristalizaron en lo que se ha llamado la cultura helenística. A la muerte de Alejandro, sus generales se repartieron el vasto imperio, dando lugar a tres dinastías: Lágidas en Egipto, Seléucidas en Asia y Antigónidas en Macedonia. Estos reinos entraron pronto en conflicto entre sí, dando comienzo a un nuevo periodo de guerras entre los años 322 y 275 a.C. Simultáneamente, en la península Itálica se desarrollaba un nuevo Estado, el romano, que poco a poco fue dominando territorialmente a Grecia y de cuya cultura se nutrió. En 215 a.C., Roma empezó a interferir en los asuntos de Grecia y, finalmente, en el 148 a.C., Macedonia y Grecia se convirtieron en una sola provincia romana.

Mitología griega Los dioses griegos eran, al principio, la personificación de las potencias de la naturaleza. Tuvieron su origen en la observación —propia de todos los pueblos primitivos— de elementos y fenómenos naturales. Posteriormente incorporaron dioses que representaban dominios de la mente humana. Zeus vivía en el monte Olimpo y era la principal divinidad, amo de todos los dioses y los hombres. Su esposa, Hera, presidía la vida de las mujeres. Atenea, nacida de la cabeza de Zeus, era la protectora de Atenas y la diosa de la sabiduría. Apolo, dios de la luz y la juventud, representaba el ideal de belleza masculina y estaba relacionado con el Sol. Su hermana gemela, Artemisa, era la diosa de la naturaleza y la caza, representaba el ideal de la belleza femenina y estaba relacionada con la Luna. Apolo y Artemisa eran hijos de Zeus. Hermes —dios del comercio y mensajero de los dioses—, Poseidón —dios del mar—, Afrodita y Eros —dioses del amor— y Dionisio —dios de la vegetación y del placer de la bebida—, figuraban también entre los principales dioses griegos. Junto a ellos se encontraban los dioses menores, como los sátiros y las ninfas —del campo—, las nereidas —deidades marinas— y los héroes o semidioses, como Heracles, Perseo, Jasón, Odiseo, Aquiles, etc.

ROMA

Entre los años 800 y 600 a.C. se asentaron los primeros pueblos en el territorio romano; latinos, etruscos y griegos, todos pertenecientes a distintas etnias y familias lingüísticas, fundaron sus primeras aldeas en la llanura de la península Itálica. El año 753 es tenido como la fecha tradicional de la fundación de Roma, que, según la leyenda, habría sido llevada a cabo por Rómulo y Remo, hermanos gemelos hijos de Marte, dios de la guerra.

La historia de Roma se divide en tres periodos:

Monarquía (753-509 a.C.) Este periodo está comprendido entre la fundación de Roma (753 a.C.) y el derrocamiento de Tarquino, último rey etrusco, en el 509 a.C. Durante este tiempo comienza el poblamiento del territorio romano, y se consolidan la formación de la sociedad, el crecimiento y la expansión de la ciudad, y el establecimiento de instituciones políticas. El sistema de gobierno implantado por los etruscos en Roma fue la monarquía. Un rey vitalicio, elegido por la asamblea, reunía todos los poderes: político, civil, militar y religioso. Las leyes eran dictadas por la Asamblea y aprobadas o rechazadas por el Senado, concejo de ancianos patricios que servían como asesores al rey.

Las primeras comunidades basaron su economía en la agricultura, el pastoreo, la explotación de yacimientos de hierro y el intercambio comercial con pueblos vecinos. La sociedad estaba dividida en tres sectores: patricios (que constituían la clase gobernante y privilegiada, con múltiples derechos, eran grandes poseedores de tierra y ganado); clientes (hombres de menor condición que mantenían lazos de obediencia, trabajo y tributo con un patrón, a cambio de representación y defensa ante el gobierno); y plebeyos (entre los que se contaban esclavos y ciudadanos romanos de bajos recursos, constituían el pueblo llano).

La República (510-30 a.C.) Comenzó con el derrocamiento y la expulsión del rey Tarquino el Soberbio, por parte de los patricios. Los abusos cometidos por los reyes etruscos y la pérdida de poder por parte de un pueblo extranjero como el etrusco, llevó a la nobleza romana a destronar la monarquía y a imponer su propio sistema de gobierno: la República. En este nuevo sistema, el poder civil y militar era compartido por dos cónsules, que eran elegidos cada año por la Asamblea. El poder religioso quedó en manos del Sumo Pontífice, que oficiaba como jefe de sacerdotes. Aun cuando la República fue denominada como la «cosa pública», por estar concebida para la abierta participación política del pueblo, esto fue relativo, pues los plebeyos, que también gozaban del título de ciudadanos (y que nominalmente podían hacer parte del Senado), al igual que patricios y clientes, no pudieron acceder a cargos públicos, la participación en ritos religiosos, ni mucho menos pudieron aspirar a enlaces matrimoniales con integrantes de clases más altas.

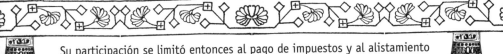

Su participación se limitó entonces al pago de impuestos y al alistamiento en las filas del Ejército romano.

Esta situación llevó a enfrentamientos entre patricios y plebeyos. Entre el 493 y el 286 a.C. se sucedieron tres fases de conflictos entre las dos clases sociales que finalizaron con acuerdos para garantizar la participación de ambos sectores en el gobierno. La publicación de las leyes en la plaza pública, la legalización de matrimonios entre patricios y plebeyos, el establecimiento de la igualdad política manifestada en el nombramiento de un cónsul patricio y un cónsul plebeyo, la distribución de tierras del Estado entre plebeyos pobres, la igualdad de condiciones en el ascenso a cargos públicos y la aceptación de los plebeyos en los cultos religiosos de los patricios, fueron algunos de los cambios logrados a lo largo de este periodo.

El periodo de la Roma republicana también fue propicio para la expansión territorial. Mientras una parte del ejército cuidaba las fronteras del ataque de los etruscos que amenazaban con invadir el territorio y tomarse nuevamente el poder; la otra parte inició el proceso colonizador. Las colonias griegas situadas al sur de la península Itálica y en Sicilia, denominadas «la magna Grecia», fueron invadidas por Roma e integradas a su Estado. Los romanos lograron el dominio completo de la península en el 272 a.C. con la conquista de Tarento, en el Sur. Posteriormente sería anexado el reino helenístico de Siria (190 a.C.), y Grecia y Macedonia se convertirían en provincia romana (147 a.C.).

Durante los primeros años, las colonias romanas mantuvieron su cultura y sus instituciones. Más adelante, la unificación cultural las llevó a establecer el latín como lengua oficial del Imperio. Las nuevas colonias tuvieron que pagar impuestos a Roma y proveer soldados al gran ejército romano en caso de guerra contra pueblos vecinos.

A partir del 264 a.C., las guerras púnicas enfrentaron a romanos y cartagineses por el control del Mediterráneo, que finalmente fue logrado por los primeros en 146 a.C. Los territorios cartagineses del norte de África pasaron a ser provincia romana. Gran parte de la península Ibérica y el sur de las Galias también fueron conquistados por Roma. Las conquistas favorecieron a una minoría (patricios y plebeyos enriquecidos). Las diferencias sociales desencadenaron guerras civiles y Roma, además, debió soportar las rebeliones de los pueblos bajo su dominio.

Ante la crisis del régimen republicano se creó el primer triunvirato, alianza política entre Pompeyo Magno, Julio César y Marco Licinio Craso, en el año 60 a.C. En este sistema de gobierno, los tres triunviros actuaban como legítimos jefes de Estado, turnándose los cargos de cónsul y líder del Ejército.

De los tres, el más famoso fue Julio César, quien organizó el sometimiento definitivo de las Galias y creó una propicia alianza con Egipto, que garantizó a Roma numerosas riquezas provenientes de la civilización del Nilo. Como consecuencia de estos logros, Julio César fue nombrado dictador. César extinguió el Senado y realizó una amplia reforma administrativa y política; impulsó la romanización de los territorios conquistados y la construcción de obras monumentales e infraestructura. Se convirtió en cónsul vitalicio y dictador perpetuo. En 44 a.C. fue asesinado por algunos senadores que buscaban la restauración de la República. El asesinato condujo a la formación de un nuevo triunvirato, conformado por Octavio (hijo adoptivo de Julio César), Marco Antonio y Lépido.

Marco Antonio recibe el gobierno de Oriente, Lépido el de África, Octavio el de Occidente, mientras que Roma y la península Itálica quedan bajo dominio común. En el 36 a.C., Lépido fue excluido del gobierno, perdiendo sus poderes políticos y militares; en el 32 a.C., el triunvirato fue disuelto por enfrentamientos entre Octavio y Marco Antonio. Octavio, tras lograr el control de Oriente en el 29 a.C., consolidó su total supremacía sobre el territorio de Roma. Dos años más tarde recibió del Senado el título de *Augustus*, de carácter divino, que asociaría a su propio nombre, acto que se considera el inicio del periodo imperial.

Imperio (27 a.C.-476 d.C.) Octavio, conocido en adelante como César Augusto, gobernó con poder absoluto en la política, la religión y la justicia. Conquistó Hispania, los Alpes, Galacia, Judea y el sur del Danubio. Reformó el Senado y el Ejército, y su reinado también se caracterizó por el florecimiento de las artes y las letras. Luego de su muerte, ocurrida en el año 14 d.C., se sucedieron tres dinastías de emperadores romanos: Los *Julio-Claudios*, pertenecientes a las familias de Julio César y de los Claudios, que gobernaron Roma entre los años 14 y 68 d.C.; los representantes de esta dinastía fueron Tiberio, Calígula, Claudio y Nerón; los *Flavios*, que dirigieron Roma durante 27 años, sus integrantes fueron Vespasiano, Tito y Domiciano; y los *Antonios*, que gobernaron hasta el año 192, dinastía compuesta por Nerva, Trajano, Adriano, Antonio Pío, Marco Aurelio y Cómodo.

Los emperadores de este periodo lograron conservar el poder civil, militar y religioso; este último les valió el título de Sumo Pontífice. Al mismo tiempo, consiguieron administrar eficazmente la totalidad del territorio imperial, gracias al nombramiento de funcionarios que hicieron las veces de gobernadores y de enlace entre Roma y la periferia.

Durante el reinado de Trajano (98-117), el Imperio alcanzó su máxima extensión. Limitaba al Norte con el Rin y el Danubio, extendiéndose además

por Britania y Dacia (actualmente Rumania, conquistada por el propio Trajano). En Asia, comprendía Asia Menor, Siria, Palestina y Mesopotamia, y en África toda la costa mediterránea y Egipto.

En lo económico, la época imperial se destacó por el eficaz intercambio comercial con pueblos vecinos; vendían vino, aceite, lana y fruta, e importaban seda y especias de Oriente. Roma, la capital del Imperio, se abastecía de la explotación agrícola de las colonias, pues la disminución de mano de obra esclava dedicada a la agricultura y la ganadería redujo notoriamente la producción en la ciudad y sus alrededores.

Los ataques de pueblos bárbaros a las fronteras del Imperio y la decadencia de la agricultura y la minería causadas por falta de trabajadores, hicieron del siglo III d.C. un periodo de crisis política, económica y militar. Ante esta situación, Diocleciano, emperador entre 284 y 305, se erigió como salvador del Imperio, impulsando políticas en materia militar que eliminaran la posibilidad de sublevaciones regionales. La reducción de trabajadores y el aumento de efectivos en el ejército supusieron gastos que el Imperio no pudo mantener, generando una creciente inflación que Diocleciano trató de resolver con la emisión de nuevas monedas. Sin embargo, la crisis económica era tan grande que la inflación aumentó progresivamente.

El gobierno de Constantino (313-337 d.C.) continuó la misión de subsanar la crisis sufrida por el Imperio durante el siglo III. Algunas de las innovaciones de su mandato fueron la libertad de culto y la igualdad del cristianismo con otras religiones (Edicto de Milán, 313), la introducción del domingo como día de descanso y oración y el traslado de la capital del Imperio a la ciudad griega de Bizancio, a la que el Emperador renombró como Constantinopla (actual Estambul).

Los gobiernos que sucedieron al emperador Constantino presenciaron la decadencia del Imperio. Los bárbaros intentaron repetidamente tomarse Roma; los gastos del Ejército y la burocracia superaban el presupuesto, por lo que hubo que admitirse el ingreso de bárbaros a las filas para fortalecer su cuerpo militar. El último emperador de una Roma unificada fue Teodosio I, que gobernó entre los años 379 y 395; impuso el cristianismo como religión romana y dividió el Imperio entre sus dos hijos: Arcadio, a quien correspondió el Imperio romano de Oriente, con capital en Constantinopla; y Honorio, quien dirigió el Imperio romano de Occidente, con capital en Roma.

Los pueblos bárbaros del Norte fueron infiltrándose en el territorio del ya expugnable Imperio de Occidente, hasta que finalmente, en el año 476, tuvieron lugar las grandes invasiones y Rómulo Augústulo, el último emperador de Occidente, fue depuesto por el germano Odoacro. Con ello llegaba a su fin el Imperio romano de Occidente. El Imperio romano de Oriente, o Imperio bizantino, subsistió hasta 1453, año en que Constantinopla fue tomada por los turcos.

EL CRISTIANISMO

El surgimiento del cristianismo tuvo como escenario Palestina durante la época del Imperio romano, cuando el judaísmo, religión monoteísta, estaba en crecimiento. Palestina había sido conquistada por Roma hacia finales de la República y se encontraba dividida en dos regiones: Galilea al Norte y Judea al Sur. Jesús nació en Belén de Judea y pasó varios años de su vida en Nazareth. Se declaró a sí mismo hijo de Dios, asegurando ser el Mesías esperado. Los fariseos (corriente del judaísmo) se molestaron y lo acusaron de blasfemia,por lo que fue condenado por las autoridades romanas a morir en la cruz.

Los apóstoles propagaron la fe cristiana entre los judíos y llevaron la vida de Jesús y sus enseñanzas a los evangelios. San Pedro fue el primer papa y san Pablo, el más activo difusor de la doctrina. Las bases de la doctrina cristiana son la Trinidad, la encarnación, la redención y las enseñanzas referentes al amor y la fraternidad, como fundamento de las relaciones humanas. En el año 64, Nerón culpó a los cristianos del incendio de Roma, tras lo que oficializó su persecución. Fue hasta el gobierno de Constantino que el cristianismo adquirió legitimidad y, finalmente, durante el mandato del emperador Teodosio I (379-395), fue declarado religión oficial del Estado.

Desde sus orígenes, el cristianismo enfrentó graves problemas: las herejías, el Cisma de Oriente (1054), que separó la Iglesia bizantina de la latina, el Cisma de Occidente (1378) y la Reforma (siglo XVI), que separó el protestantismo de la Iglesia romana. Se difundió por todo el mundo en el siglo XIX y hoy en día es la religión monoteísta más extendida, con casi dos mil millones de profesantes.

IMPERIO BIZANTINO

El Imperio romano de Oriente, comprendido por las regiones de los Balcanes, Asia Menor, Siria y Egipto, fue mucho más fuerte ante las invasiones bárbaras que el Imperio de Occidente. Una vez terminada la ola de invasiones, los bárbaros fueron expulsados del gobierno, el Ejército y la administración, y les fueron retirados los derechos sobre las tierras que poseían en el Imperio. Así, el Imperio logró mantener intacta la herencia cultural de la Antigüedad: vida urbana, economía monetaria y sistema administrativo. Constantinopla se convirtió en su capital en 330, después de que Constantino I el Grande, el primer emperador cristiano, la fundara en el lugar de la antigua Bizancio. Justiniano I reconquistó la cuenca occidental del Mediterráneo y las tierras de los vándalos en África y de los ostrogodos en Italia. Impulsó el derecho romano a través del código *Corpus Iuris Civilis* y acometió reformas en la administración de las provincias. Convirtió a Constantinopla en el principal centro comercial y cultural del Mediterráneo. Bajo el gobierno de su sucesor, Justino II, los lombardos tomaron la Italia que acababa de ser reconquistada (568), los ávaros invadieron Mesia, Tracia e Iliria (571), y los persas entraron en Antioquía (572).

Para el siglo VII, el Imperio estaba reducido a los Balcanes, el Egeo y Anatolia y aún siguió reduciéndose, hasta que la Dinastía Macedonia tomó el poder en el año 867 (manteniéndolo hasta 1057) y llevó nuevamente al Imperio a un punto culminante, reconquistando importantes regiones que estaban en poder de la nueva fuerza expansiva del Islam. Hacia esta época, el Imperio ya se conocía con el nombre de Imperio bizantino, cambio que se debió sin duda a la helenización de la región: el establecimiento del griego como idioma oficial y la preponderancia de habitantes griegos y orientales en el territorio hizo que éste perdiera el carácter romano que lo caracterizaba. En 1054 tuvo lugar la ruptura definitiva entre las Iglesias griega y latina, hecho que se conoce como Cisma de Oriente. Miguel Cerulario, patriarca de Constantinopla, inició en 1043 una campaña contra las iglesias latinas de su ciudad, por lo que fue excomulgado por el Papa de Roma, a lo que Constantinopla respondió rechazando el primado del Papa y escribiendo una encíclica en defensa de la independencia de la Iglesia bizantina. Tras estos acontecimientos, el Imperio bizantino se vio inmerso en una larga decadencia, durante la cual los reinos vecinos dominaron gran parte del territorio y se agudizó el debilitamiento de las instituciones imperiales, hasta que en 1204 Constantinopla fue saqueada durante la Cuarta Cruzada por los mismos cruzados y los venecianos, quienes crearon el Imperio latino. En 1261, el emperador Miguel VIII Paleólogo reconquistó Constantinopla y eliminó el Imperio latino. Sin embargo, el Imperio bizantino no consiguió recuperarse y poco a poco los turcos fueron conquistando territorios: en el siglo XIV ya dominaban Anatolia y a mediados del XV habían reducido el Imperio a una pequeña zona alrededor de Constantinopla. En 1453, el ejército turco, bajo las órdenes de Mehmet II, puso sitio a la ciudad, que fue defendida por apenas unos cientos de griegos y genoveses bajo el mando del emperador Constantino XI Paleólogo, quien murió combatiendo durante el asalto definitivo que acabó con el Imperio bizantino.

LOS MAYAS

La cultura maya estuvo presente en los actuales territorios de México, Belice, Guatemala, Honduras y El Salvador por aproximadamente tres mil años. Su historia suele dividirse en tres periodos: formativo (1500-300 a.C.), clásico (300 a.C.-900 d.C.) y posclásico (900-1530). La cultura maya no fue uniforme; estaba constituida por varios pueblos, cada uno con su propia lengua. El pertenecer a un mismo imperio hizo que estos pueblos compartieran espacios económicos, religiosos y culturales. La clase dirigente estaba compuesta fundamentalmente por el gobernante de la ciudad estado, el *Halach Uinic*, cuya dignidad era hereditaria por línea masculina, y el *Ah Kin*, el sumo sacerdote. Por debajo de éstos estaban los nobles, los comerciantes, los campesinos y los esclavos. La agricultura fue la base de la economía y el maíz el principal producto; otros cultivos importantes fueron el algodón, el chile, el tomate, la yuca y el cacao.

Periodo formativo Bajo la influencia de los olmecas, los mayas desarrollaron en este periodo la alfarería y la escultura e iniciaron la construcción de núcleos urbanos en las tierras bajas de Guatemala.

Periodo clásico El núcleo cultural estuvo alrededor del lago Petén (hoy en Guatemala), surgieron las ciudades estado, gobernadas por guerreros y profundamente vinculadas por lazos culturales y religiosos. La influencia de la clase sacerdotal se extendió a todas las esferas. Las artes tuvieron una etapa de esplendor con la construcción de templos y palacios, la realización de coloridos y grandiosos frescos y la elaboración de estelas y relieves. Los adelantos más importantes de este periodo fueron la invención del calendario, el desarrollo de la escritura jeroglífica y la invención del sistema constructivo de la falsa bóveda por aproximación de filas de bloques de piedra, para cubrir espacios alargados o estrechos. La agricultura y las matemáticas también experimentaron un gran desarrollo. Los principales focos políticos y económicos de esta época fueron las ciudades de Tikal, Palenque y Copán. Estos centros fueron abandonados a mediados del siglo IX y algunos de sus habitantes emigraron al norte de Yucatán. Se inició así el periodo posclásico.

Periodo posclásico Las tres ciudades principales, Chichén-Itzá, Uxmal y Mayapán, formaron una alianza hegemónica que dio paso al dominio exclusivo de Mayapán (a partir de 1200 aproximadamente). Pero entre todas, la ciudad más sobresaliente fue Chichén-Itza, conocida por sus majestuosos templos y palacios y las construcciones dedicadas al juego-ritual de la pelota, que reproducía el movimiento anual de los cuerpos celestes. El declive de este periodo se dio como consecuencia de invasiones de grupos seminómadas provenientes del Norte, la lucha entre ciudades, las epidemias que azotaron a la población durante este tiempo y, marginalmente, la llegada de los europeos, con quienes establecieron contacto en 1511.

⊠ LOS CALENDARIOS ⊠

Las antiguas culturas de todo el mundo manifestaron (con la construcción de templos y observatorios, mediante rituales propiciatorios o complejas cosmogonías), su conexión con los ciclos del Sol, la Luna y las estrellas, que les ofrecieron también un medio ideal para medir el paso del tiempo y establecer convenciones temporales, el calendario, para poder organizar sus actividades de manera concertada, teniendo en cuenta el ritmo de la naturaleza. Los calendarios más antiguos basados en el mes lunar (una revolución de la Luna en torno a la Tierra) con el tiempo dejaban de coincidir con las estaciones, por lo que debía añadirse ocasionalmente un mes (mes intercalar) para conciliarlo con el año solar (una revolución de la Tierra alrededor del Sol); esto dio origen a los calendarios lunisolares, como el babilonio, el judío y el ateniense.

Calendario babilonio Era de 12 meses lunares de 30 días, y le añadían meses extras cuando debían sincronizarlo con las estaciones del año.

Calendario judío Está basado en meses lunares de 29 y 30 días alternativamente, e intercala un mes extra cada tres años, de acuerdo con un ciclo de 19 años. Su punto de partida es el año 3761 a.C. Este calendario lo marcan cinco grandes fiestas, tres de ellas vinculadas a la agricultura: la de la primavera o Pascua, que marca el inicio de la cosecha de la cebada (se asoció luego al éxodo de Egipto); el *Shavuot* (semanas), que marca su término cincuenta días más tarde (se asoció con el momento en que Dios entrega la Torá a Moisés) y el *Sukot*, que corresponde a la cosecha de otoño, a ésta le precede un periodo de diez días que se inicia con la celebración del año nuevo (*Rosh ha-shaná*) y termina con el *Yom kipur*, (día de la expiación), el más sagrado del calendario.

Calendario ateniense Era de 354 días (12 meses lunares) y le agregaban meses extras a intervalos específicos en ciclos de años solares. Los egipcios, en cambio, desarrollaron un calendario solar, que coincide con el calendario romano reformado o calendario juliano.

Calendario romano Inicialmente tenía 10 meses con 304 días en un año que comenzaba en marzo; enero y febrero, fueron añadidos posteriormente. Como los meses tenían 29 o 30, días había que intercalar un mes aproximadamente cada segundo año. Un sistema tan confuso tuvo que soportar, además, el abuso de los funcionarios que tenían encomendada la adición de días y meses, para prolongar sus cargos o para adelantar o retrasar elecciones. La reforma, pues, que introdujo Julio César estaba más que justificada.

Calendario juliano No aportó un nuevo sistema sino que copió el egipcio; sin embargo, resolvió el adelanto de tres meses que llevaba el antiguo calendario y estableció el orden de los meses y los días de la semana tal como figuran en los calendarios actuales. Su exceso de 11 minutos y 14 segundos respecto al año solar lo llevó a acumular en el tiempo un periodo de días que en 1582 ya era de diez.

Calendario gregoriano La Iglesia, preocupada por la fecha de celebración de la Pascua de Resurrección, que debía festejarse siempre el primer domingo después de la primera luna llena que siguiera al equinoccio de primavera, resolvió introducir una reforma para conseguir que el equinoccio volviera a coincidir con el 21 de marzo, y que dicha celebración (y cada una de las otras de la Iglesia) se realizara en el momento apropiado. Fue así como el papa Gregorio XIII promulgó un decreto que eliminaba 10 días del calendario y el 5 de octubre de 1582 se convirtió en el 15 de octubre de 1582. Para prevenir nuevos desfases, instituyó un calendario usado en la actualidad en casi todo el mundo y que establece que los años centenales divisibles por 400 serán bisiestos y que los demás serán normales; por ejemplo, 1600 y 2000 fueron bisiestos, pero 1700 y 1800 no lo fueron (con todo, el año de este calendario es 25 segundos más largo que el solar). Sin embargo, los países protestantes no lo acogieron de inmediato y fue así como Inglaterra mantuvo vigente el juliano hasta 1752 y los países de religión cristiana oriental hasta después de la Primera Guerra Mundial; esto produjo coincidencias y desfases singulares, como el que Shakespeare y Cervantes hubiesen muerto en la misma fecha pero no en el mismo día (23 de abril de 1616) o que la Revolución de Octubre (1917) en Rusia haya ocurrido en noviembre. Muchos países de religión cristiana oriental conservan el calendario juliano para la celebración de sus fiestas religiosas. El calendario gregoriano también es llamado calendario cristiano porque emplea el nacimiento de Cristo como punto de partida, originalmente fijado el 25 de diciembre del año 1 a.C. pero que, según investigaciones recientes, debe situarse hacia el año cuatro.

Calendario egipcio Para no ser sorprendidos por la periódica inundación del Nilo, los antiguos egipcios debieron idear un calendario fiable. Confeccionaron uno solar de 365 días, al que agregaban uno más cuando calculaban que era tiempo de corregir el desplazamiento acumulado por la diferencia de más o menos un cuarto de día respecto al ciclo solar, dando lugar a una especie de irregular año bisiesto. Cada año se dividía en doce meses de treinta días cada uno, con cinco días extras al final. Se apoyaron, además, en la observación de la estrella Sirio, que cada año, tras un largo periodo de invisibilidad, reaparece el 19 de julio, coincidiendo con el comienzo del ciclo de crecidas y marcando, por tanto, el comienzo del año y de la estación fértil. Además, un ciclo de Sirio (1.460 días) coincide con cuatro años solares.

Calendario islámico Este calendario es utilizado en casi todos los países musulmanes y se calcula a partir del año 622 de la era cristiana, el día posterior a la *hégira*, o salida de Mahoma de La Meca a Medina. Consta de 12 meses lunares. Treinta años constituyen un ciclo en el que los años 2º, 5º, 7º, 10º, 13º, 16º, 18º, 21º, 24º, 26º y 29º son años bisiestos de 355 días; los demás son años comunes de 354 días. Esta complejidad tiene su origen en la prohibición expresa de Mahoma de hacer uso de los meses intercalares.

Calendario maya La obsesión de los mayas por el movimiento de los astros, originada en su concepción cíclica de la Historia, los llevó a desarrollar un calendario muy preciso (tan exacto como el gregoriano), así como a plani-

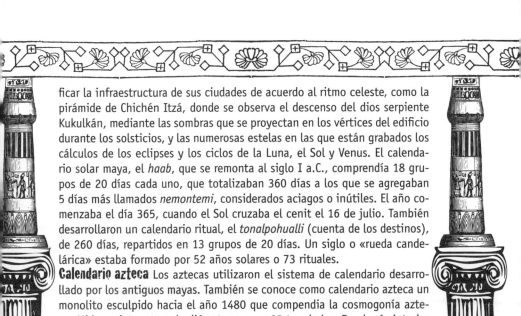

ficar la infraestructura de sus ciudades de acuerdo al ritmo celeste, como la pirámide de Chichén Itzá, donde se observa el descenso del dios serpiente Kukulkán, mediante las sombras que se proyectan en los vértices del edificio durante los solsticios, y las numerosas estelas en las que están grabados los cálculos de los eclipses y los ciclos de la Luna, el Sol y Venus. El calendario solar maya, el *haab*, que se remonta al siglo I a.C., comprendía 18 grupos de 20 días cada uno, que totalizaban 360 días a los que se agregaban 5 días más llamados *nemontemi*, considerados aciagos o inútiles. El año comenzaba el día 365, cuando el Sol cruzaba el cenit el 16 de julio. También desarrollaron un calendario ritual, el *tonalpohualli* (cuenta de los destinos), de 260 días, repartidos en 13 grupos de 20 días. Un siglo o «rueda candelárica» estaba formado por 52 años solares o 73 rituales.

Calendario azteca Los aztecas utilizaron el sistema de calendario desarrollado por los antiguos mayas. También se conoce como calendario azteca un monolito esculpido hacia el año 1480 que compendia la cosmogonía azteca. Mide casi 4 metros de diámetro y pesa 25 toneladas. En el más interior de una serie de círculos concéntricos aparece el rostro de Tonatiuh (dios del Sol), rodeado por cuatro secciones cuadradas que representan las encarnaciones de la divinidad y las cuatro edades anteriores del mundo o cuatro soles primeros. Alrededor del conjunto se encuentran veinte glifos que simbolizan a cada uno de los días del mes azteca. Delimitando toda la representación del disco solar hay dos serpientes de fuego con sus colas encontradas en la parte superior.

Calendario inca Los incas medían el tiempo de acuerdo a un calendario lunar de 360 días agrupados en 12 lunas de 30 días cada una, cuya sucesión era marcada por las faenas agrícolas: *Huchuy Pucuy Quilla* (Pequeña Luna Creciente), equivalente a enero y *Hatun Pucuy Quilla* (Gran Luna Creciente), equivalente a febrero, meses en los que crecen las espigas de maíz; *Pacha Pucuy Quilla* (Luna de la Flor Creciente) mes de maduración de la tierra (marzo); *Ayrihua* (de las Espigas Gemelas), mes de cosecha y descanso (abril); *Aymoray* (de la Cosecha), cuando se seca y almacena el maíz (mayo); *Haucai Cusqui* (de la Preparación) cosecha de la papa o patata y roturación del suelo (junio); *Chacra Conaqui* (del Riego), mes de redistribución de cultivos (julio); *Chacra Yapuy* (de la Siembra), correspondiente a agosto; *Coia Raymi Quilla* (Luna de la Fiesta de la Luna), mes de plantar (septiembre); *Uma Raymi* (Fiesta de las Provincias), tiempo de espantar a los pájaros de los cultivos (octubre); *Ayamarca Raymi* (Fiesta de las Provincias), tiempo de regar los campos (noviembre) y *Capac Raimi Quilla* (Luna de la Gran Fiesta del Sol), equivalente a diciembre, mes de descanso.

Calendario republicano Durante la Revolución Francesa se instauró un calendario seglar en el que el año fue dividido en 12 meses de 3 décadas y 5 días de fiesta nacional que marcaban el final del año (17-21 de septiembre). A cada estación correspondían tres meses que se nombraron de acuerdo al clima: otoño incluía *Vendimiario* (mes de la vendimia), *Brumario* (de la niebla) y *Frimario* (del hielo); invierno incluía *Nivoso* (de la nieve), *Pluvioso* (de la lluvia) y *Ventoso* (del viento); los de la primavera eran *Germinal* (de las semillas), *Floreal* (de las flores) y *Pradial* (de los prados) y los de verano eran *Mesidor* (de la cosecha), *Termidor* (del calor) y *Fructidor* (de los frutos). Este calendario fue abolido en 1805 por Napoleón.

¿SABÍA USTED QUE...

Alrededor del 600 a.C., **LA PUERTA DE ISHTAR** de **Babilonia** es un ejemplo temprano del uso del **arco de medio punto** en construcción; se desarrollará nuevamente en la **época romana** y servirá de base para la invención de la **BÓVEDA DE CAÑÓN.**

En el 585 a.C., **el filósofo griego TALES DE MILETO** gana fama como astrónomo al acertar en la predicción de un **eclipse total de SOL** mediante sus cálculos **MATEMÁTICOS.**

Cerca del 560 a.C., **el filósofo griego ANAXIMANDRO** es considerado el fundador de **la cartografía,** por realizar el **PRIMER MAPA** que representaba **el mundo** conocido, y de la cosmología**,** por haber redactado la primera obra en relación al origen del U n i v e r s o .

El teatro griego que surge en la época alrededor del 550 a.C., tiene su origen e los rituales en honor **de Dionisio** en los que se sacrificaba una **CABRA.** El ritu se conocía como trag-odi **la canción del MACHO CABRÍ**

En la antigua Grecia, hacia el 500 a.C., **EL AMOR HOMOSEXUAL MASCULINO** estuvo muy difundido, debido, en parte, a los largos periodos de aislamiento masculino que se vivía en las **INSTITUCIONES MILITARES.** Los hombres griegos no veían en la mujer más que a la madre de sus hijos y la administradora de su hogar.

EL PAPIRO GRIEGO más antiguo que se **conserva** es **EL PERSAE,** del poeta **Timoteo,** datado alrededor del 500 a.C.

Cerca del 470 a.C. **a Demócrito,** el filósofo del atomismo, lo llamaban **EL FILÓSOFO RISUEÑO** por su sonrisa ante la **necedad humana.** Sus conciudadanos lo tenían por **lunático.**

En el 468 a.C. **cae** un **meteorit** en la península de Gallipo lo que permite **ANAXÁGORA** concluir que el **Sol es** «una masa semejant de piedra incandescent más grande que el Peloponeso».

En el 450 a.C., **LOS MARINOS FENICIOS** llegan, bajo el mando **de Himilcón,** hasta Cornualles, en el suroeste de la mayor de las islas Británicas.

En el 450 a.C. **Atenas** tiene aproximadamente **200.000 HABITANTES; 50.000** de ellos eran varones con plenos derechos políticos, los demás, mujeres, extranjeros y esclavos.

El dramaturgo griego **EURÍPIDES** gana el primer puesto en el festival **DRAMÁTICO ATENIENSE** del 442 a.C. Es autor de las **tragedias** *Medea* y *Las troyanas,* entre otras.

De alrededor del 400 a.C. data la **alfombra má antigua** que se con hallada en u **TUMBA HELAD** en los montes Alta entre **CHINA y MONGOLI**

PLATÓN

ARISTÓTELES

SÓCRAT

Un día, cerca del 387 a.C., n alumno de Platón preguntó para qué servían las IATEMÁTICAS. atón, indignado, ordenó un esclavo que le entregara NA MONEDA su alumno y acto seguido o e x p u l s ó e la Academia.

Cerca del 367 a.C.,
ARISTÓTELES
llega a Atenas, a sus diecisiete años,
para ingresar a la
ACADEMIA DE PLATÓN.
Allí permaneció veinte
años hasta que Filipo de
Macedonia lo escogió como
tutor de su hijo
ALEJANDRO·

En el 261 a.C.,
EL REY ASOKA
de la India
renuncia a la guerra y a su religión
(EL BRAHMANISMO)
tras ver el sufrimiento causado por su
C O N Q U I S T A;
se convierte al BUDISMO
AHIMSA
(«no violencia»).

Cerca del 250 .C.,
los chinos
usan
el hielo
habitualmente para
conservar los
ALIMENTOS.

Hacia el 50 a.C.,
A S T É R I X,
el personaje de cómic
creado en 1959 por
R. GOSCINNY Y A. UDERZO,
esiste en su aldea de Armórica,
apoyado por su amigo
O B É L I X,
asedio de Julio César
y sus legiones.

En realidad,
a diferencia del resto
de la Galia, Armórica
NUNCA
fue romanizada en su totalidad;
constituye una región
situada entre las
desembocaduras de los ríos
Sena y **Loira**,
hoy en Francia.

Alrededor del 50 d.C.,
l o s m a y a s
emplean el CERO
en sus cálculos.
Utilizan un pequeño
óvalo con un arco inscrito
para representarlo.

El chino Chang Heng
inventa el primer
S I S M Ó G R A F O
en el 132 d.C.; consistía
en una vasija rodeada
por las figuras de seis
dragones que sostenían,
cada uno, una bola en frágil
equilibrio. Si una o más
bolas caían, se sabía
que había habido un
onda S Í S M I C A.

acia el 210 d.C.,
L CULTO A MITRA, nesías redentor e origen persa, ma fuerza en Roma. ompite con el naciente RISTIANISMO influye sobre él, sobre odo, en lo concerniente al R I T O.

En el 325 d.C.,
EN EL CONCILIO DE NICEA,
los obispos deciden que
la Pascua
debe celebrarse el
primer domingo
después de la primera luna llena
que siguiera al equinoccio de primavera.

Alrededor del 400
d.C., se inventa el
ajedrez
en el norte de la
India. La tradición
musulmana aportaría
el nombre de Sissa
para el inventor del
popular juego de
guerra.

Hacia el 450 d.C., en el tratado
*Las bodas de Filología y
Mercurio*, de Marciano,
están registrados
M e r c u r i o   y   V e n u s
como dos planetas que
giran en torno al Sol.

Entonces se creía, según
la teoría geocéntrica de Tolomeo,
que giraban en torno a la Tierra.

En el 527 d.C., l emperador bizantino USTINIANO I e anular la prohibición contra s matrimonios entre nobles y beyos, para poder casarse con la actriz Teodora, que se convertirá en una P O D E R O S A EMPERATRIZ.

SABÍA USTED QUE...

LAS PRIMERAS NACIONES EN TIEMPOS DE EXPANSIÓN, INTERCAMBIO CULTURAL Y REVOLUCIONES

{{ 604 ⊙ 1800 }}

Siglo VII La ciudad de Tiahuanaco, a orillas del lago Titicaca, vive su periodo de mayor esplendor. Es el más importante centro religioso de esta cultura andina.

c. 604 Mahoma se casa con Jadiya, quien posteriormente se convertirá en la primera persona conversa al Islam.

610 Tradicionalmente se considera este año como el de la primera experiencia profética de Mahoma. Tiene una visión del arcángel Gabriel.

610 al 641 Reinado del emperador Heraclio. Reforma el Imperio romano de Oriente y crea formalmente el Imperio bizantino.

615 Mahoma tiene una revelación en la que se le ordena el comienzo de su prédica. Hasta la huída a Medina (622) tuvo que soportar la intolerancia general de sus coterráneos.

618 Tras varias luchas internas, Li Yuan, alto oficial de la Dinastía Sui, funda la Dinastía Tang y recupera para China la unidad territorial y la prosperidad que no gozaba desde la época de los Han.

622 Mahoma huye con los suyos de La Meca y se instala en Yatrib (hoy Medina). Este hecho, conocido como la Hégira, es decir, la emigración, es considerado el primer año del calendario islámico.

622 En Japón se impone el uso de los caracteres chinos en la escritura.

627 Las fuerzas de Mahoma rechazan y derrotan una invasión de los mequíes a Medina.

627 Los persas sasánidas son derrotados por el ejército bizantino de Heraclio, que recupera Siria, Palestina y Egipto.

629 Los musulmanes realizan la primera peregrinación a la Kaaba, en La Meca.

630 Con un ejército de diez mil musulmanes, Mahoma entra triunfal a La Meca, destruye los ídolos representados en la Kaaba, declara a la ciudad como ciudad santa del Islam y establece el rito que obliga a los fieles a peregrinar a ella, al menos, una vez en la vida.

630 al 632 Mahoma consigue nuevas victorias sobre las tribus árabes rebeldes. Poco a poco se extiende el Islam por el territorio árabe.

632 Muere Mahoma en Medina a los 62 años. Abu Bakr, su fiel compañero desde la predicación en La Meca, es elegido para sucederlo, convirtiéndose así en el primer califa (o sucesor).

634 Tras la muerte de Abu Bakr, Omar ibn Aljattab asume como califa.

637 Conquista árabe del Imperio sasánida de Iraq e implantación del Islam en él.

638 Los ejércitos de Omar conquistan Jerusalén a los bizantinos, hecho que acarrea la rendición de toda Palestina y de las últimas plazas de Siria.

640 Egipto, hasta ahora bajo el mandato de Constantinopla, cae ante los musulmanes.

642 Termina la conquista árabe de Persia (Irán).

644 Omar muere asesinado. Su sucesor fue Ozmán Ibn Affán, del clan de los omeyas, quien ordenó recopilar el Corán, el texto sagrado del Islam, tal y como es conocido hoy.

c. 650 La ciudad de Teotihuacán es incendiada y abandonada; durante más de quinientos años fue el principal centro de poder en Mesoamérica.

c. 650 El soberano del Tíbet, Slon-brtsan-sgam-po se convierte al budismo. Ordena la construcción de templos y apoya la formación de sacerdotes.

c. 650 Los seguidores persas del zoroastrismo huyen a la India, debido a la persecución por parte de los invasores musulmanes.

656 Con el asesinato de Ozmán, Alí ibn Abi Talib (primo y yerno de Mahoma) se convierte en el cuarto califa.

658 Un proceso judicial determina que el hombre elegido por Alá para suceder a Ozmán es su pariente Muawya y no Alí. Muawya funda el califato omeya de Damasco.

661 Asesinato de Alí. Primer gran cisma del Islam entre sus seguidores o chiítas, y sunitas o seguidores de la Sunna (recopilación de las enseñanzas de Mahoma).

c. 675 Los bizantinos inventan el «fuego griego», arma incendiaria a base de petróleo que hace a su armada prácticamente invencible.

678 Los bizantinos derrotan a los musulmanes que sitiaban Constantinopla desde 673.

691 Se construye la Mezquita de la Roca en Jerusalén, en el lugar desde donde Mahoma ascendió a los cielos.

c. 700 Los alfareros chinos inventan la porcelana, con la que hacían delicados cuencos y vasos que decoraban con barnices azulados o verdosos.

Siglo VIII Los árabes establecen rutas comerciales a través del Sahara difundiendo a la vez el Islam.

711 Los musulmanes, tras aniquilar el ejército visigodo, conquistan la península Ibérica.

715 Concluye la construcción de la gran mezquita de Damasco, primer ejemplo que presenta un minarete (torre elevada y poco gruesa) en una de las esquinas para llamar a la oración.

c. = hacia, alrededor de.

Monolito de Tiahuanaco

Mahoma

Li Yuan

Mahoma en La Meca

Teotihuacán

717 Es derrotado un ejército árabe que sitiaba Constantinopla.

721 al **815** Vida de Yabir al-Sufi Hayyan (conocido en Occidente como Geber), alquimista árabe, estudioso de los procesos químicos y autor de experimentos sobre las propiedades de los metales, de los que concluyó que era posible transmutarlos en oro.

c. **725** Auge de la cultura huari (sur del Perú). Su desarrollo agrícola se basa en numerosos canales de riego. Son asimismo notables su cerámica y sus tejidos.

732 Carlos Martel, mayordomo del palacio del rey merovingio Teodorico IV, derrota cerca de Poitiers al jefe musulmán Abderramán Abd Allah y detiene el avance del Islam.

737 Tras la muerte de Teodorico IV, Carlos Martel asume el poder franco, aunque sin adoptar el título de rey.

750 El califato de los omeyas es derrocado por los abasíes, quienes descendían de Abbas, tío de Mahoma. La Dinastía Abasí gobernará la mayoría de los territorios islámicos hasta 1258.

750 Hacia este año comienza a usarse en Europa el papel (cuya técnica proviene de China) para la confección de libros, lo que implicó un gran cambio cultural y tecnológico en el continente.

751 Pipino el Breve, heredero de Carlos Martel, consigue, con el apoyo del Papa, ser reconocido como soberano del reino franco. Inicia así la Dinastía Carolingia.

754 al **756** Pipino obliga a los lombardos a devolver a la Iglesia Ravena y una región de Roma que habían conquistado en 751. Nacen así los Estados pontificios.

756 Abderramán I, de la depuesta Dinastía Omeya de Damasco, funda en la península Ibérica el emirato independiente de Al-Andalus.

c. **760** La numeración hindú, desarrollada hacia el siglo III a.C., pasa al mundo árabe.

760 Los abasíes trasladan la capital del Imperio de Damasco a Bagdad, en Iraq.

768 Tras la muerte de Pipino, sus hijos Carlos y Carlomán se reparten el reino.

c. **770** Se populariza el uso de la herradura para proteger los cascos de los caballos.

771 Muere Carlomán. El reino franco se reunifica en la persona de su hermano Carlos, después llamado Carlomagno.

774 Carlomagno conquista Pavía y se hace consagrar como rey de los lombardos.

778 Fracaso de la campaña de Carlomagno contra los árabes en España. Roldán, sobrino de Carlomagno según la tradición, muere en la batalla de Roncesvalles; sus hazañas se narrarán en el *Cantar de Roldán* (siglo XI).

c. **780** Abderramán ordena la construcción de la mezquita de Córdoba, uno de los monumentos más excepcionales de la arquitectura islámica.

c. **785** Los artistas mayas realizan los frescos de Bonampak (sur de México). El colorido y su detallada ejecución constituyen la base de expresiones plásticas de siglos posteriores.

786 Harum Al-Raschid accede al trono del califato de Bagdad (hasta 809); con él los abasíes alcanzan su mejor momento. Será recordado en *Las mil y una noches*.

792 Carlomagno ordena la construcción de la capilla palatina de Aquisgrán (occidente de Alemania), único ejemplo que se conserva de arquitectura carolingia.

794 El emperador Kammu de Japón instituye a la ciudad de Kyoto como capital.

795 Carlomagno establece la Marca Hispánica en la península Ibérica.

800 El papa León III corona en Roma a Carlomagno como emperador de Occidente; se restaura así el ideal de un imperio europeo.

800 Florecimiento de la cultura quimbaya, en el valle del río Cauca en Colombia. Se destacó por el alto grado de especialización de su orfebrería.

c. **800** Un poeta anglo compone *Beowulf*, la primera epopeya europea. Narra la lucha del rey Beowulf contra un monstruo que aterrorizaba a una población.

c. **802** Jayavarman II funda el gran Imperio jemer de Angkor. En su momento de auge abarcó Tailandia oriental, el sur de Vietnam y gran parte de Laos.

804 Muere Alcuino de York, erudito y eclesiástico inglés al servicio de Carlomagno y figura fundamental en el renacimiento cultural de este periodo.

810 El matemático árabe Muhammad ibn al-Khwarizmi escribe *Kitab al-yabr*, obra que sienta las bases del cálculo algebraico.

810 Es iluminado el *Evangeliario de la Coronación*, obra de gran riqueza pictórica que perteneció a Carlomagno.

814 Muere Carlomagno en Aquisgrán; es enterrado en la capilla palatina.

c. **830** El califa Al-Ma'mun funda en Bagdad la Casa de la Sabiduría, donde se realizaron muchas traducciones, entre ellas la *Física* de Aristóteles y la *República* de Platón.

843 El Imperio franco se divide en tres partes por el tratado de Verdún, firmado por Lotario I, Luis II el Germánico y Carlos el Calvo, hijos del emperador Luis I el Piadoso.

c. **845** El papel moneda (convertible en oro) es introducido por los mercaderes chinos.

)) Las primeras naciones en tiempos de expansión, intercambio cultural y revoluciones

848 Se comienza la construcción de la gran mezquita de Al-Mutawakkil, cuyo minarete en espiral es célebre hasta el día de hoy.

850 Aparece en Europa *Musicae Enchiridion*, tratado el que se define, por primera vez, el concepto de polifonía, que se originó al añadir una nueva línea vocal al canto llano.

855 Focio, patriarca de Constantinopla, escribe *Biblioteca*, texto que contiene doscientas ochenta entradas de las cuales ciento veintitrés corresponden a libros perdidos.

857 Carlos el Calvo, rey del territorio de Francia, ordena la confección de la *Biblia de Carlos el Calvo*, espléndida muestra del arte de la iluminación.

858 al **929** Vida de Muhammad ibn Jabir al-Battani, astrónomo y matemático árabe. Introdujo el empleo del seno en los cálculos matemáticos y corrigió los errores de Tolomeo respecto a la inclinación de la eclíptica y la duración del año.

c. 862 San Cirilo idea un alfabeto gracias al cual los textos cristianos llegan a los eslavos.

Gran mezquita de
Al-Mutawakkil

865 al **925** Vida de Al-Razi, autor árabe de una monumental enciclopedia que trata de la medicina griega, siria y árabe.

868 El primer libro impreso que se conserva procede de China. Se practica la impresión mediante tablas de madera grabadas con el texto y las ilustraciones.

872 Se inicia la Dinastía Samaní en Persia. Su fundador, Samaan Judat, se convierte del mazdeísmo al Islam.

874 Ingolfur Arnarson, jefe vikingo, establece la primera colonia estable en Islandia.

877 Por el edicto de Qierzy, los feudos del reino francés pasan a ser hereditarios.

882 Los vikingos fundan el primer Estado ruso; establecen la capital en Kiev.

887 Los señores feudales deponen a Carlos el Gordo; eligen a Eudes, conde de París, como rey de Francia y a Arnulfo de Carintia como rey de los germánicos. Se disuelve el Imperio carolingio.

San Cirilo

900 El emperador bizantino León VI depone al patriarca Focio para establecer una relación más estrecha con Roma.

Siglo X Comienzan a producirse los códices mayas. Son manuscritos pintados con una escritura basada en signos que transcriben palabras o sílabas.

Siglo X Se extiende por Etiopía la costumbre de consumir una nueva bebida: el café.

c. 909 Ubayd Allah al-Mahdí, descendiente de Fátima, hija de Mahoma, funda la Dinastía Fatimí en Kairuán, norte de África.

911 Los vikingos daneses establecen un feudo en Normandía, en el norte de Francia.

911 Fundación de la abadía benedictina de Cluny, en Francia. Pronto se convirtió en el epicentro de la renovación religiosa y cultural de la época.

918 Wang Kŏn funda el reino de Koryo (Corea) y reunifica la península bajo su mando.

Al-Razi

929 Abderramán III, emir de Córdoba desde 912, funda el califato omeya, lo que implica la independencia religiosa de Al-Andalus.

936 Otón I sucede a su padre, Enrique I, y asume como rey de Alemania en Aquisgrán.

938 La victoria de Ngô Quyěn ante los Han pone fin a la dominación china en Vietnam.

c. 950 Se inicia la puntuación en la escritura de Europa occidental.

c. 950 Fundación de Tula (en México), principal centro del pueblo tolteca. Con el tiempo, los toltecas llegaron a controlar territorios tan lejanos como Chichén Itzá.

c. 950 Se consolida en Alemania la tradición judaica asquenazí, basada en la lengua yidish.

960 En China, la Dinastía Song pone fin al régimen de los golpes de Estado militares y restablece el imperio civil, al retornar a los sistemas tradicionales.

962 Otón I es coronado emperador del Sacro Imperio por el papa Juan XII.

978 al **1026** Vida de la escritora Murasaki Shikibu, autora de *La historia de Genji*, la novela más importante de la literatura japonesa y la primera de la literatura universal.

Ingólfur
Arnarson

979 al **1037** Vida del filósofo y médico persa Avicena, una de las figuras más importantes de la cultura medieval. Su pensamiento insiste en la independencia entre el alma y el cuerpo.

980 al **1015** Reinado de Vladimiro I. Unificó el territorio ruso (desde el Báltico hasta el mar Negro), adoptó el cristianismo como religión oficial y se alió con Bizancio.

982 La expedición vikinga del noruego Erik el Rojo, inicia la colonización de Groenlandia.

987 Desde Groenlandia, los vikingos realizan expediciones a la costa nororiental de Norteamérica.

c. 987 Con Hugo I comienza el gobierno de la Dinastía de los Capetos en Francia, que reafirmó el principio de la indivisibilidad del reino.

Vladimiro I

Erik el Rojo

988 Fundación de la Universidad Al-Azhar de El Cairo. Se destacó por la calidad de su enseñanza en las áreas de las ciencias y de las matemáticas.

Siglo XI De este siglo datan las primeras canciones de los goliardos, clérigos vagabundos que componían en honor a las mujeres, el vino y la comida.

Siglo XI El estilo románico surge en Europa. Básicamente arquitectónico, se caracterizó por el uso del arco de medio punto y la bóveda de cañón.

Universidad Al-Azhar

c. 1023 Fan K'uan, gran maestro de la pintura china, pinta *Viaje a través de las montañas y los valles*.

1025 El árabe Alhazen comienza a trabajar con lentes y plantea que la visión es el resultado de la incidencia de rayos de luz externos en el ojo. Se inicia así la óptica.

1025 El monje benedictino Guiso Aretino da nombre a los sonidos de la escala musical, con las primeras sílabas de un himno a san Juan Bautista —Ut, Re, Mi, Fa, Sol, La, Sa—. Posteriormente Ut se remplazó por Do y Sa por Si.

1031 Fin de la Dinastía Omeya y del califato de Córdoba, que se fragmentó en numerosos núcleos independientes, al frente de los cuales se situaron los llamados reyes taifas.

Pintura de Fan K'uan

c. 1040 Aparecen las jarchas, las primeras composiciones líricas españolas en lengua romance, normalmente mezclada con el árabe.

1040 al **1055** La Dinastía Selyúcida conquista la mayor parte del territorio correspondiente a los actuales Irán e Iraq y establecen el sultanato de Bagdad.

1044 Ya se usa en China la pólvora en la fabricación de fuegos artificiales.

1050 al **1122** Vida de Omar Khayyam, poeta y matemático persa, autor de *Rubaiyyat*, texto en verso que habla de la naturaleza y del ser humano.

1054 Tras su excomunión por parte del papa León IX, el patriarca de Constantinopla, Miguel Cerulario, establece la independencia de la Iglesia bizantina.

1059 Se consagra el baptisterio de San Juan (Florencia), muestra sobresaliente del estilo románico toscano.

1063 Comienza la construcción de la catedral de San Marcos, en Venecia, la más ambiciosa obra del periodo bizantino.

Catedral de San Marcos

1066 Guillermo el Conquistador, al frente de los normandos, se apodera de Inglaterra al vencer al rey Harold II en la batalla de Hastings.

1071 Los selyúcidas derrotan a los bizantinos y ocupan la mayor parte de Asia Central.

1071 Se inventa en Bizancio el tenedor, instrumento utilizado por los aristócratas para diferenciarse de las demás personas, que usaban únicamente cuchara y cuchillo.

1079 al **1142** Vida de Pedro Abelardo, teólogo francés que desarrolló tesis racionalistas que prefiguraban el pensamiento renacentista. Su romance con Eloísa, sobrina de un canónigo de la catedral de París, fue duramente combatido por éste, quien ordenó su separación y la castración de Abelardo.

Rodrigo Díaz de Vivar, el Cid

1088 Se funda en Bolonia, Italia, la primera universidad europea.

1086 Los almorávides llegan a Al-Andalus procedentes del norte de África, en auxilio de los reyes taifas. Su líder, Yusuf ibn Tasfin, derrota al rey castellano Alfonso VI.

1092 Culmina la elaboración del *Tapiz de Bayeux*, obra maestra de la labor de aguja que muestra la conquista de Inglaterra por Guillermo el Conquistador.

1094 El guerrero castellano Rodrigo Díaz de Vivar, el Cid, conquista la ciudad de Valencia, que estaba en poder de los almorávides, monjes soldados provenientes de tribus nómadas del Sahara.

1095 El papa Urbano II llama a la Primera Cruzada contra los musulmanes para recuperar Tierra Santa.

1098 Fundación en Citeaux, Francia, de la orden del Cister por Roberto de Molesmes.

Soldados cruzados

1099 Los cruzados se apoderan de Jerusalén y masacran a casi todos sus habitantes. Termina así la Primera Cruzada.

Siglo XII La música profana surge en Francia con los trovadores, una clase de poetas líricos itinerantes al servicio de la aristocracia, que cantaban al amor y al valor.

Siglo XII Los mexicas, procedentes del norte de México, se establecen en las riberas del lago Texcoco, en el centro del país.

1106 El rey francés Felipe I pone fin a la querella de las investiduras, que desde el siglo anterior enfrentaban a la Iglesia y al Estado, al renunciar a su derecho de nombrar obispos.

Bernardo de Claraval

1115 El monje cisterciense Bernardo de Claraval funda un monasterio en la Champaña (Francia), desde donde impulsará la renovación del ideal monástico.

1119 Creación de la Orden del Temple en Jerusalén. Los caballeros templarios se organizan para la defensa de los santos lugares del cristianismo.

1122 Con el concordato de Worms, el papado y el Imperio germánico ponen fin al la querella de las investiduras al limitar el poder del Imperio sobre la Iglesia.

)) Las primeras naciones en tiempos de expansión, intercambio cultural y revoluciones

1125 Está documentado este año como el de la primera utilización de la brújula por parte de exploradores chinos.

1128 Culmina la construcción de la catedral de Santiago de Compostela (España), iniciada en 1075. Constituye una obra maestra del románico.

c. 1140 Surge en Francia el gótico, estilo artístico de alcance europeo que se expresa básicamente en la arquitectura religiosa, las vidrieras y los manuscritos miniados.

c. 1140 Se escribe el *Cantar de Mio Cid*, que relata la historia del caballero castellano Rodrigo Díaz de Vivar, héroe de la Reconquista. La copia más antigua data de 1307.

1147 Los almohades desplazan a los almorávides en Al-Andalus e inician una ofensiva contra los reinos cristianos que estaban llevando a cabo la Reconquista peninsular.

1157 al **1199** Vida de Ricardo Corazón de León, hijo de Enrique II de Inglaterra y Leonor de Aquitania. Fue reconocido por su participación en la Segunda Cruzada y por sus canciones, escritas en la lengua de oc.

1158 Comerciantes de las ciudades del norte de Alemania fundan la Liga Hanseática para fomentar el comercio y proteger sus intereses. Con el tiempo se convirtió en una de las instituciones más poderosas de Europa.

1160 La familia Taira impone a Kiyomori en el poder en Kyoto, en medio de graves conflictos y peleas intestinas entre los príncipes y los guerreros samuráis.

c. 1163 Comienza a construirse la catedral de Notre Dame de París. En ella se encuentra el primer ejemplo del uso de arbotantes.

1163 Se funda la Universidad de Oxford (Inglaterra). Se convertirá en el principal foco científico de Europa. Sus estatutos se formalizarán en 1215.

1170 Nobles al servicio de Enrique II de Inglaterra ordenan la muerte del arzobispo de Canterbury, Thomas Beckett, defensor de los intereses de la Iglesia ante la monarquía.

1170 La orden de los templarios se encuentra ya en Francia, Alemania, Inglaterra, España y Portugal. A su prestigio militar hay que sumar su poder económico.

1171 Saladino, general kurdo al servicio del sultán de Siria, conquista el Egipto fatimita, lo independiza y se proclama sultán.

c. 1176 El poeta y trovador francés Chrétien de Troyes redacta *Lanzarote o el caballero de la carreta*, obra del ciclo artúrico que presenta al rival amoroso del rey Arturo.

c. 1180 El filósofo y médico hispanomusulmán Averroes escribe *La destrucción de la destrucción*, obra con la que reintroduce el aristotelismo en Occidente.

1187 Después de lograr el dominio total de Siria, Saladino toma Jerusalén.

1189 al **1192** El emperador germánico Federico I Barbarroja, el rey francés Felipe II y el rey inglés Ricardo Corazón de León organizan la Tercera Cruzada para recuperar Jerusalén. Sólo logran arrebatarle a Saladino una parte de la costa mediterránea.

1190 Son compiladas las leyendas germanas en *El cantar de los Nibelungos*. Tratan, fundamentalmente, de una mítica raza de enanos poseedora de grandes tesoros.

1192 La familia Taira es derrotada por el militar Minatono Yoritomo, quien tras recibir el título de shogún, se convierte en el gobernante de Japón.

1198 al **1264** Vida de Gonzalo de Berceo, primer escritor en lengua castellana de nombre conocido, autor de hagiografías, poemas marianos e iniciador del *Mester de clerecía*, el primer movimiento poético en lengua española.

Siglo XIII El budismo zen se extiende por Japón. Ejercerá notable influencia en el refinamiento de las costumbres: ceremonia del té, arte del ikebana, etc.

Siglo XIII La arquitectura mudéjar tiene su foco de expansión en la ciudad de Toledo (España). Está caracterizada por la fusión de los elementos románicos y góticos con el arte árabe y por el empleo del ladrillo como material fundamental.

1202 El matemático italiano L. Fibonacci introduce la numeración arábiga en Europa con su *Liber abbaco*, un tratado sobre álgebra.

1204 Saqueo de Constantinopla por cruzados y venecianos, durante la Cuarta Cruzada.

1204 Felipe II de Francia confisca los feudos franceses del rey inglés Juan sin Tierra.

1206 Qutb-ud-Din Aybak establece el sultanato de Delhi en la India.

1206 al **1280** Vida del religioso alemán san Alberto Magno, introductor de los conocimientos griegos y árabes en Europa.

1209 San Francisco de Asís funda una orden mendicante, cuyos frailes deben vivir en voluntaria pobreza y dedicarse a realizar buenas obras.

1210 La Universidad de París redacta sus primeros estatutos. Se estudia Teología, Filosofía (inicialmente sus maestros eran llamados artistas), Derecho y Medicina.

Catedral de Santiago de Compostela

Ricardo Corazón de León

Notre Dame

Universidad de Oxford

Familia Taira

Gonzalo de Berceo

1212 Las fuerzas cristianas de los reyes de Castilla (Alfonso VIII), Aragón (Pedro II) y Navarra (Sancho VII), derrotan a los ejércitos del califa almohade Al-Nasir en las Navas de Tolosa, al pie de la sierra Morena.

1214 Santo Domingo de Guzmán funda la Orden de Predicadores, con el objetivo de combatir las herejías por medio de la predicación y los ejemplos de austeridad.

1215 El conquistador mongol Gengis Kan, que había iniciado su campaña por el sometimiento de China en 1209, conquista y arrasa Pekín (o Beijing).

1215 El rey Juan sin Tierra sanciona la Carta Magna de los derechos señoriales, considerada como la base de las libertades constitucionales en Inglaterra.

1216 al **1223** Gengis Kan continúa su campaña y forma un vasto imperio que se extiende desde Corea hasta Rusia. Su mandato estimuló el comercio, reactivó la Ruta de la Seda y dinamizó las instituciones gubernamentales.

1218 Fundación de la Universidad de Salamanca.

1221 La sociedad maya inicia una militarización progresiva tras la conquista de Chichén Itzá por parte de las fuerzas de la ciudad estado de Mayapán.

1221 al **1284** Vida de Alfonso X el Sabio, rey de Castilla y León. Arrebató a los musulmanes extensos territorios y protegió las artes y las ciencias. Fundó la Escuela de traductores de Toledo, a través de la cual se difundió la cultura griega por Europa. Autor de las famosas *Cantigas de Santa María* (en lengua gallega), entre otros muchos textos.

1225 al **1274** Vida del filósofo y teólogo italiano santo Tomás de Aquino, la figura más importante de la escolástica. Concilió la dogmática cristiana con el pensamiento aristotélico.

c. **1230** Los incas se encuentran ya establecidos en el valle de Cuzco.

c. **1231** El papa Gregorio IX instituye el Tribunal del Santo Oficio (la Inquisición).

1235 al **1315** Vida del filósofo catalán y misionero franciscano Ramon Llull. Su obra capital es *Arte Magna*, en la que expone tesis neoplatónicas.

c. **1235** Sun Diata, rey del pueblo africano de los keita, funda el reino de Mali en el noroeste del continente. Su prosperidad se basó en el control de rutas comerciales.

1237 Tras el hundimiento del Imperio almohade, Muhammad I funda el reino Nazarí de Granada en Al-Andalus.

1237 La Horda de Oro, ejército bajo el mando de Batu Kan (nieto de Gengis Kan), conquista Rusia, Polonia y Hungría. Con la Horda, el Islam llegó a los pueblos turcos.

1238 Se inicia la construcción del palacio de la Alhambra de Granada, uno de los edificios más relevantes de la arquitectura islámica.

1249 El filósofo y naturalista franciscano inglés Roger Bacon propone usar lentes para corregir defectos de visión.

1250 Culmina la construcción de la catedral de Chartres, Francia, uno de los máximos ejemplos del estilo gótico y en la que destaca la belleza de sus vidrieras o vitrales.

c. **1250** Aparecen en China las primeras armas de fuego. En el siglo siguiente ya se fabricaban en Europa y revolucionaron el concepto de guerra medieval.

1258 Los mongoles saquean y asuelan Bagdad y dan muerte al último califa de los abasíes.

1261 Miguel VIII Paleólogo recupera Constantinopla y pone fin al Imperio latino, fundado por los cruzados en 1204.

1266 al **1308** Vida del teólogo escocés Juan Duns Escoto, quien analizó los conceptos de causalidad y posibilidad para probar la existencia de Dios.

1272 Alfonso X el Sabio funda la Mesta, institución creada para proteger la trashumancia de los ganados en los territorios de la Corona de Castilla.

1275 El comerciante italiano Marco Polo, que había partido de Venecia en 1271, llega a la corte imperial de Kublai Kan (nieto de Gengis Kan), situada en la actual ciudad de Beijing. Marco Polo entra al servicio del Emperador, para quien lleva a cabo misiones de gobierno por toda la China. A su regreso a Europa (1295) dicta el relato de sus experiencias en el *Libro de las maravillas*, el libro de viaje más influyente de toda la historia.

c. **1280** Aparece la *Carmina Burana*, compilación de poemas goliardescos de motivo satírico, político, de crítica religiosa, asunto erótico y canciones de taberna.

1285 Sube al trono de Francia Felipe IV el Hermoso. Ejerció una influencia casi absoluta sobre el papa Clemente V, al que obligó a residir en Aviñón.

1290 El rey de Inglaterra, Eduardo I, ordena la expulsión de los judíos.

c. **1290** Los primeros espejos de vidrio se fabrican en Venecia mediante la técnica del azogado.

1291 El ejército mameluco de Egipto toma San Juan de Acre, último baluarte templario en Palestina; los templarios trasladan su cuartel general a Chipre.

1291 Ante los intentos de los Habsburgo por el dominio de los cantones de Uri, Schwyz y Unterwalden, éstos crean la Liga Perpetua, origen del actual Estado de Suiza.

Gengis Kan

Universidad de Salamanca

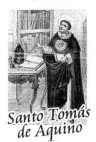

Alfonso X el Sabio

Santo Tomás de Aquino

Roger Bacon

Marco Polo

Felipe IV

)) Las primeras naciones en tiempos de expansión, intercambio cultural y revoluciones

1296 El sultán de Delhi, Ala-ud-Din consolida el reino de la India al conquistar el Decán, en la zona meridional del país.

1298 Los europeos desarrollan el torno de hilar, a partir de modelos llevados desde India.

1298 Los ejércitos del rey inglés Eduardo I usan el arco largo (inventado en Gales a principios del siglo) en la batalla de Falkirk, contra las fuerzas independentistas del escocés William Wallace, sobre las que obtienen una contundente victoria.

1298 Alberto I de Habsburgo es coronado emperador del Sacro Imperio romano germánico. Favoreció a los siervos, los judíos y los mercaderes.

1299 Se construye el *Palazzo Vecchio* en Florencia, muestra típica de las construcciones fortificadas de la época.

Arco largo

1300 Osmán I, regente de un sultanato en el noroccidente de Anatolia, funda la Dinastía Otomana y con ella el Imperio otomano, que se mantuvo, con variaciones territoriales, hasta 1922. Abarcó desde Hungría al Norte, hasta Adén al Sur, y desde Argelia al Oeste, hasta la frontera iraní al Este. Su centro de poder se encontraba en la actual Turquía.

Siglo XIV Surge en Zimbabwe (sur de África) el Imperio monomotapa, un gran Estado sustentado en el comercio del oro y el marfil con los mercaderes árabes y swahilis.

Siglo XIV Los chimúes viven una época de esplendor: han expandido sus dominios por toda la costa norte del Perú (antiguamente dominio de los mochica) y su capital Chanchan se convierte en una gran ciudad de unos cien mil habitantes.

1302 Los gibelinos (partidarios del Imperio alemán) son desterrados de Florencia por los güelfos (miembros de la nobleza, partidarios del papado). Desde comienzos del siglo anterior se disputaban el poder de la ciudad.

1303 El gran faro de Alejandría es destruido por un terremoto.

c. **1305** El pintor italiano Giotto, precursor del Renacimiento, termina el conjunto de frescos que ilustra las vidas de la Virgen y de Cristo en la capilla de la Arena, en Padua.

el Palazzo Vecchio

1306 El rey Felipe IV el Hermoso destierra a los judíos franceses y confisca sus bienes.

1307 Felipe IV el Hermoso induce al papa Clemente V a suprimir la Orden del Temple, cuyos bienes codiciaba y cuyo poderío militar temía.

1307 El poeta italiano Dante Alighieri comienza la *Divina Comedia*, la obra más importante de la literatura italiana, en la que describe, de manera alegórica, un viaje que él y el poeta Virgilio realizan por el infierno, el purgatorio y el paraíso.

1312 al **1337** Mansa Musa reina sobre el Imperio de Mali. Introdujo la legislación y la cultura islámicas dentro de la población subsahariana y convirtió a Tombuctú en el centro religioso y comercial de África occidental.

1320 Ladislao I se impone militarmente al burgomaestre alemán de Cracovia, concluye la unificación del territorio polaco y se hace coronar rey.

1321 Muere el poeta italiano Dante Alighieri.

1321 El alemán Johannes de Muris presenta un nuevo sistema de notación musical en el que, mediante símbolos, se da el valor exacto de las notas y los silencios.

Dante Alighieri

1322 El compositor y poeta francés Philippe de Vitry publica el tratado *Ars nova*, que dio nombre al movimiento europeo de modernización musical del siglo XIV.

1324 El emperador de Mali, Mansa Musa, va en peregrinación a La Meca, haciendo ostentación de su poder. Su séquito incluía quinientos esclavos que llevaban báculos de oro y cien camellos cargados, con trescientas libras de oro cada uno.

Mansa Musa

1325 En una isla del lago Texcoco, los aztecas inician la construcción de Tenochtitlán, futura capital del Imperio azteca (lugar hoy ocupado por Ciudad de México). La ciudad llegó a albergar más de 250.000 habitantes.

1326 El monje alemán Berthold Schwartz inventa el cañón. Su tendencia a explotar al disparar limitó su uso hasta el siglo XIX, cuando esta arma ganó protagonismo.

1330 al **1377** Vida del compositor y poeta francés Guillaume de Machaut, principal representante del *Ars nova*. Fue el primero en escribir una misa polifónica completa: *la Messe de Notre-Dame*.

Tenochtitlán

1332 Se inicia la reconstrucción del coro de la catedral de Gloucester, exponente del estilo arquitectónico inglés conocido como perpendicular.

1335 El poeta italiano Francesco Petrarca, precursor del humanismo renacentista, inicia la redacción de su *Cancionero*, en italiano vulgar. La obra reúne una serie de sonetos y odas inspirados en Laura, su amor no correspondido, en la que trabajó toda su vida.

Catedral de Gloucester

1335 El escritor español don Juan Manuel escribe *El conde Lucanor*, libro compuesto por cincuenta y un cuentos ejemplarizantes.

1337 El rey de Inglaterra Eduardo III, pretendiente al trono de Francia, declara la guerra a este país, dando inicio a la Guerra de los Cien Años, que finalizaría en 1453.

c. **1345** El español Juan Ruiz, arcipreste de Hita, escribe el *Libro de buen amor*, extenso poema instructivo sobre los peligros del amor mundano y las ventajas del buen amor o amor de Dios.

1346 En el primer gran combate de la Guerra de los Cien Años, en Crécy (Francia), los ingleses obtienen una ventajosa victoria, gracias a la superioridad del arco largo sobre la ballesta.

1347 La peste negra, que se había iniciado en Asia Central a finales del siglo XII, llega a Europa a través de los puertos del sureste del continente.

1349 El escritor italiano Giovanni Boccaccio inicia la redacción del libro de relatos *Decamerón*, considerado la primera obra plenamente renacentista, ya que se ocupa sólo de aspectos humanos, sin hacer mención a temas religiosos.

1356 El emperador Carlos IV del Sacro Imperio romano promulga la Bula de Oro, edicto en el que establece un sistema de elección y coronación del emperador.

1368 Tras expulsar a los mongoles en una campaña iniciada en 1356, Zhu Yuanzhang, antiguo monje budista, funda la Dinastía Ming, que gobernará China hasta 1644.

1369 Muere el viajero beréber Ibn Batuta, autor de un libro de memorias en el que describe el mundo musulmán de su época, que recorrió durante 28 años.

c. **1370** Nace el teatro no, expresión dramática japonesa que consiste en una combinación de teatro, danza, música, mímica y poesía. Los actores son siempre hombres.

1378 al **1417** Periodo conocido como el Gran Cisma de Occidente, durante el cual coexistieron en Roma y Aviñón dos y hasta tres papas. Su causa directa fue el restablecimiento de la sede papal en Roma por parte del papa Gregorio XI. A su muerte fue elegido Urbano VIII, pero los cardenales franceses proclamaron ilegal la elección y eligieron antipapa al cardenal francés Roberto de Ginebra como Clemente VII, que se instaló en Aviñón.

1381 Los campesinos de Inglaterra protagonizan en Londres una revuelta sin precedentes en protesta contra los bajos salarios y las medidas impositivas.

1387 El poeta inglés Geoffrey Chaucer comienza a escribir *Los cuentos de Canterbury*, serie de relatos supuestamente contados por peregrinos de la catedral de Canterbury.

1389 Los otomanos derrotan al ejército cristiano del príncipe serbio Lázaro, con lo que el dominio musulmán se inicia en la península de los Balcanes.

1392 Inventan en Corea los tipos móviles de metal, fundidos en moldes, para la imprenta.

1397 Los Médici fundan en Florencia la banca familiar. Dedicada inicialmente a la captación de ahorro, con el tiempo se convirtió en una poderosa sociedad capitalista con capacidad de hacer préstamos a las monarquías europeas.

1397 El tratado de la Unión de Kalmar obliga a Noruega, Suecia-Finlandia y Dinamarca-Islandia, a mantener una alianza permanente y a dirimir en conjunto la sucesión al trono.

1400 al **1474** Vida de Guillaume Dufay, notable músico del Renacimiento, autor de misas, motetes latinos y canciones francesas e italianas.

Siglo XV El Renacimiento se cohesiona en Europa a partir de su centro de irradiación localizado en Italia, donde se gestó a finales del siglo XIV. Este periodo cultural, que se extenderá hasta mediados del siglo XVI, está asociado a la restauración de los valores de los antiguos griegos y romanos.

1401 al **1428** Vida del pintor italiano Masaccio, quien revolucionó la pintura al emplear la perspectiva en sus composiciones y exponer la figura humana sin los convencionalismos medievales. Se destaca el fresco de la *Expulsión del Edén*.

1403 Venecia instaura la primera cuarentena para evitar el contagio de la peste negra. Es el primer avance realmente útil en el control de las pandemias.

1405 El explorador Zheng He comanda la primera de las siete expediciones de la Armada china que dirigió y que lo llevaron por el Sureste asiático, India, África y Oriente Medio.

1405 Muere Tamerlán sin lograr su principal objetivo: el dominio de China. Se había propuesto restaurar el Imperio de Gengis Kan y llegó a tener el control de un vasto territorio, que se extendía desde la India hasta el Mediterráneo. Estableció la capital en su natal Samarcanda. Tras su muerte, sus dominios se disgregaron en numerosos feudos.

1414 A los judíos españoles residentes en los reinos de Castilla y Aragón se les impone el uso de distintivos y la obligación de no ejercer su profesión de prestamistas.

1415 El Concilio de Constanza, convocado para restaurar la unidad de la Iglesia, ordena la ejecución en la hoguera del reformador religioso bohemio Jan Hus por su

Eduardo III

La peste negra

Zhu Yuanzhang

Geoffrey Chaucer

Explorador Zheng He

Ejecución de Jan Hus

negativa a retractarse de sus doctrinas (la predestinación y la máxima autoridad de la Biblia).

1417 Finaliza el Concilio de Constanza y con él el periodo conocido como el Gran Cisma de Occidente. Se reconoce como único papa a Martín V.

1420 El arquitecto italiano Brunelleschi, quien construyó la cúpula de la catedral de Florencia, compila las leyes de la perspectiva.

1420 Yongle, tercer emperador de la Dinastía Ming, ordena la construcción de la Ciudad Prohibida en Pekín. Su principal edificio es el llamado Salón de la Suprema Armonía.

1426 El rey azteca Izcóatl, de Tenochtitlán, pacta una alianza cono los Estados vecinos de Tlacopán y Texcoco para enfrentar a los tepanecas, quienes habían derrotado a chichimecas y toltecas en la lucha por la hegemonía territorial.

1428 Los tepanecas son derrotados por la alianza entre Tenochtitlán, Tlacopán y Texcoco, y sus dominios son repartidos.

1428 Los vietnamitas se independizan de China; el comandante de la resistencia, Le Loi, asciende al trono como primer emperador de la Dinastía Le.

1431 Juana de Arco es quemada viva en Ruán, tras ser entregada a los ingleses y acusada de brujería. A sus 17 años comandó el Ejército real francés, obteniendo las victorias de Orleans y Patay. Fue canonizada en 1920.

1435 A expensas de la desintegración del Imperio de Mali, cuya capital, Tombuctú, han conquistado, los songay amplían sus territorios y fundan un nuevo imperio.

1436 El pintor flamenco Jan Van Eyck pinta el *Retrato del matrimonio Arnolfini*. Con su hermano Hubert fueron los primeros en utilizar sistemáticamente la pintura al óleo.

1438 Sube al trono de los incas Pachacutec, quien extendió los límites del Imperio hasta Ecuador por el Norte, el centro de Chile por el Sur y hasta Tucumán (Argentina) por el Este. Su figura como estadista y militar es la más prestigiosa de todos los soberanos incas.

1439 El impresor alemán Johann Gutenberg desarrolla una aleación especial para construir los tipos móviles, una nueva tinta nueva y una prensa de multicopiado. Estos adelantos técnicos supusieron la agilización del proceso de producción y el abaratamiento de los libros, lo que condujo a la rápida y amplia difusión de las ideas, con lo que se sentaba firmemente una de las bases del Renacimiento.

1440 El escultor italiano Donatello termina su *David*, primera escultura renacentista de un desnudo y que marca, además, el alejamiento definitivo de la rigidez del gótico.

1440 Fra Angélico, pintor y religioso italiano, termina los frescos del convento de San Marcos (Florencia), que destacan por el lenguaje simbólico y el juego de perspectivas.

c. **1441** La ciudad de Mayapán es destruida durante una revuelta. Se inicia el declive del Imperio Nuevo maya, durante el cual muchas de sus ciudades fueron abandonadas.

1444 Cosme de Médici el Viejo funda la Biblioteca Laurenciana de Florencia.

1445 Paolo Ucello pinta el tríptico de la *Batalla de San Romano* para el palacio de los Médici en Florencia.

1449 al **1492** Vida del gobernante y banquero florentino Lorenzo de Médici el Magnífico, mecenas de las artes, poeta y filósofo renacentista.

c. **1450** Se inicia la construcción de Machu Picchu, ciudad fortaleza inca (en el actual Perú) emplazada entre los picos de dos altas montañas. Destaca el altar astronómico desde el que los incas estudian los movimientos del Sol y la Luna.

1450 Se diseña en España el primer arcabuz, con lo que la artillería pasó a ser utilizada por el soldado de a pie.

1450 El Gran Zimbabwe, capital del Imperio monomotapa, en el sur de África, llega a su extensión máxima al añadírsele grandes murallas al cercado principal. Fue el centro de una compleja red comercial que relacionó a muchas comunidades del sur de África.

1453 El humanista, arquitecto, escultor y pintor italiano Leon Battista Alberti inicia la redacción de su libro *De la arquitectura* en el que expone que todo edificio debe crearse o estudiarse como si de un ser vivo se tratara.

1453 Termina la Guerra de los Cien Años con la victoria de Francia. Los ingleses, que han perdido casi la totalidad de sus posesiones en suelo francés, deben abandonar sus pretensiones sobre la corona de Francia.

1453 Los otomanos, al mando del sultán Mehmet II, toman Constantinopla y ponen fin al Imperio bizantino, después de años de conflicto entre las dos potencias. Mehmet dio el nombre de Estambul a la ciudad y convirtió numerosos templos cristianos en mezquitas.

1455 al **1485** Las casas de York y Lancaster, cuyos distintivos son una rosa blanca y una roja, mantienen durante este tiempo una disputa (Guerra de las Dos Rosas) por el trono inglés. La entronización de Enrique VII (Lancaster), y su matrimonio con una princesa de la casa de York ponen fin al conflicto, instaurándose así la nueva casa regia de los Tudor.

Cúpula de la catedral de Florencia

Yongle

Retrato del matrimonio Arnolfini

Pachacutec

Machu Picchu

El Cristo muerto

Federico de Montefeltro

Calendario azteca

Sandro Botticelli

Cristóbal Colón

Elio Antonio de Nebrija

1456 Gutenberg, en asocio con Johann Fust y Peter Schöfer, termina la *Biblia sacra latina*, considerada el primer libro impreso en caracteres móviles.

1456 Tras la revisión del juicio de Juana de Arco, sus ejecutores son declarados herejes.

1463 El poeta francés François Villon es condenado al destierro. Autor de una obra poética subjetiva y franca, en la que utiliza un lenguaje popular, su principal legado está en *El pequeño testamento* (1456) y *El testamento* (1461).

1466 El pintor italiano Andrea Mantegna finaliza el *Cristo muerto*, magistral muestra de la técnica del escorzo.

1470 Los incas, al mando de Tupac Inca (hijo de Pachacutec) conquistan el Imperio chimú. La cultura conquistada influyó notablemente en el ulterior desarrollo inca.

1474 Piero de la Francesca retrata a Federico de Montefeltro en un óleo donde el conde aparece de perfil.

1476 Aparecen las *Coplas a la muerte del padre* del poeta español Jorge Manrique, en las que plantea su visión de la muerte, profundamente influida por el cristianismo.

1479 Matrimonio de Fernando de Aragón e Isabel de Castilla, futuros Reyes Católicos.

1479 Es erigido en Tenochtitlán el calendario de piedra, compendio de la cosmogonía azteca y resumen de la medida del tiempo. Los aztecas dividían el año en dieciocho meses de veinte días, más otros cinco, considerados «días vacíos».

1481 El pintor italiano Perugino inicia la decoración de la capilla del Vaticano. Destaca el fresco *Entrega de las llaves a San Pedro*, magistral muestra de perspectiva.

1482 Establecimiento de la Inquisición en Castilla.

1482 Boticelli realiza una de sus más famosas pinturas: *La Primavera*. El año siguiente termina el *Nacimiento de Venus*, una de las obras cumbres del Renacimiento.

1484 La expedición portuguesa al mando de Diego Cam llega a las bocas del río Congo.

1488 El navegante Bartolomé Díaz rodea el cabo de Buena Esperanza; esto supone la apertura de la ruta marítima entre Europa y el Oriente que anhelaban los portugueses.

1489 El matemático alemán J. Widman introduce los signos + y –, que simplifican el estudio de las matemáticas.

1490 Se edita, póstumamente, la novela de caballería *Tirant lo Blanc* del autor español Joanot Martorell (1415-1468). La obra, por su carácter realista, marca un hito en la evolución de la narrativa caballeresca.

1490 El Imperio inca gobierna a aproximadamente diez millones de súbditos a lo largo de casi 4.500 kilómetros de territorio en los Andes.

1492 El alemán Martin Behaim diseña un globo terráqueo basado en los escritos de Tolomeo y en los relatos de viajeros medievales.

1492 Los Reyes Católicos, Fernando II de Aragón e Isabel I de Castilla, expulsan de sus reinos a los judíos.

1492 El reino nazarí de Granada en Al-Andalus es conquistado por los Reyes Católicos y pasa a formar parte de la Corona de Castilla. Desde 1237, año de su fundación, el reino sobrevivió como último vestigio del poder musulmán en la península Ibérica.

1492 El 3 de agosto parte Cristóbal Colón con tres naves en una expedición por el Atlántico, que pretende llegar a Asia. El 12 de octubre llega a la isla de Guanahaní (hoy día Bahamas), sin que Colón tuviera conciencia de haber descubierto un nuevo continente. Actualmente, el 12 de octubre se festeja en Latinoamérica el día de la raza, con el ánimo celebrar el encuentro de dos civilizaciones.

1492 Durante su travesía, Cristóbal Colón descubre la declinación magnética, al darse cuenta de que la brújula no apuntaba a la misma dirección constantemente.

1492 Se publica la primera gramática castellana, obra de Elio Antonio de Nebrija.

1493 Colón regresa a España y se entrevista con los reyes en abril. En septiembre parten de Cádiz 17 carabelas, en el segundo viaje.

1493 Colón introduce en Europa la planta de tabaco así como la costumbre de fumarla.

1493 al **1494** Mediante las Bulas Pontificias de Alejandro VI y el tratado de Tordecillas se dividen las tierras del Nuevo Mundo entre España y Portugal.

1493 al **1541** Vida del médico y químico suizo Paracelso. Oponiéndose a las creencias médicas vigentes, afirmó que las enfermedades se debían a agentes externos al cuerpo y que podían ser combatidas por medio de sustancias químicas.

1494 Españoles y portugueses empiezan a establecer colonias comerciales a lo largo de las costas asiáticas.

1495 En Florencia, los Médici son expulsados del gobierno de la ciudad.

1495 Surge en la ciudad de Nápoles el primer brote de sífilis del que se tiene registro.

))) Las primeras naciones en tiempos de expansión, intercambio cultural y revoluciones

1495 Leonardo da Vinci inicia su *Última Cena*, mural al temple en el que recrea un tema tradicional de manera completamente nueva. Leonardo es considerado el paradigma del espíritu renacentista: pintor, escultor, arquitecto, ingeniero, autor de escritos sobre mecánica, anatomía, pintura y de gran número de inventos y teorías.

1496 Bartolomé Colón, hermano de Cristóbal Colón, funda Santo Domingo, la primera ciudad que los europeos establecieron en el Nuevo Mundo.

1496 Muere Jean Ockeghem, brillante compositor de la primera generación de la escuela franco-flamenca. Su música se caracterizó por un gran contenido místico.

1497 Vasco da Gama, navegante portugués, arriba a Calicut, en la India, por la ruta que rodea África.

1498 Tercer viaje de Cristóbal Colón al Nuevo Mundo.

1498 El navegante italiano Giovanni Caboto, al servicio de Inglaterra, explora las costas de Cabo Bretón y el Labrador en América del Norte.

1498 El predicador italiano Savonarola, que tenía un gran poder político en Florencia, es acusado de herejía (1495) y ejecutado.

1499 Publicación de *La Celestina*, llamada inicialmente *Tragicomedia de Calisto y Melibea*, del autor español Fernando de Rojas.

1499 Fundación de la Universidad de Alcalá de Henares por el cardenal Jiménez de Cisneros.

1499 El navegante italiano Américo Vespucio, junto con los españoles Alonso de Ojeda y Juan de la Cosa, explora la costa noreste de Suramérica. Los geógrafos europeos empezaron a llamar América, en su honor, las tierras recién descubiertas, de las que Vespucio fue el primero en afirmar que no hacían parte de Asia. Los descubrimientos y anotaciones de Vespucio dieron un giro determinante al método y la concepción de la ciencia cartográfica.

1500 Tratado entre España y Francia por el que se reparten el reino de Nápoles. Lo disputaban desde 1495.

1500 El portugués Álvarez Cabral llega a las costas de Brasil y toma posesión del territorio en nombre del rey de Portugal. El mismo año, el español Vicente Yáñez Pinzón había descubierto las bocas del Amazonas.

1500 El español Rodrigo de Bastidas encabeza una expedición que descubre las bocas del río Magdalena y el golfo de Urabá, en la costa caribe de la actual Colombia.

1500 El músico español Juan del Encina publica el *Cancionero de Palacio*, que recoge buena parte de su obra, en la que destacan los villancicos, género polifónico de carácter profano, eminentemente español.

Siglo XVI Con la instauración de la Dinastía Safawí (1502), el arte de la elaboración de alfombras persas experimenta un salto cualitativo al añadir a esta labor un carácter fabril e introducir en el diseño elementos propios de la pintura y la iluminación.

Siglo XVI Se desarrolla en España el plateresco, estilo ornamental que incorpora elementos renacentistas italianos, góticos preciosistas, temas de arte popular y las innovaciones constructivas de la época.

Siglo XVI Con la llegada de los europeos a América nace el esclavismo moderno, que había tenido sus inicios con la exploración portuguesa de África en las últimas décadas del siglo anterior. En América significó la extinción de muchos pueblos caribeños, el sometimiento de otros tantos del continente y la introducción forzosa desde África de millones de personas destinadas a la labranza de los campos y al servicio de los colonos europeos.

1501 al **1502** En la mayoría de los reinos de España se impone a los musulmanes el principio de bautismo o la expulsión.

1502 Ismail I, que se declaraba descendiente de Alí (primo y yerno de Mahoma), funda la Dinastía Safawí, es proclamado sha de Persia e impone el chiísmo entre sus súbditos.

1502 Sube al trono azteca Moctezuma II (hasta 1520). De carácter despótico, su reinado estuvo marcado por guerras constantes, inestabilidad y, como contrapartida, por el auge del comercio y la ampliación de los dominios territoriales.

1503 Se funda la Casa de Contratación, institución española encargada de controlar el comercio con los territorios hispanos en América y dar apoyo técnico a la navegación.

1503 Creación de la encomienda, institución jurídica que reglamentaba las relaciones entre españoles e indígenas. Dio pie a grandes abusos, que la convirtieron en un sistema de explotación, semejante a la esclavitud.

1503 Leonardo pinta la *Gioconda*, retrato de Mona Lisa del Giocondo en el que es característica su sonrisa enigmática; es quizás la obra de arte más célebre de la historia.

1504 Cristóbal Colón regresa a España de su cuarto y último viaje (iniciado en 1502), en el que exploró las costas de América Central.

1504 Muere Isabel la Católica, reina de castilla.

1504 El artista italiano Miguel Ángel Buonarroti termina el *David*, la escultura más representativa del Renacimiento. Miguel Ángel se desempeñó también, y de manera magistral, como pintor, arquitecto y poeta.

Bartolomé Colón

Vasco da Gama

Américo Vespucio

Moctezuma II

El David

1505 El cerrajero alemán Peter Henlein inventa el reloj de bolsillo.

1507 Regencia del rey Fernando el Católico en Castilla, en espera del acceso al trono de su nieto Carlos, hijo de su hija Juana y de Felipe el Hermoso, muerto en 1506.

1508 El papa Julio II encarga a Miguel Ángel los frescos para la decoración de la bóveda de la Capilla Sixtina, tarea que concluirá en cuatro años.

1508 El editor Garci Rodríguez de Montalvo publica la novela española de caballerías, de autor desconocido, *Amadís de Gaula*.

1509 Sube al trono de Inglaterra Enrique VIII Tudor. Este mismo año contrae matrimonio con Catalina de Aragón, hija de los Reyes Católicos.

1510 Los españoles introducen el cultivo de la caña de azúcar en la isla La Española (República Dominicana/Haití), con lo que se implementa un nuevo sistema de plantación que pone en marcha la esclavitud.

1510 El pintor flamenco Hieronymus Bosch, el Bosco, finaliza su obra más notable, el tríptico del *Jardín de las Delicias*, que representa la creación del mundo, el infierno y un extenso catálogo de alegorías de los pecados.

Detalle del fresco de la Capilla Sixtina

1511 El humanista neerlandés Erasmo de Rotterdam publica el *Elogio de la locura*, en el que propone un retorno a los valores primigenios del cristianismo.

1511 El pintor y arquitecto romano Rafael Sanzio termina el fresco de la *Escuela de Atenas* (en una de las estancias vaticanas), considerado una obra maestra de la perspectiva y la expresión de los ideales del Renacimiento.

1512 Tras las denuncias del dominico español Antonio de Montesinos en contra del maltrato de los indígenas de La Española, son proclamadas las Leyes de Burgos que trataban de establecer un criterio de legalidad a la hora de hacer la guerra a los indios y de regular y mejorar el sistema de la encomienda.

1513 El español Vasco Núñez de Balboa organiza una expedición con la que atraviesa el istmo de Panamá y llega a la orilla oriental del océano Pacífico.

Hieronymus Bosch

1513 El estadista y escritor italiano Nicolás Maquiavelo escribe *El Príncipe*, obra en la que desarrolla la teoría de la razón de Estado, que eximía al gobernante (el príncipe) de compromisos éticos. El libro se considera la primera obra de teoría política moderna.

1513 Ponce de León, gobernador español de Puerto Rico, descubre Florida.

1513 El pintor y grabador alemán Alberto Durero realiza la serie «Láminas maestras», que incluyen el grabado *El Caballero, la Muerte y el Demonio*, en el que expresa los ideales del Renacimiento con una gran perfección técnica.

1514 El papa León X (hijo de Lorenzo de Médici) encarga a los banqueros Fugger, de Alemania, la venta de indulgencias para financiar los trabajos de la basílica de San Pedro.

Antonio de Montesinos

1515 El español Juan Díaz Solís descubre el estuario del Río de la Plata, nombre que recibiría diez años después del navegante italiano, al servicio de España, Sebastiano Caboto. Solís lo denominó mar Dulce.

1515 Miguel Ángel termina el *Moisés*, escultura en la que se fusiona la belleza formal con una gran expresividad, exponiendo claramente el estilo de su autor.

1516 Muere Fernando el Católico, rey de Aragón y regente de Castilla. Su nieto Carlos de Habsburgo (hijo de Felipe el Hermoso y Juana la Loca) es proclamado rey de España como Carlos I, aunque la regencia continúa ahora en manos del cardenal Cisneros, antiguo confesor de Isabel la Católica, sobre la que ejerció notable influencia política.

1516 El político y escritor inglés Tomás Moro publica su libro *Utopía*, en el que critica las formas de gobierno existentes y propone la construcción de una sociedad ideal.

El Moisés

1517 El sultán Selim I el Cruel (asesinó a toda su familia para acceder al trono) incorpora Siria, Palestina, Egipto y Arabia al Imperio otomano. Sunita ferviente, ordenó la ejecución de cuarenta mil chiías para asegurar la unidad del Imperio.

1517 El monje y teólogo alemán Martín Lutero hace públicas sus 95 *Tesis* o proposiciones (al fijar el texto en la puerta de la iglesia del palacio de Wittenberg), en las que, fundamentalmente, se declara en contra de la venta de indulgencias, práctica que, según él, pone en peligro la doctrina de la Iglesia.

1519 Tras la muerte de su abuelo paterno, el emperador alemán Maximiliano I, Carlos I de España es elegido emperador del Sacro Imperio romano germánico como Carlos V. Su herencia comprendía la Corona de Castilla, con las Indias, la Corona de Aragón, con Sicilia, Cerdeña y Nápoles, los Países Bajos (en la actualidad Bélgica, Luxemburgo y los propios Países Bajos), el Artois y el Franco Condado, y los territorios de Habsburgo (Austria, Estiria, Carniola, Carintia y el Tirol).

Tomás Moro

Martín Lutero

1519 Con una fuerza de más o menos cuatrocientos españoles y varios miles de indígenas aliados, los tlaxcaltecas, el explorador Hernán Cortés es recibido en Tenochtitlán por el emperador Moctezuma II. Cortés, temeroso de que los aztecas pudieran atacar a sus tropas, toma a Moctezuma como rehén.

1519 al **1522** El navegante portugués Fernando de Magallanes y el español Juan Sebastián Elcano realizan el primer viaje alrededor del mundo. Magallanes muere durante la travesía a manos de indígenas filipinos. Los sucesos de la circunnavegación quedan consignados en las crónicas de Antonio Pigafetta.

1519 Se construye la catedral de Santo Domingo, obra que inicia el desarrollo del arte colonial en Hispanoamérica. El mimetismo entre las culturas indígenas y las creencias de los conquistadores cristianos concluye en una fusión de estilos.

1520 al **1566** Reinado del sultán otomano Solimán I el Magnífico. Durante su reinado, el Imperio otomano vivió su periodo de mayor esplendor. Llegó a controlar la península de los Balcanes, el norte de África, Oriente Medio y el Mediterráneo. Al finalizar su reinado firmó una tregua con Persia (1555) y la paz con Austria (1562).

1520 Los aztecas se rebelan contra los españoles, quienes, tras dar muerte a Moctezuma y un mes de lucha, deben huir. Cerca de un millar de españoles y dos mil indígenas aliados mueren en la acción. A este momento histórico se le llama la «noche triste», que sucede después de la «matanza del templo mayor».

1521 Se reúne la Dieta imperial en Worms, Alemania, ante la cual comparece Lutero para defender sus opiniones, que son enérgicamente rechazadas. Lutero se refugia entonces en el castillo de su protector Federico de Sajonia, sellando su alianza con los príncipes alemanes. Nace así la Reforma protestante, que supuso el fin de la hegemonía de la Iglesia católica en Europa y la instauración de nuevas y distintas iglesias.

1521 Con un ejército de cien mil tlaxcaltecas unidos a sus fuerzas, Cortés sitia Tenochtitlán, ahora bajo el mando de Cuauhtémoc. En poco menos de tres meses la ciudad es arrasada y el Imperio azteca, aniquilado.

1521 Muere Josquín des Prés, el gran renovador de la polifonía y precursor del barroco. Autor de veintidós misas, otras ciento veintinueve obras sacras y ochenta y seis profanas.

1522 Martín Lutero publica el *Nuevo Testamento* en lengua alemana.

1523 Suecia y Finlandia se independizan de Dinamarca.

1523 Partidarios de Lutero son quemados en Bruselas. Es la primera quema de herejes en el marco de la Reforma protestante.

1523 El teólogo suizo Ulrico Zwinglio propone una reforma en la que aboga por el matrimonio de los sacerdotes, la destrucción de las imágenes de los santos y en la que postula que el sacramento de la Eucaristía es sólo una conmemoración.

1524 Se instituye el Consejo de Indias, para atender los temas de gobierno en los territorios españoles en América.

1524 El explorador italiano Giovanni da Verrazano, al servicio de Francia, se convierte en el primer europeo que llega a lo que hoy se conoce como bahía de Nueva York.

1525 El español Rodrigo de Bastidas funda, a orillas del mar Caribe, la ciudad de Santa Marta, la primera establecida en Colombia.

1525 En el marco de la lucha por la supremacía en Europa, Carlos V vence a Francisco I de Francia en Pavía (Italia) y lo toma prisionero hasta el año siguiente.

1525 Tras la muerte de Hayna Cápac (cuando el Imperio inca vivía su mejor momento), los herederos al trono, Huáscar y Atahualpa, se enfrentan una guerra civil.

1526 El historiador italiano Pedro Mártir de Anglería termina la redacción de las *Décadas del Nuevo Mundo*, obra en la que recoge los acontecimientos relacionados con las tierras americanas, desde el primer viaje de Colón hasta este año.

1526 Los mongoles invaden India y derrotan a los sultanes de Delhi. Babur, su líder, funda la Dinastía Mogol, que unificó la India y facilitó su resurgimiento económico y cultura.

1527 La Reforma protestante es fundamental para el establecimiento del Estado sueco; su rey Gustavo Vasa, se apodera de todas las propiedades eclesiásticas.

1527 Fundación de la primera universidad protestante en Marburgo, Alemania.

1527 La pugna entre el emperador Carlos V (Carlos I de España) y Francisco I de Francia, aliado ahora del papa Clemente VII, continúa con el saqueo de Roma por las tropas imperiales.

1531 La Virgen de Guadalupe se aparece al indio mexicano Juan Diego.

1532 Atahualpa vence y captura a Huáscar y ordena la ejecución de su familia. Tras la guerra civil, el Imperio inca queda muy debilitado. El mismo año, el conquistador español Francisco Pizarro llega al Perú y captura a Atahualpa en un ataque sorpresa.

1532 al **1534** El escritor francés François Rabelais publica *Pantagruel* (1532) y *Gargantúa, padre de Pantagruel* (1534). Libros de carácter satírico, donde se subraya la libertad individual. Fueron condenados en la Sorbona por obscenos y heréticos.

1533 A pesar de haber entregado a los españoles una enorme suma de oro por su rescate, Atahualpa es ejecutado por orden de Pizarro.

1533 Muere el poeta italiano Ludovico Ariosto, autor del poema épico *Orlando furioso*, obra que retoma historias de la épica clásica y las reinterpreta.

1533 El español Pedro de Heredia funda San Sebastián de Calamar (posteriormente Cartagena de Indias) en la costa caribe colombiana.

1533 al **1534** Tras la negativa del papa Clemente VII (Julián de Médici) de anular su matrimonio con Catalina de Aragón, Enrique VIII la repudia por no haberle da-

Muerte de Moctezuma

Josquín des Prés

Rodrigo de Bastidas

Aparición de la Virgen de Guadalupe

Francisco Pizarro

François Rabelais

do un hijo varón, obliga a la Iglesia de Inglaterra a reconocerlo como máxima autoridad eclesiástica y se casa con su amante Ana Bolena. Nace así la Iglesia anglicana.

1534 Quito es conquistada por el español Sebastián de Belalcázar, quien la refundó con el nombre de San Francisco de Quito.

1534 Francisco Pizarro refunda Cuzco, la antigua capital del Imperio inca.

1534 El francés Jacques Cartier inicia la exploración del actual Canadá siguiendo el eje del río San Lorenzo, estableciendo de modo efectivo la presencia francesa en América.

1534 Ignacio de Loyola instituye la Compañía de Jesús, congregación jesuita que será confirmada en 1540 por el papa Pablo III.

1535 Creación del virreinato de Nueva España, que cubría el territorio de México, algunos territorios del sur del actual Estados Unidos, Centroamérica, las islas caribeñas, una parte del norte de América del Sur y las islas Filipinas.

1535 Francisco Pizarro funda la ciudad de Lima con el nombre de Ciudad de los Reyes.

1536 El reformador suizo-francés Calvino publica *La institución de la religión cristiana*, donde expone su teoría, centrada en el reconocimiento de la omnipotencia de Dios. Influyó de forma determinante en la aparición de numerosas Iglesias reformadas.

1536 al **1541** Miguel Ángel pinta los frescos del *Juicio Final*, en la bóveda de la Capilla Sixtina.

1536 Luis de Milán publica *El maestro*, manual en el que enseña a interpretar la vihuela, instrumento español por excelencia.

1538 Tiziano, principal representante de la escuela veneciana, pinta la *Venus de Urbino*, muestra magistral del desnudo en el arte.

1538 Fundación de Santa Fe de Bogotá, Colombia, por el granadino Gonzalo Jiménez de Quesada.

1539 El religioso español Francisco de Vitoria publica *De indis*, donde aborda el asunto de los derechos de la Corona en la conquista de América y los derechos de sus habitantes.

1540 El español Pedro de Valdivia funda Santiago, futura capital de Chile.

1541 El explorador español Hernando de Soto navega el río Mississippi.

1542 Carlos I de España (Carlos V) promulga las Leyes Nuevas, que anulan la esclavitud y disponen que la encomienda desaparezca en una generación.

1542 Francisco Orellana, lugarteniente de Pizarro, encabeza la primera expedición que lleva a cabo la navegación completa del río Amazonas.

1542 Creación del virreinato del Perú (inicialmente con el nombre de Nueva Castilla), con capital en Lima.

1543 El astrónomo polaco Nicolás Copérnico postula que la Tierra y los otros planetas giran en torno al Sol, sistema que funda la astronomía moderna.

1543 El médico belga Andra Vesalio publica el tratado anatómico *Humani corporis fabrica libri septem*, en el que establece las bases de la anatomía moderna, al corregir más de doscientos errores de la medicina de Galeno.

1543 Se funda la Academia Filarmónica de Verona, uno de los primeros escenarios y manifestaciones de los conciertos como los conocemos actualmente.

1544 Quito obtiene el privilegio de albergar una sede episcopal.

1545 Se convoca el Concilio de Trento (Italia), promovido por el emperador Carlos V, con la intención de buscar la reconciliación entre católicos y protestantes. Los primeros rechazan cualquier aproximación y los segundos no acuden a Trento. En todo caso el Concilio, que duró hasta 1563, supuso una reorientación general de la Iglesia en el marco de la Contrarreforma.

1545 El matemático italiano Gerolamo Cardano, que ya había hallado la solución a las ecuaciones de tercer grado, presenta su solución de las de cuarto grado y plantea la existencia de los números negativos.

1546 El científico alemán Georg Bauer (conocido como Georgius Agricola) escribe *Sobre las cosas metálicas*, obra con la que dio inicio a la mineralogía.

1546 al **1547** Inicio de la guerra de Carlos V en Alemania contra los protestantes alemanes, que culmina con su victoria en Mühlberg.

1546 El pintor italiano Ángel Bronzino pinta la *Manifestación de la Lujuria*, que revela el manierismo imperante en el arte europeo de ese momento.

1547 Iván IV el Terrible (llamado así por su conducta excéntrica y brutal) se convierte en el primer gobernante ruso que es coronado zar. Considerado uno de los forjadores del Estado ruso, durante su reinado (hasta 1584) engrandeció considerablemente su territorio. Inició la adquisición de Siberia, conquistó Kazán (1552) y Astracán (1556) a los tártaros, convirtiendo así el río Volga en parte del territorio ruso.

1549 El jesuita español Francisco Javier es el primer misionero cristiano que entra a Japón.

Cartagena de Indias

Venus de Urbino

Pedro de Valdivia

Nicolás Copérnico

Iván IV el Terrible

Francisco Javier

)) Las primeras naciones en tiempos de expansión, intercambio cultural y revoluciones

1549 Se publica en Inglaterra el *Libro de la Oración Común* de Thomas Cramner, arzobispo de Canterbury, texto oficial de oración de la Iglesia anglicana.

1549 Se crea la Real Audiencia de Santa Fe de Bogotá, cargo creado independiente del virreinato del Perú, con la función de administrar justicia y para atender las necesidades de la ciudad. Su primer presidente fue Andrés Venero de Leiva.

1549 El primer gobernador general, Thomé de Souza, llega a Brasil y organiza un gobierno central en la recién fundada ciudad de Salvador de Bahía.

1549 El grupo de poetas franceses de la *Pléyade* (P. Ronsard, J. du Bellay, J. A. De Baïf, entre otros), publica su manifiesto *Defensa e ilustración de la lengua francesa*.

1550 El arquitecto italiano Giorgio Vasari publica *Vida de los mejores arquitectos, pintores y escultores italianos*.

c. **1550** El *Popol Vuh*, texto que narra la creación del Universo y del hombre y la historia y las tradiciones de los mayas-quiché, ubicados al sur de lo que hoy es México, es transcrito en caracteres occidentales.

Real Audiencia de Santa Fe de Bogotá

c. **1550** Primeras representaciones en Italia de la Comedia del Arte, en la que los actores improvisaban escenas de la vida cotidiana y encarnaban personajes fijos, que han pasado a la posteridad, como por ejemplo: Arlequín, Colombina y Pierrot (más tarde Payaso).

1550 El compositor italiano Pierluigi da Palestrina asume el cargo de maestro del coro en la Capilla Julia, de San Pedro, Roma. Tuvo la misión de reorganizar la música litúrgica según los dictados del Concilio de Trento.

1550 Comienza la construcción de la mezquita de Solimán, erigida en Estambul, en un lugar desde el que se domina el Cuerno de Oro, en el interior de un recinto calado.

1550 La ceremonia del té, que para esta fecha ya está firmemente arraigada entre los japoneses, fomentó la fabricación de las hermosas piezas de gres y porcelana que reflejan la elegancia y sutil belleza de ese ritual.

Popol Vuh

1551 Se fundan la Universidad de México (actualmente Autónoma de México) y la Universidad Mayor de San Marcos, en Lima.

1552 El religioso dominico español Bartolomé de las Casas escribe *Brevísima relación de la destrucción de las Indias*, obra en la que denuncia los males derivados de la encomienda como un sistema de opresión y esclavitud de las comunidades indígenas y autóctonas.

Mezquita de Solimán

1552 El médico italiano Bartolommeo Eustachio publica *Tablas anatómicas*, donde describe el conducto que comunican el oído con la garganta (trompa de Eustaquio) y presenta sus observaciones sobre los riñones, el útero, los nervios craneales, etc.

1553 En Ginebra muere en la hoguera, acusado de herejía por el propio Calvino, el médico español Miguel Servet, primero en describir correctamente la circulación de la sangre.

1553 al **1558** Reinado de María I Tudor. Hija de Enrique VIII y Catalina de Aragón, su principal meta es convertir de nuevo a Inglaterra en un país católico. Se alía con Carlos V y compromete a Inglaterra en las luchas entre España y Francia.

Universidad de México

1554 María I Tudor contrae matrimonio con el príncipe Felipe, hijo de Carlos V.

1554 Se publica *El lazarillo de Tormes*, obra cumbre de la picaresca, de autor anónimo.

1555 Para conmemorar su victoria sobre los tártaros, Iván IV el Terrible ordena la construcción de la catedral de San Basilio en la Plaza Roja de Moscú.

1555 La Dieta del Sacro Imperio romano germánico proclama la Paz de Augsburgo, por la que se permite a los príncipes alemanes decidir la religión de sus súbditos y cuya finalidad es detener la lucha entre luteranos y católicos.

1555 Carlos V delega el trono imperial y sus posesiones alemanas en su hermano Fernando y sus territorios de los Países Bajos en su hijo Felipe.

Universidad Mayor de San Marcos

1556 Carlos V abdica en su hijo Felipe sus restantes posesiones en Europa y América. Felipe II llegará a gobernar la unidad territorial más vasta de la historia, con posesiones en Europa, África, Asia y América.

1556 El arzobispo de Canterbury, Thomas Cramner, muere en la hoguera como hereje, por orden de María I Tudor.

1556 El Consejo de Indias revoca la concesión que tenían sobre el territorio venezolano, desde 1528, los banqueros alemanes Welser, prestamistas del emperador Carlos V.

Catedral de San Basilio

1557 al **1560** Incursiones y ataques del corsario inglés Francis Drake a las colonias y galeones españoles a lo largo de la costa pacífica de América. Hacia 1586, Drake hará su famoso ataque a la bahía de Cartagena de Indias.

1557 Muere el músico francés de la Reforma Loys Bourgeois. Ayudó a Calvino en la composición de numerosos himnos y canciones espirituales.

1558 Tras la muerte de María Tudor, llega al trono de Inglaterra Isabel I, hija de Enrique VIII y Ana Bolena. Reina durante cuarenta y cinco años en los que Inglaterra disfruta de un notable esplendor cultural y ve acrecentado su poder internacional.

Isabel I

1558 al **1559** Felipe II, con el objeto de preservar a España de la ofensiva protestante, impone la censura a las obras impresas y prohíbe a los españoles estudiar en el extranjero.

1559 Catalina de Médici rige Francia tras la muerte de su esposo Enrique II.

1559 El músico y pedagogo flamenco Adrian Willaert publica el *Ricercari para cantar y tocar en cualquier instrumento*, que anticipó el estilo *concertato* barroco.

1563 Felipe II ordena la construcción del monasterio de San Lorenzo de El Escorial, en España, como residencia oficial y panteón real. Los arquitectos Juan Bautista de Toledo y Juan de Herrera llevaron a cabo la obra.

1563 Bajo la dirección del español Claudio de Arciniegas comienza la construcción de la catedral de México, que servirá de modelo a las muchas de Hispanoamérica.

San Lorenzo de
El Escorial

1565 Aparece el mosquete, versión mejorada del arcabuz, con balas que pueden atravesar armaduras.

1566 Insurrección de los Países Bajos. El duque de Alba es enviado a sofocar el levantamiento de los flamencos.

1567 El español Diego de Losada funda Santiago de León de Caracas. Caracas se convirtió en una de las comunidades coloniales españolas más prósperas de Suramérica.

1569 El geógrafo flamenco Gerardus Mercator realiza el primer mapamundi utilizando la proyección cilíndrica, sistema que representa los meridianos como líneas paralelas y los paralelos de longitud como rectas que se cruzan con los meridianos.

Mosquetes

1569 El español Alonso de Ercilla publica *La Araucana*, poema épico inspirado en el heroísmo de los indígenas de Chile durante la campaña española en su contra.

1570 El escritor chino Wu Chengen escribe *Viaje al oeste*, la historia del viaje de un mono a la India durante la Dinastía Ming.

1571 Al mando de don Juan de Austria, los españoles vencen a los turcos en Lepanto.

1572 Las tropas españolas del virrey Francisco de Toledo capturan el último reducto inca rebelde. Su jefe, el inca Tupac Amaru, es públicamente ejecutado en Cuzco.

1572 Durante la noche de San Bartolomé, en París, son masacrados miles de protestantes (hugonotes), a instancias de Catalina de Médici, madre del rey Carlos IX, tras el fracaso del intento de asesinato del consejero regio, el hugonote Gaspard de Coligny.

Tupac Amaru

1572 El portugués Luis Camões publica *Os Lusíadas*, poema épico donde ensalza los viajes y gestas de sus compatriotas, desde Vasco de Gama hasta la formación del Imperio portugués.

1572 El astrónomo danés Tycho Brahe documenta por primera vez una supernova.

1577 El sacerdote, pedagogo y escritor español fray Luis de León es liberado por la Inquisición luego de cinco años de encarcelamiento por haber traducido al castellano el *Cantar de los Cantares*. Tradujo también a Virgilio, Horacio y los *Salmos*.

1577 Mientras sufre prisión por sus intentos de reforma monástica, el místico español san Juan de la Cruz compone su *Cántico espiritual* (inspirado en el *Cantar de los Cantares*).

Hideyoshi
Toyotomi

1578 El poeta francés Pierre de Ronsard, maestro de la lírica amorosa y miembro de la *Pléyade*, publica su obra más célebre, *Sonetos para Helena*.

1580 Felipe II es coronado rey de Portugal, cuyo imperio se sumó al español en América y Lejano Oriente.

1580 El español Juan de Garay refunda Buenos Aires, en el mismo lugar donde Pedro de Mendoza estableció un fuerte en 1536.

1580 El escritor francés Michel de Montaigne publica *Ensayos*, obra que revela una actitud escéptica frente a la religión institucional.

1581 Los holandeses establecen un puesto de comercio a orillas del río Essequibo, en Guyana.

1582 El papa Gregorio XIII auspicia la reforma del calendario para enmendar un error de diez días que se había acumulado desde la implantación del calendario juliano. La corrección se efectúa eliminando los días que este año irían del 4 al 15 de octubre. El nuevo margen de error es de un día cada 3.333 años.

Santa Teresa
de Jesús

1582 El samurai Hideyoshi Toyotomi sucede a su señor Nobunaga Oda en el poder, traslada la capital a Osaka y afirma el poder central.

1582 Muere santa Teresa de Jesús, religiosa española cuyos escritos están considerados como una de las grandes obras de la literatura mística. Destacan *Castillo interior* (1577) y *El libro de las fundaciones* (1573-1582).

1583 Fray Luis de León publica *La perfecta casada* y *De los nombres de Cristo*.

1583 Nace Orlando Gibbons, considerado el padre de la música religiosa anglicana.

1584 El filósofo italiano Giordano Bruno publica *Del universo infinito*. Expone su «idea de la infinitud del universo» y describe las estrellas como soles rodeados de planetas.

Fray Luis
de León

1585 El inglés Walter Raleigh establece en la isla de Roanoke (Carolina del Norte) la primera colonia inglesa en América. No obstante, no prosperará.

1585 El matemático holandés Simon Stevin introduce el sistema de las fracciones decimales para representar valores inferiores a la unidad.

1586 El pintor español de origen cretense, Domenico Theotokopulos, El Greco, pinta el *Entierro del conde Orgaz*, en los que mezcla los estilos veneciano, español y bizantino.

1586 Muere el músico veneciano Andrea Gabrieli, uno de los primeros compositores en establecer la música instrumental como género independiente.

1587 La reina de Escocia, María Estuardo, que sufría reclusión desde 1568 por orden de su hermanastra la reina Isabel I de Inglaterra, es ejecutada.

1588 En su intento por poner fin al apoyo que Isabel I da a los protestantes en los Países Bajos, Felipe II envía contra Inglaterra la Armada Invencible, que es derrotada.

1589 Galileo demuestra que la aceleración al caer es la misma para objetos pesados o ligeros, siempre que no se tenga en cuenta la resistencia del aire.

1590 Zacharias Janssen, anteojero holandés, Construye el primer microscopio potenciando la capacidad de aumento con dos lentes.

1590 Giacomo della Porta termina la construcción de la cúpula de San Pedro, en Roma, según los planos de Miguel Ángel.

1590 Muere el español Bernardino de Sahagún, autor de la *Historia general de la Nueva España*, compilación de sus investigaciones sobre el mundo precolombino mexicano. Con estos relatos se abre la posibilidad de contar la Conquista desde otro punto de vista y no sólo desde la visión oficial española.

1591 El Imperio songay llega a su fin con la invasión marroquí del sultán Ahmed al-Mansur, para hacerse con el control del suministro de oro.

1592 William Shakespeare, poeta y autor teatral inglés, uno de los más grandes dramaturgos de la historia, pone en escena, en el teatro El Globo de Londres, *La comedia de las equivocaciones*. Otras obras: *Ricardo III* (1593), *Sueño de una noche de verano* (1595), *El mercader de Venecia* (1596), *Noche de Epifanía* (1600), *Romeo y Julieta* (1595), *Hamlet* (1601), *Otelo* (1604), *El rey Lear* (1605), *Macbeth* (1606), *La tempestad* (hacia 1611), *Enrique VIII* (1613).

1593 Enrique IV de Francia (Enrique III de Navarra), primer rey de la casa Borbón, abjura del protestantismo y abraza el catolicismo, para deslegitimar la intervención de sus adversarios (Felipe II, el Papa y los católicos franceses) y poner fin a la crisis en que habían sumido a Francia las llamadas guerras de religión (ocho entre 1562 y 1589).

1594 Isabel I ordena el reparto de más cien mil hectáreas confiscadas a los irlandeses católicos entre los colonos ingleses anglicanos de Irlanda. Estalla la rebelión en Ulster, región septentrional de la Isla.

1594 Se funda en Dublín (Irlanda) el Trinity College, centro de educación superior protestante.

1594 El compositor flamenco Orlando di Lasso, del movimiento de la Contrarreforma, publica su última obra: *Lagrime di San Pietro*, colección de madrigales.

1597 El médico italiano Tagliacozzi publica el primer estudio sobre la cirugía plástica.

1598 Muere Felipe II de España, luego de más de cuarenta años de reinado. Le sucede su hijo Felipe III.

1598 Con la promulgación del Edicto de Nantes, Enrique IV de Francia busca la tolerancia hacia los protestantes calvinistas franceses (hugonotes).

1598 Se inicia la construcción de la catedral barroca de Cuzco, una de las más importantes de Hispanoamérica.

1599 Se publica la primera parte del *Guzmán de Alfarache*, de Mateo Alemán, obra clásica de la picaresca española.

1600 Aproximadamente hasta esta fecha y desde el siglo XIII, los nativos de la isla de Pascua (sur del Pacífico), esculpieron sus famosas estatuas en forma de tronco y cabeza humanos. Miden entre tres y doce metros de alto.

1600 Giordano Bruno muere en Roma, en la hoguera, acusado de herejía.

1600 El físico y médico inglés William Gilbert demuestra experimentalmente la naturaleza magnética de la Tierra.

1600 El estreno de *Eurídice*, en Florencia, del compositor italiano Jacopo Peri, marca el nacimiento del género de la ópera.

1600 Se constituye la Compañía Británica de las Indias Orientales, uno de los principales poderes de la India durante más de 200 años.

Siglo XVII Comienza a producirse en España el bargueño, mueble de pequeños cajones, cerrado por una tapa abatible que sirve como escritorio.

Siglo XVII El cultivo de la papa o patata se difunde por todo el mundo, tras su introducción en Europa por los españoles.

Siglo XVII Se desarrolla en Europa y América el barroco, estilo artístico aplicado al arte, la arquitectura y la música. Entre sus características están la abundancia decorativa y los contrastes de luces y sombras. En música aparecen el concierto, la suite y la fuga.

1601 El pintor italiano Caravaggio pinta *La conversión de San Pablo*, en la que ya se evidencia su técnica del claroscuro, que lo haría famoso.

María Estuardo

Primer microscopio

William Shakespeare

Trinity College

Catedral de Cuzco

Planta de papa

1601 El jesuita italiano Matteo Ricci es admitido en Pekín, donde predica y enseña arte a estudiantes chinos.

1603 Muere Isabel I de Inglaterra, al no dejar descendencia, será el último miembro de la Dinastía Tudor. Asciende al trono Jacobo I Estuardo, hijo de María Estuardo.

1603 Se instala en el poder japonés la Dinastía de sogunes Tokugawa, inaugurando el periodo Edo (hasta 1867) por situarse la capital en Edo (actualmente Tokio).

1604 Los católicos de Ulster capitulan ante las tropas inglesas. Muchos irlandeses huyen en busca de asilo en los países católicos del continente, después de lo cual miles de escoceses protestantes se establecen en la provincia.

1605 Se publica la primera parte del *Quijote*, de Miguel de Cervantes, parodia de las novelas caballerescas que convertirá en personajes universales a sus protagonistas: Alonso Quijano y Sancho Panza. Otras obras de Cervantes: *Novelas Ejemplares*, *La Numancia*, *La Galatea*, entre otras.

1606 El escritor español Francisco de Quevedo y Villegas escribe *Sueños*, sátira de los oficios y estados del mundo.

1607 El compositor italiano Claudio Monteverdi estrena su ópera *Orfeo*, cuya puesta en escena y música supuso la consolidación del nuevo género.

1608 El explorador francés Samuel de Champlain funda la ciudad canadiense de Quebec.

1608 El fabricante de lentes holandés Hans Lippershey inventa el telescopio.

1609 El astrónomo alemán Johannes Kepler enuncia las leyes de los movimientos de los planetas. Kepler se basó en los datos obtenidos por el astrónomo Tycho Brahe.

1609 Garcilaso de la Vega, el Inca, publica *Comentarios reales*, sobre la cultura del Imperio inca. En 1617 aparecerá póstumamente la segunda parte: *Historia del Perú*.

1609 El astrónomo italiano Galileo Galilei observa, mediante un telescopio, los cráteres de la Luna, las fases de Venus, los satélites de Júpiter y las estrellas de la Vía Láctea.

1609 al **1614** Decenas de miles de moriscos (musulmanes conversos al cristianismo) salen de España tras el decreto de expulsión del rey Felipe III.

1611 El gramático Sebastián de Covarrubias publica *Tesoro de la lengua castellana española*, el primer diccionario de la lengua española.

1611 Muere Tomás Luis de Victoria, uno de los más importantes músicos españoles de la Contrarreforma. Su obra expresa el lirismo propio del arte religioso español.

1613 Publicación de *Soledades*, poema de Luis de Góngora y Argote, uno de los más significativos representantes del Siglo de Oro español.

1613 La Dinastía Romanov comienza a gobernar Rusia (hasta 1917) tras el nombramiento de Miguel III como zar, quien gobernará hasta 1645.

1614 El español Lope de Vega escribe *Fuenteovejuna*, drama en el que el pueblo es personaje fundamental. Otras obras: *La Arcadia* (1598), *Guzmán el Bueno* (1624), *La Dorotea* (1632) y *El perro del hortelano*, entre otras muchas.

1614 El matemático escocés John Napier introduce el sistema de logaritmos, que permite la simplificación de la multiplicación y la división.

1615 Se publica la segunda parte del *Quijote*.

1615 El cronista peruano Felipe Huamán Poma de Ayala publica *Nueva crónica y buen gobierno*, obra que da la visión indígena del mundo andino después de la Conquista.

1616 Mueren Miguel de Cervantes Saavedra y William Shakespeare.

1616 El pintor flamenco Pedro Pablo Rubens pinta el *Rapto de las hijas de Leucipo*, que evidencia claramente su estilo: dinamismo, formas voluptuosas y gran riqueza cromática. Otras obras: *La adoración de los pastores* (1608) y *Las tres Gracias* (1639).

1617 Se crean las gobernaciones de Río de la Plata y Paraguay, subordinadas al virreinato del Perú.

1618 Luego de la defenestración de los comisarios del rey Fernando II de Habsburgo por parte de un grupo de protestantes bohemios, y de que éstos constituyeran un gobierno y nombraran rey al elector palatino Federico V, protestante, comienza la Guerra de los Treinta Años. La guerra involucrará a casi toda Europa y concluirá en 1648.

1620 Las fuerzas imperiales restablecen el poder imperial en Bohemia.

1620 Huyendo de la persecución religiosa, un grupo de puritanos ingleses se embarca hacia América en el Mayflower. Llegan a las costas de Massachusetts y establecen el acuerdo de Mayflower, con el que formaron un gobierno autónomo.

1620 El filósofo inglés Francis Bacon publica *Novum organum*, obra en la que expone el método científico.

1621 Tras la muerte de Felipe III, su hijo Felipe IV recibe el reino de España.

1621 El holandés Roijen Snell establece científicamente la ley de refracción de la luz, que ya había sido identificada por Arquímedes.

Matteo Ricci

Don Quijote

Claudio Monteverdi

Johannes Kepler

Lope de Vega

Mayflower

)) Las primeras naciones en tiempos de expansión, intercambio cultural y revoluciones

1621 Los holandeses fundan la Compañía de las Indias Orientales. Estableció colonias en las Antillas, Brasil, América del Norte, las Molucas, Java e Indonesia.

1623 al **1662** Vida del filósofo y científico francés Blaise Pascal, conocido por sus estudios matemáticos y por su reflexión sobre Dios y el alma, titulada *Pensamientos*.

1623 El arquitecto y escultor Lorenzo Bernini, principal representante del barroco italiano, realiza su escultura del personaje bíblico *David*. La columnata de la plaza de San Pedro (1629-1667) en el Vaticano está considerada su obra cumbre como arquitecto.

1626 Se publica la novela picaresca *Vida del buscón don Pablos*, sin autorización de su autor Francisco de Quevedo.

1627 El español Tirso de Molina publica *El burlador de Sevilla*, comedia en la que el legendario personaje de Don Juan aparece por primera vez como personaje literario.

1628 El anatomista inglés William Harvey publica *Ensayo anatómico sobre el movimiento del corazón y la sangre en los animales*.

1629 El rey protestante danés Christian IV se retira de la Guerra de los Treinta Años tras ser derrotado.

1630 El rey de Suecia Gustavo Adolfo se declara partidario de los protestantes y obtiene algunos triunfos sobre los católicos.

1632 En *Diálogos sobre los dos máximos sistemas del mundo*, de Galileo Galilei, tres personajes discuten los méritos del sistema tolemaico y copernicano. También satirizaba al Papa, lo que lo condujo a la Inquisición y a su encarcelamiento.

1632 El pedagogo checo Juan Comenio publica *Didáctica magna*, un libro con técnicas y fundamentos para la educación de la infancia.

1633 La Inquisición abre proceso contra Galileo, quien abdica de sus teorías. El papa Urbano VIII le conmuta la pena por la del aislamiento con vigilancia inquisitorial.

1634 Fundación de la Academia Francesa para el fomento de las ciencias y las artes, por iniciativa del Cardenal Richelieu.

1635 Francia declara la guerra a los Habsburgo de España. Simultáneamente ocurren levantamientos en el centro de Alemania, Países Bajos y el Palatinado, seguidos de la declaración de guerra del emperador Fernando II a Francia.

1635 El español Pedro Calderón de la Barca publica *La vida es sueño*, una de las piezas teatrales representativas del barroco español, que se caracteriza por su reflexión profunda y su contenido filosófico. Su otra obra cumbre, *El alcalde de Zalamea*, aparecerá en 1640.

1636 Se funda en Massachusetts el Harvard College, primer centro de enseñanza superior de Estados Unidos. Se convertiría en una de las universidades más importantes del mundo.

1637 El filósofo y científico francés René Descartes publica su *Discurso del método*, obra en la que busca un método mediante el cual alcanzar la certeza y el fundamento de la racionalidad. Esa certeza es el antecedente del argumento «pienso, luego existo».

1637 Descartes desarrolla la geometría analítica al mostrar cómo utilizar el álgebra para investigar la geometría de las curvas.

1639 El francés Gérard Desargues desarrolla la geometría proyectiva, que aplica a la ingeniería y la arquitectura.

1639 Pascal formula uno de los teoremas básicos de la geometría proyectiva en *Ensayo sobre las cónicas*.

1639 Muere san Martín de Porres, fraile dominico peruano que dedicó su vida al cuidado de los más desvalidos. En 1962 fue canonizado por la Iglesia católica.

1640 Se extiende el uso de coque como sucedáneo de la madera en la industria.

1641 Los católicos irlandeses protagonizan en Belfast una gran revuelta contra el dominio inglés tras la ejecución en Londres del gobernador católico de Irlanda. Miles de colonos ingleses y escoceses protestantes mueren bajo el ataque de los irlandeses.

1642 El uso de la quinina contra la malaria fue el único tratamiento efectivo durante tres siglos. Esta sustancia es extraída del árbol de la quina, que nace abundantemente en los territorios de América Central y del Sur.

1642 Pascal inventa una sumadora mecánica, que sería el origen del computador digital.

1642 El pintor holandés Rembrandt van Rijn, reconocido por los efectos del claroscuro, pinta *Ronda de noche*, una de las grandes obras maestras de la historia de la pintura.

1642 Estalla la guerra civil inglesa debido al enfrentamiento entre el Parlamento y el rey Carlos I.

1643 En el marco de la Guerra de los Treinta Años, los franceses derrotan a las tropas españolas en Rocroi (Francia), poniendo así fin al poderío militar español en Europa.

1643 al **1715** Reinado en Francia de Luis XIV, sucesor de Luis XIII y Ana de Austria, hija de Felipe III de España. Durante su minoría de edad, su padre asume la re-

Blaise Pascal

Tirso de Molina

René Descartes

San Martín de Porres

planta de quinina

Rembrandt van Rijn

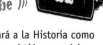
gencia, con el apoyo del cardenal Mazarino. Luis XIV, que pasará a la Historia como «el Rey Sol», implantó un poder monárquico absoluto que se convirtió en modelo a imitar para la mayoría de los príncipes europeos de la época.

1643 El matemático y físico italiano Torricelli deduce la existencia de la presión atmosférica e inventa el barómetro de mercurio.

1644 Dorgon, regente de Manchuria (en el norte de China), tras sofocar una rebelión contra el emperador Su Tsung de la Dinastía Ming, toma Pekín, la capital imperial, e impone a su sobrino Shunzhi en el trono, fundando así la Dinastía Qing o Manchú.

1647 El religioso inglés George Fox inicia el movimiento reformador de la comunidad cristiana Sociedad de los Amigos. Sus miembros son conocidos como «cuáqueros».

George Fox

1648 El cardenal Mazarino continúa con las políticas de centralización emprendidas por su predecesor, Richelieu, aumentando así el poder real a expensas de la nobleza.

1648 En la región alemana de Westfalia se firman los pactos que ponen fin a la Guerra de los Treinta Años. La Paz de Westfalia (nombre del grupo de tratados) supone el debilitamiento de los Habsburgo y el surgimiento de Francia como potencia europea.

1648 Los españoles firman el tratado de Münster por el cual reconocen la soberanía de la República de las Provincias Unidas. De este modo, los holandeses se convirtieron en uno de los grandes poderes en la Europa continental, una república en medio de monarquías.

Cardenal Mazarino

1649 Carlos I es hecho prisionero por el Ejército parlamentario, al mando de Oliverio Cromwell. El Rey es ejecutado, la monarquía abolida y se establece el régimen republicano (*Commonwealth*), gobernado por el Parlamento.

1649 La revuelta de los católicos irlandeses iniciada en 1641 es violentamente sofocada por Cromwell, quien adjudica extensas propiedades a los ingleses.

1651 al **1655** El escritor español Baltasar Gracián publica *El Criticón*, obra alegórica en la que un mentor y su discípulo representan la razón y el instinto, respectivamente.

1651 Se publica *El Leviatán*, del pensador inglés Thomas Hobbes, donde explica el potencial depredador que constituye la condición original del hombre.

Thomas Hobbes

1652 Los holandeses fundan Ciudad de El Cabo (actual capital administrativa de la República de Suráfrica) como base de aprovisionamiento de la Compañía Holandesa de las Indias Orientales.

1653 Cromwell es nombrado Lord Protector de Inglaterra. Impulsó el poder militar inglés, convirtiendo a Inglaterra en el Estado más poderoso de Europa.

1654 Los matemáticos franceses Blaise Pascal y Pierre de Fermat formulan la teoría de las probabilidades, base de la estadística y los cálculos de la física teórica moderna.

1654 El físico alemán Otto von Guericke demuestra la existencia de la presión atmosférica mediante el conocido experimento de los hemisferios de Magdeburgo.

Oliverio Cromwell

1656 El artista español Diego Velázquez pinta *Las Meninas*, obra maestra del barroco, que representa a la infanta doña Margarita rodeada de dos damas de honor.

1658 El pintor neerlandés Jan Vermeer realiza el cuadro *La criada en la cocina*. Vermeer destacó por sus escenas de interiores llenas de serenidad.

1659 El tratado de los Pirineos pone fin definitivo al conflicto bélico que continuaba entre España y Francia a pesar de la Paz de Westfalia.

1660 Una consecuencia del tratado o Paz de los Pirineos es el matrimonio de Luis XIV con la hija de Felipe IV de España, María Teresa de Austria.

1660 Tras la muerte de Cromwell (1658) y la caída de la República es restaurada la monarquía británica en la persona de Carlos II.

1660 El científico italiano Marcello Malpighi describe los capilares del sistema circulatorio. Las observaciones microscópicas de Malpighi abrieron el camino a la fisiología y la histología modernas.

Diego Velázquez

1660 Se funda la Royal Society en Londres, que congrega a los más notables científicos e investigadores.

1660 En Londres aparecen por vez primera mujeres interpretando papeles en los escenarios teatrales.

1661 Luis XIV de Francia crea la Academia Real de Danza. El mecenazgo del monarca francés abrió el camino a la profesionalización de la danza.

1661 Tras el fallecimiento del cardenal Mazarino, Luis XIV asume la dirección personal del gobierno.

1661 Muere a los setenta años la española María de Zayas, autora de *Novelas amorosas y exemplares*, obra básica en el desarrollo ulterior de la novela erótica y cortesana.

Marcello Malpighi

1662 El británico Robert Boyle y el francés Edme Mariotte formulan de forma independiente la ley de compresibilidad de los gases (ley de Boyle-Mariotte).

1662 El dramaturgo y actor francés Jean Baptiste Poquelin, más conocido como Molière, presenta su obra *La escuela de las mujeres*, considerada la primera gran comedia seria de la literatura francesa. Otras obras: *Tartufo* (1664), *El avaro* (1668), *El médico a palos* (1666) y *El enfermo imaginario* (1673).

1665 El científico inglés Robert Hooke es el primero en observar microscópicamente y describir las células (término, además, acuñado por él) vegetales.

1665 Tras la muerte de Felipe IV de España, su hijo Carlos II asciende al trono; su madre, Mariana de Austria, actuará como regente durante su minoría de edad.

1666 Se incendia Londres y se destruye buena parte de la ciudad medieval, incluida la estructura gótica de la iglesia de San Pablo. El incendio, sin embargo, detiene la peste que asolaba la ciudad desde 1665 y que cobró 70.000 víctimas.

1666 El físico y matemático inglés Isaac Newton descompone la luz blanca en el espectro utilizando un prisma, y demuestra que el color es una cualidad inherente de la luz.

Isaac Newton

1666 El filósofo inglés John Locke escribe su *Ensayo sobre el entendimiento humano* (publicado en 1690), en el que afirma que la mente de un individuo es, en el momento de su nacimiento, una hoja en blanco sobre la que la experiencia imprime el conocimiento.

1667 Luego de dos años de negociaciones por parte de Luis XIV para que Carlos II de España entregara el territorio de Brabante, en los Países Bajos, perteneciente a María Teresa, hermanastra de Carlos II y esposa de Luis, estalla la Guerra de la Devolución.

John Locke

1667 al **1774** El poeta inglés John Milton compone el *Paraíso perdido* en el que reescribe la historia de Adán y Eva.

1668 A través del tratado de Lisboa, es reconocida por España la independencia de Portugal, que recibe el enclave norteafricano de Ceuta a cambio.

1668 El poeta francés Jean de la Fontaine, uno de los más influyentes autores líricos de su tiempo, finaliza la redacción de las *Fábulas*.

1668 El italiano Francesco Redi refuta experimentalmente la teoría de la generación espontánea, según la cual los insectos se generarían a partir de sustancias inorgánicas.

Fósil

1669 El danés Nicolaus Steno plantea la posibilidad de que los fósiles sean en realidad restos de animales extinguidos mucho tiempo antes.

1669 Los otomanos conquistan la mayor parte de la isla de Creta, que se mantenía hasta entonces bajo el dominio de Venecia.

1670 Carlos II de Inglaterra firma una alianza con Francia para atacar las Provincias Unidas, república constituida en 1579 por las provincias del norte de los Países Bajos y que, en contra de los intereses de España, había sido reconocida en 1596 por Francia e Inglaterra.

Baruch Spinoza

1670 El filósofo y teólogo neerlandés Baruch Spinoza publica *Tractatus Theologico-Politicus*, donde sostiene que la democracia es el mejor sistema posible y el que más se ajusta a la naturaleza y a la razón.

1672 El ejército francés y sus aliados toman la casi totalidad de las Provincias Unidas. La invasión provoca un golpe de Estado contra Johan de Witt, lo que permitió a Guillermo III de Orange hacerse con el poder.

1672 Los españoles Juan Hidalgo y Juan Vélez estrenan *Los celos hacen estrellas*, primera zarzuela de la que se tiene noticia.

1674 Guillermo III se alía con España y el Sacro Imperio, y tras dos años de lucha, firma un tratado de paz con los ingleses, forzándolos a retirarse de los Países Bajos.

Real Observatorio de Greenwich

1674 El médico y entomólogo holandés Jan Swammerdam observa y describe los glóbulos rojos de manera diferenciada.

1675 El astrónomo danés Olaus Roemer calcula la velocidad de la luz.

1675 Se funda en Inglaterra el Real Observatorio de Greenwich, dedicado inicialmente al mantenimiento de las tablas lunares para que los navegantes pudieran calcular con precisión la longitud.

1676 El científico holandés Antoni van Leeuwenhoek, usando el microscopio, es el primero en observar y describir los microorganismos.

1677 El dramaturgo francés Jean Baptiste Racine, estudioso de los clásicos griegos y romanos, estrena la tragedia *Fedra*. Otras obras: *Andrómaca, Berenice* e *Ifigenia*.

1678 El científico holandés Christiaan Huygens expone la teoría ondulatoria de la luz al descubrir que todo punto de un frente de ondas actúa como fuente de nuevas ondas.

1679 Se firma en Nimega, Países Bajos, un tratado propuesto por Francia que pone fin a la guerra franco-holandesa. El tratado incrementa la influencia francesa en Europa.

Denis Papin

1679 El físico francés residente en Inglaterra Denis Papin desarrolla la primera olla a presión, antecesora directa de la máquina de vapor.

1680 Muere el último dodo, ave no voladora, y se extingue definitivamente la especie debido a la indiscriminada caza de los colonos de la isla Mauricio.

1681 La muerte de Pedro Calderón de la Barca señala el fin del Siglo de Oro de las letras españolas, que dio a la luz obras del propio Calderón, Cervantes, Lope de Vega, Tirso de Molina, Luis de Góngora, Francisco de Quevedo y muchos otros.

1682 Luis XIV se instala con su corte en el palacio de Versalles, convirtiéndolo, de hecho, en la capital del reino. Versalles se levanta en el asentamiento mismo en el que su padre había ordenado construir un pabellón de caza, que el Rey Sol ha transformado en un espectacular palacio.

Versalles

1682 El científico inglés Nehemiah Grew describe los órganos reproductores de las plantas y concluye que se reproducen sexualmente.

1683 Muere el economista francés Jean-Baptiste Colbert, responsable de que los ingresos de la corona francesa se triplicaran bajo su gestión como ministro de finanzas.

1685 Luis XIV revoca el edicto de Nantes (1598) que establecía la tolerancia con los protestantes o hugotones. Más de 200.000, la mayoría de ellos asociada al comercio y la producción, dejaron el reino.

1685 El matemático inglés Wallis explica y representa gráficamente los números imaginarios, lo cual significó un gran avance en las matemáticas y la ingeniería.

Órganos reproductores de las plantas

1687 Newton publica *Principios matemáticos de la filosofía natural* y expone sus leyes del movimiento, a partir de las cuales deduce la existencia de la fuerza de gravedad.

1688 El Parlamento depone al rey de Inglaterra, Irlanda y Escocia, Jacobo II, que se había convertido al catolicismo, y ofrece el trono a su hija, María II Estuardo, y al esposo de ésta, el estatúder de las Provincias Unidas, Guillermo III de Orange.

1689 Se publica en España el primer volumen de *Inundación castálida* de la religiosa y escritora mexicana Sor Juana Inés de la Cruz.

1689 El compositor inglés Henry Purcell estrena su ópera *Dido y Eneas*, obra que da inicio a la tradición operística inglesa.

Henry Purcell

1693 Muere la escritora francesa Marie-Madeleine de La Fayette, autora de la primera novela psicológica moderna: *La princesa de Clèves* (1678).

1696 Pedro I el Grande, zar de Rusia, expulsa a los turcos de Azov, consiguiendo así el acceso al mar Negro.

1697 El zar Pedro I desarrolla una intensa labor diplomática en Europa. Logra que casi un millar de artesanos, artistas, técnicos y otros expertos emigren a Rusia, con el propósito de poner a su país en concierto con los avances sociales y científicos occidentales.

Pedro I el Grande

1697 El escritor francés Charles Perrault publica *Cuentos de antaño*, que reúne algunos de los más conocidos relatos infantiles: *Caperucita roja*, *El gato con botas* y *Cenicienta*.

1698 Basado en los trabajos de Denis Papin, el ingeniero inglés Thomas Savery diseña la primera máquina de vapor, que, a su vez, será perfeccionada por el escocés James Watt.

1699 Por el tratado de Karlowitz entre el Sacro Imperio romano germánico y el Imperio otomano, Hungría, Transilvania, Croacia y Eslavonia pasan a los Habsburgo.

1700 Fallece el rey Carlos II de España, de la casa de Habsburgo. Al no dejar herederos, Felipe V, nieto del rey francés Luis XIV y María Teresa de Austria (hija del rey Felipe IV), accede al trono. El primer monarca español de la casa de Borbón moderniza el Estado al centralizar y unificar la administración y reformar la Hacienda.

Charles Perrault

1700 El pensador alemán G. W. Leibniz demuestra la utilidad del sistema binario.

Siglo XVIII Irradiado desde Francia se desarrolla en Europa el rococó, estilo decorativo caracterizado por sus frisos dispuestos en línea curva, en la decoración de interiores y el mobiliario. En pintura se distinguió por la profusión de escenas galantes.

Siglo XVIII Se ha llamado a éste el Siglo de las Luces porque durante él se impuso entre los pensadores europeos la idea de que todo puede ser esclarecido por la mente si ésta utiliza la razón y el método de la ciencia. Corresponde aproximadamente a la Ilustración, aunque históricamente el inicio de ésta se ubica a mediados del siglo XVII.

Siglo XVIII Con el advenimiento del rey Felipe V de España se inician las llamadas reformas borbónicas, que se adelantaron a lo largo del siglo XVIII en aras de modernizar el Estado, su administración y lograr la recuperación económica, así como explotar racionalmente y defender los abundantes recursos que ofrecían las colonias.

Federico I

1701 El agrónomo inglés Jethro Tull inventa la sembradora mecánica.

1701 Federico I, hijo Federico Guillermo, Gran Elector de Brandeburgo, es coronado como el primer rey de Prusia y reconocido como tal por el emperador del Sacro Imperio romano germánico, Leopoldo I.

1702 al 1714 La Guerra de Sucesión española enfrenta a partidarios de Felipe V (Francia y la mayoría de los poderes españoles) y de Carlos, archiduque de Austria (Inglaterra, Provincias Unidas, Sacro Imperio romano germánico). La guerra finaliza con el definitivo establecimiento de la casa de Borbón en España.

1705 El astrónomo británico Edmund Halley determina que los cometas giran en órbitas elípticas alrededor del Sol. Muestra que el cometa de 1682 era el mismo que había aparecido en 1531 y en 1607, y predice con éxito su reaparición en 1759.

1707 John Floyer, médico inglés, desarrolla un reloj para medir el pulso, el primer instrumento de precisión con el que contaron los médicos.

1709 El músico italiano Giuseppe Torelli introduce en su *Pastoral para la Navidad* el esquema rápido-lento-rápido que se convirtió en la forma propia del concierto.

1709 El florentino Bartolomeo Cristfori, fabricante de clavicordios, publica el diagrama y la descripción del primer piano.

Piano de cola

1710 El ingeniero francés Sébastien Le Pestre desarrolla el primer fusil al grabar en espiral el cañón, lo que le otorgaba mayor precisión a la bala.

1712 El rey de España, Felipe V, funda en Madrid la Biblioteca Pública de Palacio.

1712 Pedro I el Grande funda la ciudad de San Petersburgo en el extremo oriental del golfo de Finlandia. La ciudad, que a partir de 1715 será la capital de Rusia, inicia una era de espléndida arquitectura y planificación urbana.

1713 Se documenta, en Turquía, por primera vez, la inoculación de la viruela, al observar que algunos casos benignos no mataban pero sí garantizaban no contraerla más. Fue uno de los principios de la vacunación.

1714 El rey Felipe V aprueba la constitución de la Academia Española de la Lengua, fundada en Madrid el año anterior por un grupo de ilustrados encabezados por Juan Fernández Pacheco, marqués de Villena.

Biblioteca Pública de Palacio

1714 El físico alemán Daniel G. Fahrenheit construye el primer termómetro de mercurio.

1715 Tras la Guerra de Sucesión española y por los tratados de Utrecht, Gran Bretaña consigue el control de Gibraltar y las colonias francesas en Canadá.

1715 Muere en Versalles el rey Luis XIV de Francia. Le sucede su bisnieto Luis XV, a quien lega un reino en decadencia política y en bancarrota.

Academia Española de la Lengua

1717 Con sede en Santa Fe de Bogotá se crea el virreinato de Nueva Granada con el propósito fundamental de combatir el contrabando y poner fin a los excesos de los oidores y gobernadores. Su jurisdicción comprendía lo que aproximadamente hoy corresponde a Colombia, Venezuela y Ecuador.

1719 El novelista inglés Daniel Defoe publica *Robinson Crusoe*, obra en la que plasma los esfuerzos del hombre por vencer la naturaleza.

1721 Pedro I de Rusia arrebata a Suecia el dominio de una zona considerable del litoral báltico. Este mismo año es proclamado emperador, con lo que estableció el Imperio ruso.

Johann Sebastian Bach

1722 El compositor francés Jean Philippe Rameau publica su *Tratado de la armonía*, en el que quedó fijada de forma definitiva la armonía tonal.

1723 El compositor alemán Johann Sebastian Bach, uno de los mayores genios musicales de la Historia, finaliza la composición de los *Conciertos de Brandeburgo*. Entre sus obras maestras se encuentran también la *Pasión según san Mateo* y el *Clave bien temperado*.

1723 El Consejo de Indias elimina el virreinato de Nueva Granada, por considerar que su propósito no se ha cumplido y que la corte virreinal gravaba en extremo el tesoro.

1723 El escritor y filósofo francés Voltaire, uno de los principales representantes de la Ilustración, publica *Poème de la ligue*, elocuente defensa de la tolerancia religiosa.

1725 El reino de Dahomey, fundado a comienzos del siglo XVII en la actual República de Benin, adquiere un gran poder local al asociarse con los traficantes europeos de esclavos.

1725 Nace Giacomo Casanova, quien dejó en sus *Memorias* los testimonios que lo harían pasar a la historia como el más grande seductor.

Giacomo Casanova

1725 El músico italiano Antonio Vivaldi estrena *Las cuatro estaciones*.

1726 El escritor anglo-irlandés Jonathan Swift publica, de manera anónima, *Los viajes de Gulliver*, cuyo fin, más que narrar aventuras, era el de hacer una mordaz crítica social.

1726 El gobernador español de Buenos Aires, Mauricio de Zabala, funda Montevideo, con el objeto de proteger la región contra la infiltración portuguesa proveniente del Brasil.

Antonio Vivaldi

1728 El explorador danés Vitus Bering, al servicio de Rusia, cruza el estrecho que lleva su nombre en la actualidad, comprobando la existencia de un paso entre Asia y América y demostrando, a su vez, que son dos continentes separados. Con el conocimiento del estrecho de Bering, se empiezan a proponer teorías del predescubrimiento sobre los primeros pobladores de América.

1728 El dentista francés Pierre Fauchard, considerado el padre de la odontología, publica *El cirujano dentista*.

1729 El gobierno de Francia ordena la quema del libro de Voltaire, *Cartas filosóficas*, acusándolo de ser «una obra escandalosa, contraria a la religión y la moral».

Vitus Bering

1730 El estadounidense Thomas Godfrey y el inglés John Hadley inventan, de forma independiente, el sextante, instrumento óptico para medir distancias angulares.

1731 El novelista francés François Prévost, conocido como Abate Prévost, publica *Manon Lescaut*, último volumen de *Memorias y aventuras de un hombre de calidad*.

1733 El fisiólogo inglés Stephen Hales publica *Hemostática*, donde describe sus investigaciones sobre el flujo sanguíneo y un método para medir la presión sanguínea.

1733 El músico Giovanni Battista Pergolesi, principal representante de la ópera bufa italiana, compone *La serva padrona*.

1735 El naturalista sueco Carl von Linneo establece la nomenclatura taxonómica según la cual cada organismo se identifica con dos términos en latín, el primero corresponde al género y el segundo a la especie.

1736 Tras vencer a afganos, turcos y rusos, Nader Sha es coronado rey de Persia. Con su subida al trono desaparece la Dinastía Safawí, que gobernaba el Imperio desde 1502.

Stephen Hales

1738 El matemático y físico suizo Daniel Bernouilli plantea la teoría cinética de los gases.

1739 El reformador inglés John Wesley funda la primera congregación metodista.

1739 En su *Tratado de la naturaleza humana*, el filósofo escocés David Hume plantea que el conocimiento reemplaza a la revelación como camino hacia la bondad.

1739 Se reinstaura el virreinato de Nueva Granada.

1740 El pintor francés François Boucher realiza su lienzo *El triunfo de Venus*, en el que muestra el hedonismo del estilo rococó.

1740 Tras el fallecimiento del emperador del Sacro Imperio romano germánico Carlos VI estalla la Guerra de Sucesión austriaca, que enfrenta a las potencias europeas por los dominios de la casa de Habsburgo.

Nader Sha

1742 El científico sueco Anders Celsius propone la escala centígrada, que divide en 100 grados el intervalo entre los puntos de congelación (0 °C) y ebullición del agua (100 °C).

1742 La Comandancia General de Caracas es desagregada del virreinato de Nueva Granada, pasando a depender de la audiencia de Santo Domingo.

Virreinato de Nueva Granada

1742 El músico alemán G. F. Händel compone *El Mesías*, uno de los oratorios más famosos de la historia de la música.

1745 El físico holandés Pieter van Musschenbroek y el físico alemán Georg von Kleist inventan la botella de Leyden, un condensador formado por una botella recubierta por dos láminas de papel de estaño, una en el interior y otra en el exterior.

1747 El político y científico estadounidense Benjamin Franklin publica *Experimentos y observaciones sobre la electricidad*.

1748 El escritor francés Carlos Secondat, barón de Montesquieu, publica *El espíritu de las leyes*, obra en la que sostiene que debe darse una separación y un equilibrio entre los distintos poderes del Estado a fin de garantizar los derechos y las libertades individuales.

Anders Celsius

1748 El tratado de Aquisgrán pone fin a la Guerra de Sucesión austriaca y establece que todas las conquistas llevadas a cabo reviertan a sus propietarios originales, con lo que la hija de Carlos VI, María Teresa I de Austria, conserva la mayor parte de sus territorios.

1748 El arqueólogo alemán Johann Joachim Winckelmann da inicio a las excavaciones de Pompeya, sepultada bajo una capa de cenizas durante más de 1.500 años.

1749 El novelista inglés Henry Fielding publica *Tom Jones*, una de las primeras novelas modernas de la literatura inglesa, que relata las correrías de un joven en busca de su herencia.

Benjamin Franklin

1749 Georges Louis Leclerc empieza a publica su *Historia natural, general y particular* (44 volúmenes), en la que expone el concepto de la evolución biológica; aunque la presenta como un proceso degenerativo.

1750 Va tomando forma en Europa el Romanticismo, movimiento cultural que reacciona contra el Siglo de las Luces y su extremada defensa de la razón, para insistir en lo emocional, lo religioso y lo creativo. Posteriormente se proyectará en el ámbito latinoamericano.

1750 El compositor austriaco Joseph Haydn introduce la música de cámara, un género que nació para ser interpretado por un cuarteto de cuerdas.

1750 Nace en Europa el estilo neoclásico como reacción a los excesos del rococó, postula la vuelta a los modelos clásicos, más racionales y humanistas.

1750 El rey Fernando VI de España cede a los portugueses el territorio donde están asentadas las misiones jesuíticas, lo que provoca una rebelión que enfrenta a guaraníes y jesuitas contra fuerzas de Portugal y España.

BUFFON
Georges Louis Leclerc

1751 Entre este año y 1766 se publica la *Enciclopedia* (o *Diccionario razonado de las artes y los oficios*), bajo la dirección del escritor Denis Diderot y del físico y filósofo Jean le Rond D'Alembert. Entre sus autores también figuraron Montesquieu, Voltaire y Rousseau, entre otros.

1751 Benjamin Franklin echa a volar su famosa cometa, con la que creó el primer pararrayos de la Historia.

)) Las primeras naciones en tiempos de expansión, intercambio cultural y revoluciones

1753 Es inaugurado en Londres el prestigioso Museo Británico.

1753 Carlo Goldoni, fundador de la comedia moderna italiana, escribe *La posadera*, basada en personajes y costumbres italianas, al igual que muchas de sus otras obras.

1753 El pintor italiano Giovanni Battista Tiépolo, considerado el mejor muralista del estilo rococó, realiza los frescos *La boda de Barbarroja* y *El Olimpo*, en la residencia arzobispal de Würzburg (Alemania).

Museo Británico

1754 El químico británico Joseph Black descubre el dióxido de carbono y demuestra que se produce a partir de la respiración, la fermentación y la combustión del carbón vegetal.

1755 Un violento terremoto, seguido de un gran incendio, destruye Lisboa, capital de Portugal y la que hasta ahora era considerada la capital comercial de Europa. Mueren más de 30.000 personas.

1756 El primer ministro, el marqués de Pombal, inicia la reconstrucción de Lisboa, que financia con el oro y los diamantes de Brasil, la rica colonia portuguesa en Suramérica.

1756 al **1791** Vida de Wolfgang Amadeus Mozart, niño prodigio de la música y uno de los grandes compositores de la Historia.

Mozart

1757 El militar británico Robert Clive vence al poderoso ejército del virrey mogol de Bengala en la batalla de Plassey. Esta victoria lleva al control británico de Bengala y marca el primer paso en su conquista de la India.

1759 Voltaire publica *Cándido*, donde analiza el problema del mal en el mundo.

1759 El cirujano y fisiólogo alemán Kaspar Wolff, considerado el padre de la embriología, publica *Teoría de la generación*, donde explica que las células se van diferenciando para producir tejidos y órganos.

1761 El médico austriaco Leopold Auenbrugger utiliza la percusión para el diagnóstico de enfermedades mediante pequeños golpes en la caja torácica.

1761 El científico y eclesiástico español José Celestino Mutis llega al Nuevo Reino de Granada, donde impulsó el conocimiento científico dando a conocer los principios copernicanos, la física y la matemática modernas. Entre 1783 y 1808 (año de su muerte) dirigió la Real Expedición Botánica.

José Celestino Mutis

1762 El pensador y científico francés Jean-Jacques Rousseau publica sus obras *El Contrato Social* y *Emilio o de la educación*, en el primero (considerado uno de los cimientos ideológicos de la Revolución Francesa), afirma: «El hombre ha nacido libre y está en todas partes encadenado»; en el segundo expone su teoría educativa, que subraya la preeminencia de la expresión sobre la represión.

1762 El compositor alemán Christoph Willibald Gluck, en colaboración con el poeta Raniero di Calzabigi, estrena *Orfeo y Eurídice*, con la que renueva el género operístico mediante una expresión más espontánea y sencilla.

1762 Catalina II la Grande se convierte en zarina de Rusia después de la abdicación del zar Pedro III, su esposo, en su favor. Introdujo reformas administrativas y llevó a cabo una política expansionista. Mujer culta, fue amiga de pensadores como Voltaire y Diderot, entre otros.

Catalina II

1762 España debe ceder Florida a Inglaterra para recuperar la isla de Cuba, que había sido tomada por las fuerzas británicas.

1763 El rey de Prusia Federico II anexiona la Prusia polaca, con lo que unió el reino de Prusia oriental con Brandeburgo.

1763 Por el tratado de París, que pone fin a los enfrentamientos entre ingleses y franceses por la posesión de Canadá, Francia cede sus posesiones a Gran Bretaña a cambio del respeto a la libertad de religión y las propiedades de los pobladores franceses.

Federico II

1764 El jurista italiano Cesare Beccaria en su *Ensayo sobre los delitos y las penas* critica fuertemente las leyes penales existentes, así como la tortura y la pena de muerte.

1767 El escritor inglés Laurence Sterne publica *Tristram Shandy*, novela picaresca que aportó ideas originales sobre la percepción y el significado del tiempo, y que es considerada una de las obras precursoras de la novelística moderna.

1767 El rey español Carlos III expulsa a los jesuitas de todos los territorios de su reino, aduciendo su participación en los motines populares de 1766.

1768 al **1771** El expedicionario británico James Cook viaja a través del Pacífico sur al frente de una misión astronómica, durante la cual desembarca en Australia, siendo el primer europeo en hacerlo. Con anterioridad había sido avistada por otros exploradores.

1769 Tras perfeccionar la máquina de vapor diseñada en 1698 por Thomas Savery, el ingeniero escocés James Watt patenta su nueva máquina.

1769 El británico Richard Arkwright patenta el telar hidráulico y abre las primeras fábricas de textiles en Gran Bretaña. Dicho aparato pone en evidencia cambios determinantes en la industrialización, lo que llevará, años después, a la llamada Revolución Industrial.

James Cook

1769 El navegante francés conde de Bougainville termina su circunnavegación científica. Investigó especialmente la naturaleza de numerosas islas del océano Pacífico.

1770 Comienza a difundirse el movimiento literario alemán *Sturm und Drang*, cuyos principales exponentes fueron Herder, Schiller y Goethe.

1771 El científico británico Joseph Priestley descubre el papel del dióxido de carbono en la respiración vegetal, demostrando así el equilibro químico entre las plantas y los animales.

1772 Samuel Adams, uno de los precursores de la independencia de Estados Unidos, organiza en Nueva Inglaterra una red de centros de propaganda antibritánica.

1773 En el transcurso de su segunda circunnavegación, James Cook atraviesa el círculo polar antártico.

1773 Tiene lugar en Boston la «fiesta del té», que consistió en un motín contra el impuesto del té que la metrópolis cobraba a los colonos. Los colonos subieron a los barcos y arrojaron el cargamento de té al mar. Este suceso detonó la guerra independentista.

1774 Las colonias norteamericanas, representadas en el Congreso Continental de Filadelfia, se sublevan contra el dominio británico. Eligen a George Washington comandante del nuevo Ejército rebelde.

1775 En el mes de abril, las milicias americanas derrotan a los británicos en las batallas de Lexington y Concord.

1775 El escritor francés Pierre-Agustin de Beaumarchais publica *El barbero de Sevilla*, obra que será llevada al género operístico por el compositor italiano G. Rossini en 1816.

1776 El 4 de julio, las colonias británicas de Norteamérica proclaman su independencia y se convierten en un nuevo país soberano, Estados Unidos de América.

1776 El economista y filósofo británico Adam Smith publica el tratado *La riqueza de las naciones*, en el que analiza los factores de la formación de capital y defiende que la intervención del Estado ha de ser mínima, y máxima la iniciativa individual.

1776 Con el propósito de consolidar las fronteras con el Brasil meridional, el rey español Carlos III establece el virreinato del Río de la Plata.

1776 al **1788** El historiador inglés Edward Gibbon publica *Historia de la decadencia y ruina del Imperio romano*, uno de los libros más influyentes de la época.

1776 El alemán J. F. Blumenbach, fundador de la antropología física, estudia la especie humana basándose en los rasgos distintivos de los grupos étnicos. Aunque no fue su objetivo, sus teorías sirvieron de pretexto a los defensores del racismo.

1777 Se desagregan del virreinato de Nueva Granada las provincias de Cumaná, Maracaibo y Guayana y las islas de Margarita y Trinidad.

1777 Se funda la Real Biblioteca Pública de Santa Fe de Bogotá, institución que se convertiría en la Biblioteca Nacional de Colombia tras la independencia.

1777 El físico francés Charles de Coulomb formula la ley que lleva su nombre, que rige la interacción entre cargas eléctricas.

1779 El holandés Jan Ingenhousz demuestra que es necesaria la luz para que las plantas liberen oxígeno. Éste es un primer paso en el conocimiento del proceso de la fotosíntesis.

1780 El mestizo José Condorcanqui (con el nombre de Tupac Amaru II) inicia en el Perú una rebelión ampliamente respaldada por indígenas, mestizos y criollos.

1780 Comienza a fabricarse en Gran Bretaña, la máquina de vapor de J. Watt con fines industriales, acontecimiento que da inicio a la Revolución Industrial.

1781 El filósofo alemán Immanuel Kant publica *Crítica de la razón pura*, donde cuestiona la razón como facultad para conocer y desarrolla su teoría epistemológica.

1781 Las fuerzas americanas, apoyadas por los franceses y comandadas por Washington, ganan el decisivo combate de Yorktown. Lord Cornwallis, comandante británico, reconoce la derrota.

1781 Estalla en el Nuevo Reino de Granada la insurrección conocida como la Revolución comunera. Sus causas directas son las medidas impositivas para cubrir los gastos de la política exterior de la metrópolis y la reducción del poder político de los criollos. En 1782, sus dirigentes fueron apresados y condenados a muerte.

1782 El escritor y militar francés Pierre Choderlos de Laclos publica su novela epistolar *Las amistades peligrosas*, considerada una de las obras maestras de la literatura francesa.

1783 Beaumarchais publica *Las bodas de Fígaro*, obra llevada a la ópera por el compositor austriaco Wolfgang Amadeus Mozart.

1783 Con el tratado de París, los ingleses reconocen la independencia de Estados Unidos, a la vez que Francia obtiene pequeñas ganancias territoriales en el Caribe y África.

1783 Como consecuencia del triunfo independentista en Estados Unidos, numerosos ingleses realistas emigran a Canadá, con lo que el país queda dividido en un Alto Canadá (de mayoría británica) y un Bajo Canadá (de mayoría francesa).

Samuel Adams

George Washington

Beaumarchais

Biblioteca Nacional

Fotosíntesis

Immanuel Kant

Revolución comunera

)) Las primeras naciones en tiempos de expansión, intercambio cultural y revoluciones

1783 Los hermanos franceses Joseph y Étienne de Montgolfier hacen volar un globo lleno de aire caliente, embarcando a un pato, un gallo y un cordero, que luego recuperaron ilesos.

1784 El inventor escocés Andrew Meikle construye la primera trilladora mecánica para separar el grano de la paja.

1785 El rey de España Carlos III ordena la creación del Archivo de Indias de Sevilla, que recoge la documentación de las Reales Audiencias de la América española.

1785 El escritor y pensador francés Donatien Alphonse, marqués de Sade, publica *Los 120 días de Sodoma*. Aunque Sade defendió a ultranza el hedonismo y el materialismo, en su obra subyace una intensa preocupación moral.

1785 Goethe publica *Las desventuras del joven Werther*.

1786 El médico francés Michel-Gabriel Paccard es el primero en escalar el Mont Blanc, dando origen al alpinismo.

1787 La asamblea constituyente reunida en Filadelfia aprueba la Constitución de la Unión Americana, que define los derechos de los ciudadanos y pone límites al poder del gobierno. Entra en vigor en el año siguiente, cuando es ratificada por todos los estados federados.

1787 El inventor estadounidense John Fitch construye el primer barco de vapor utilizable, que mejoró en sucesivos diseños. Fitch creó la primera línea regular de barcos a vapor.

1789 La quiebra del Estado francés y la crítica situación de sus habitantes llevan a la convocatoria de los Estados Generales, que derivó en un movimiento popular dirigido por el Tercer Estado (comerciantes, artesanos, campesinos, miembros del bajo clero y del ala liberal de la nobleza) y tuvo su punto culminante el 4 de julio con la toma de la Bastilla, fecha que marca el inicio de la Revolución Francesa.

1789 al **1791** Se reúne en París la Asamblea Nacional Constituyente, integrada por representantes de la aristocracia, la nobleza, el clero, los monárquicos, los demócratas y la burguesía. Promovió las reformas que dieron paso a un nuevo Estado político y social, defendió el sufragio universal y publicó la declaración de los derechos del hombre.

1789 George Washington es elegido primer presidente de Estados Unidos.

1789 El químico francés Lavoisier publica el *Tratado elemental de química*, en el que explica que la cantidad de materia es la misma al final y al comienzo de una reacción química.

1791 Mozart estrena su ópera más famosa, *La flauta mágica*. El mismo año comienza la composición del *Réquiem en re menor*, que no alcanzó a terminar; lo haría su discípulo F. Süssmayr.

1791 Tras su intento de huída de París con su familia, el rey de Francia Luis XVI es puesto bajo custodia de la guardia nacional y obligado a jurar la nueva Constitución.

1792 Muere el escritor inglés Horace Walpole quien, con *El castillo de Otranto* (1764), dio origen al movimiento de la novela gótica, al que pertenecerían posteriormente Mary Shelley (*Frankenstein*, 1828) y Matthew G. Lewis (*El espectro del castillo*, 1796).

1792 Dinamarca es el primer país occidental en abolir el comercio de esclavos, le seguirán el Reino Unido (1807) y Estados Unidos (1810).

1792 La escritora inglesa Mary Wollstonecraft publica *Vindicación de los derechos de la mujer*, donde aboga por la igualdad educativa y de oportunidades para ambos sexos.

1793 El pintor neoclásico francés Jacques-Louis David realiza *La muerte de Marat*, obra en la que se evidencia el estilo realista adoptado tras la Revolución Francesa.

1793 Comienza en Francia el Régimen del Terror, cuyo principal impulsor fue el dirigente revolucionario Maximilien de Robespierre, quien envió a la guillotina a centenares de aristócratas. En octubre, la reina María Antonieta sufrió la misma pena, el rey Luis XVI había sido ejecutado en enero.

1793 En calidad de galería pública se inaugura en París el Museo del Louvre. Se convertirá en una de las principales instituciones culturales del mundo.

1794 Robespierre muere guillotinado, junto con sus más próximos colaboradores.

1795 Se establece en Francia el Directorio, órgano de gobierno más moderado, bajo el cual se llevaron a cabo las campañas militares de Alemania, Italia, Austria, Egipto y Siria, entre otras, dirigidas por Napoleón Bonaparte.

1794 El poeta romántico inglés William Blake imprime *Cantos de experiencia*, grabada y coloreada a mano por él mismo. Su obra se basa en la experiencia mística y la redención apocalíptica del hombre. Otras obras: *Cantos de Inocencia* (1789) y *Jerusalén* (1804-1820).

1795 El cocinero francés Nicolas-François Appert inventa el envasado para la conservación de los alimentos.

1795 Francia introduce el sistema métrico decimal. La mayoría de los países lo incorporará posteriormente como sistema común de pesos y medidas.

Globo de aire

Michel-Gabriel Paccard

Barco de vapor

Lavoisier

Luis XVI

La muerte de Marat

Museo del Louvre

1796 El médico británico Edward Jenner desarrolla la vacuna contra la viruela, una de las principales causas de mortalidad en la época.

1796 Tras la muerte de su madre, Catalina II la Grande, Pablo I se convierte en zar de Rusia. Se mostró contrario al poder de la nobleza y la influencia de los intelectuales.

1798 El científico británico Henry Cavendish calcula la masa de la Tierra, el resultado de su cálculo se acerca mucho a la cifra que se maneja en la actualidad. Con anterioridad había determinado las propiedades del hidrógeno y la composición del agua.

1798 El zoólogo francés Georges Cuvier publica los estudios en que analiza la anatomía de varios animales diferentes, inaugura así la anatomía comparada.

1799 Aprovechando la crisis del Directorio, Napoleón da un golpe de Estado y se adueña del poder político en Francia.

1799 El modelo de la escuela moderna es creado por el pedagogo suizo J. Pestalozzi al aplicar en su propia escuela un método en el que el niño es guiado para aprender a través de la práctica, la observación y el uso natural de los sentidos.

1800 El poeta romántico alemán Novalis publica *Himnos a la noche*. Toda la obra de Novalis gira en torno a su amor por Sophie von Kühn, su prometida que murió a la edad de quince años.

1800 Es fundada la Biblioteca del Congreso de Estados Unidos, con sede en la ciudad de Washington.

1800 Alessandro Volta, profesor de la Universidad de Pavía, Italia, construye la primera pila eléctrica, precursora de la batería eléctrica.

1800 Los poetas ingleses Samuel Taylor Coleridge y William Wordsworth publican la segunda edición de *Baladas líricas*, que incluye un prólogo considerado el manifiesto del Romanticismo inglés.

Vacuna contra la viruela

Henry Cavendish

J. Pestalozzi

Novalis

Biblioteca del Congreso

Alessandro Volta

LOS TOLTECAS

Hacia el siglo VIII, tras la decadencia de Teotihuacán (primera gran ciudad estado de Mesoamérica) el pueblo nómada y guerrero de los toltecas («maestros constructores») estableció un Estado militar en Tula, a 64 kilómetros al norte de la actual Ciudad de México. La ciudad estaba formada por una serie de plazas destinadas al culto y rodeadas de túmulos distribuidos en plataformas; los muros de los edificios públicos estaban decorados con frisos de jaguares. Entre los templos piramidales destacaba el dedicado a Quetzalcóatl, la serpiente emplumada, deidad que adaptaron de Kukulcán, dios de los vientos y la guerra de los mayas, y que posteriormente los aztecas tendrían como propia. Este templo estaba rematado por columnas de 4,6 metros de altura en forma de estilizadas figuras humanas. Los toltecas crearon una refinada cultura soportada en sus conocimientos sobre la fundición del metal, el trabajo de la piedra, la destilación y la astronomía. Durante su esplendor, hicieron sentir su influencia sobre los mayas decadentes de Yucatán, a quienes impulsaron a un radiante florecimiento con la gran ciudad Chichén Itzá. La decadencia tolteca se inició en el siglo XII cuando pueblos guerreros invadieron el valle central mexicano y saquearon Tula. La caída del poder tolteca abrió el camino para la ascensión de los aztecas.

LOS AZTECAS

Al declinar los toltecas, que fueron la cultura dominante en el altiplano central de México entre los siglos VIII y XII, diversas comunidades se desplazaron paulatinamente a este territorio, entre ellas, la de los belicosos aztecas, que provenían del Norte. Se instalaron en la zona pantanosa del lago Texcoco e inicialmente sirvieron como mercenarios hasta que su poder militar fue suficiente para organizarse territorialmente y fundar un Estado. Intensamente apegados a su religión, los aztecas creían en una leyenda según la cual fundarían un gran imperio en una zona pantanosa en la que vieran un nopal sobre una roca. Sobre él habría un águila devorando una serpiente. Los sacerdotes afirmaron haber visto esta escena al llegar a esa zona, dando inicio a la construcción de Tenochtitlán (en la actual Ciudad de México), que fue fundada en 1325.

El Imperio Gracias a su habilidad guerrera y a su astucia política forjaron alianzas con pueblos vecinos para conquistar territorios hasta que lograron convertirse en los únicos que dominaban el altiplano. A principios del siglo XV, Tenochtitlán gobernaba conjuntamente con las ciudades estado de Texcoco y Tlacopán bajo la llamada Triple Alianza. Bajo el reinado de Itzcóatl (1428-1440) se inició el proceso de expansión imperial propiamente azteca que, bajo su sucesor, Moctezuma I (1440-1469), se extendió a todo el territorio entre el Atlántico y el Pacífico. Con Moctezuma II, que subió al trono en 1502, el Imperio se amplió hacia el Sur hasta los antiguos territorios mayas (en la actual Guatemala); al final de su reinado se habían establecido 38 provincias tributarias, sometidas principalmente mediante la fuerza, aunque algunas de ellas luchaban tenazmente por mantener su independencia y preservar a sus pobladores de la constante amenaza que significaba la costumbre azteca de lograr cautivos para sus cotidianos rituales de sacrificios humanos, con los que buscaban apaciguar a sus dioses.

La caída de los aztecas Los conflictos, y en general el descontento de sus sometidos, facilitaron su derrota frente al conquistador español Hernán Cortés y sus huestes, ya que muchos pueblos se aliaron con éste para sacudirse su yugo. Crucial importancia en la caída del Imperio tuvo también una creencia según la cual el dios Quetzalcóatl había vivido entre los aztecas hacía más de quinientos años y había sido desterrado por el dios de la guerra, Huitzilopochtli; al partir prometió que volvería y que su venganza sería terrible. El desembarco de los españoles en 1519 coincidió con la fecha anunciada por Quetzalcóatl para su regreso, por lo que los conquistadores fueron recibidos pacíficamente y sus capitanes, tratados como miembros de la nobleza. Cortés, temeroso de que los aztecas pudieran atacar a sus tropas, tomó a Moctezuma como rehén, lo que condujo a una rebelión contra los españoles quienes, tras dar muerte a Moctezuma deben huir, tras perder a tres mil de sus combatientes (entre indígenas y españoles). En 1521, con un ejército de miles de tlaxcaltecas unidos a sus fuerzas, Cortés regresa y sitia Tenochtitlán, ahora bajo el mando de Cuauhtémoc, y en menos de tres meses la ciudad es arrasada y el Imperio azteca, aniquilado.

La sociedad azteca Los aztecas tenían un sistema de clases bien definido, conformado, básicamente, por tres clases: nobles, plebeyos y esclavos. La nobleza estaba compuesta por los nobles de nacimiento, los sacerdotes y los jefes militares; la clase plebeya estaba integrada por funcionarios del gobierno, soldados, mercaderes y artesanos. Una parte reducida de la sociedad correspondía a los esclavos, que trabajaban en los hogares plebeyos y, sobre todo, en el transporte.

Religión Numerosos dioses regían la vida de los aztecas. Entre ellos Huitzilopochtli, dios Sol y deidad de la guerra, Tláloc, deidad de la lluvia, las montañas y las fuentes; y Quetzalcóatl, creador de cuanto existe, inventor de la escritura, el calendario y las artes y asociado con la resurrección. Los sacrificios, humanos y de animales, eran parte fundamental del rito azteca; para los guerreros, el honor máximo consistía en caer en la batalla u ofrecerse como voluntarios para el sacrificio en las ceremonias importantes. En el gran templo de Tenochtitlán, los sacerdotes ofrendaban diariamente víctimas a los dioses. Si éstos habían luchado para que surgiera el mundo, era justo que los hombres aportaran la energía de su sangre para que continuara.

Tenochtitlán La capital del Imperio azteca surgió alrededor de las *chinampas*, islas artificiales flotantes donde se cultivaban árboles frutales, verduras y flores, y se criaban aves domésticas. Con el tiempo, estas islas se convertían en tierra firme. Entre ellas y las orillas del lago se construyeron puentes y calzadas y se excavaron canales para el transporte de mercancías y personas.

En el centro de la ciudad había una gran plaza en la que se encontraban las pirámides, otras construcciones destinadas al culto religioso y los palacios reales; también había un lugar dedicado al juego de la pelota, consistente en un campo rectangular ligeramente hundido, rodeado de muros y graderías. La construcción más importante era la Gran Pirámide, escalonada y de unos treinta metros de altura, cuya parte superior estaba coronada por dos templos gemelos dedicados a Huitzilopochtli y a Tláloc. En la misma plaza estaba el gran templo redondo de Quetzalcóatl. Todas estas construcciones, así como las viviendas, permanecían estucadas con vivos colores y adornadas profusamente con flores. La ciudad contaba con cerca de trescientos mil habitantes a la llegada de los españoles.

LOS CHIMÚES

Hacia el siglo XI se estableció en la costa norte del actual Perú, en el valle Moche, el pueblo chimú, que fundó un reino cuyo esplendor se dio en los siglos XIV y XV. Establecieron su centro de poder en la ciudad de Chanchán (cerca de la actual Trujillo), y poco a poco, mediante campañas guerreras y diplomáticas, extendieron sus dominios al Norte y al Sur. A medida que el reino crecía, la ciudad también lo hacía, hasta llegar a convertirse en la ciudad de adobe más grande del mundo: diez grandes conjuntos rodeados de muros de nueve metros de altura guardaban en su interior viviendas, templos, cementerios y jardines, abarcando un área de dieciocho kilómetros cuadrados y albergando cerca de cien mil habitantes.

El arte chimú tuvo su mejor expresión en la decoración textil y la orfebrería. Los maestros orfebres fueron especialmente creativos en la elaboración de ornamentos para las momias reales mediante la técnica del martillado. La cerámica, que tuvo un gran desarrollo técnico, se volcó a atender una demanda masiva; son innumerables, por ejemplo, los restos de vasos con asa con forma de estribo, obtenida mediante moldes, al igual que la decoración.

La economía se basó en la agricultura de regadío, para la que aprovecharon el complejo sistema de canales y reservorios dejado por sus predecesores los mochica, que aprovechaban las fuentes de agua de la cordillera. Con este sistema lograron que una región relativamente improductiva se convirtiera en un gran centro de producción hortícola.

Según los cronistas españoles, la Dinastía Chimú estuvo compuesta por nueve monarcas. El último de ellos, Minchancaman, fue derrotado por los incas, quienes conquistaron a los chimúes en 1470. Los chimúes, herederos culturales del pueblo mochica, transmitieron a los incas la tradición artística y los conocimientos técnicos que les sirvieron para impulsar el desarrollo de su gran Imperio.

LOS INCAS

Procedentes de la parte del altiplano andino que rodea el lago Titicaca, el pueblo inca se instaló en el valle del Cuzco en el siglo XII. Según la tradición, el legendario Manco Cápac, hijo del Sol, expulsó a los pobladores originales y fundó la ciudad de Cuzco. Por cien años se desarrollaron como un señorío menor, que competía por recursos y territorios con grupos étnicos vecinos.

El Imperio A partir del siglo XIII, iniciaron su expansión fuera del valle, con lo que muchos de aquellos grupos fueron sometidos pacíficamente o vencidos militarmente, como los chimúes (de la costa norte peruana), quienes ejercerían un importante influjo sobre sus conquistadores. La consolidación y la organización del nuevo imperio fueron llevadas a cabo por el inca Pachacútec, que gobernó entre 1438 y 1471; reconstruyó Cuzco como la capital y reorganizó las tierras centrales. Con Huayna Cápac (1493-1527), alcanzó su máxima extensión: más de dos millones de kilómetros cuadrados a lo largo y ancho de la cordillera de los Andes y sus estribaciones; su población se calcula en unos doce millones de personas. Fue un imperio teocrático basado en la agricultura, en el sistema de *ayllus* (conjunto de personas que descienden de un antepasado común) y dominado por el Inca, que era adorado como un dios viviente.

Administración La administración del territorio estaba dividida en cuatro grandes regiones o *suyus*: Antisuyu, Collasuyu, Cuntisuyu y Chinchasuyu, que conformaban el Tahuantinsuyu («Tierra de las Cuatro Partes»). Los incas construyeron o adecuaron miles de kilómetros de caminos que permitieron la centralización de la administración y la movilización efectiva de mercancías e insumos (mediante el uso de las llamas) y de las fuerzas militares. Censaban frecuentemente a sus súbditos y se aseguraron de que cada uno de ellos cumpliera una función para el Estado. La economía, predominantemente agrícola y manufacturera, se basaba en los intercambios; el Inca pedía mano de obra como tributo, a la que enviaba a trabajar a sus tierras, a hacer cerámica y a construir andenes u otras obras de infraestructura.

Decadencia y caída del Imperio La rivalidad entre los dos hijos de Huayna Cápac, Huáscar y Atahualpa, tras su muerte (1525) y la del heredero designado, condujo al estallido de una guerra civil que debilitó enormemente el Imperio. Huáscar asumió como Inca, pero pronto él y sus partidarios cuzqueños fueron desafiados desde el Norte por Atahualpa quien, comandando un experimentado ejército, logró la captura y la muerte de Huáscar y el saqueo de Cuzco. Este momento coincidió con el desembarco del conquistador español Francisco Pizarro y sus hombres en la costa quienes, apoyados por indígenas inconformes por la dominación inca, apresaron a Atahualpa. Éste,

temeroso de que Pizarro pudiera ordenar su destitución en favor de Huáscar, dio la orden de ejecutar a su hermano, hecho que sería esgrimido en su contra en el proceso que le adelantaron los españoles un año después. Pizarro impuso un cuantioso rescate por el Inca y, en julio de 1533, cuando todavía se estaba acumulando un enorme depósito de oro (24 toneladas) proveniente de todos los rincones del Imperio, Atahualpa fue ejecutado. Entonces, los españoles iniciaron su marcha a Cuzco, a la que tomaron a fines del mismo año, cayendo así el Imperio inca. Los españoles tuvieron que sofocar aún varias revueltas, como la dirigida por Manco Cápac II en 1536, cuando sitió Lima y Cuzco por algunas semanas, o la que ordenó Tupac Amaru en 1572, quien fue decapitado por orden del virrey Francisco de Toledo.

Religión Los incas adoraban al dios Viracocha, creador y poseedor de todo lo existente. Creó a los hombres, los destruyó y volvió a crearlos a partir de la piedra. Inti, el dios Sol, era la divinidad protectora de la casa real y la agricultura; su gran fiesta, el Inti Raymi, se celebraba en el solsticio de invierno. Mamaquilla, la Madre Luna, era la mujer de Inti y la encargada de regular los ciclos menstruales de la mujer. El dios dador de la lluvia era Illapa. La Madre Tierra era Pachamama y Pachacamac, el dios del fuego y del cielo, el espíritu que alienta el crecimiento de todos los seres.

Machu Picchu La ciudad santuario de los incas, Machu Picchu («Montaña Mayor»), está situada en una pequeña planicie de los Andes entre los picos de dos montañas (Norte y Sur), a unos 130 kilómetros al norte de Cuzco y a 2.400 metros de altitud, junto al cañón del río Urubamba, que corre por su cauce 450 metros abajo. Cubre unos 13 kilómetros cuadrados de terrazas adaptadas al terreno, construidas en torno a una plaza central y conectadas entre sí mediante numerosas escaleras. La construcción de la ciudad fue iniciada por el inca Pachacútec en 1450 y estuvo habitada durante poco más de cien años. La adecuación del terreno, el drenaje y la cimentación, absorbió tanto esfuerzo como la construcción de templos, palacios, viviendas, escalinatas, fuentes, plazas y muros de fortificación. Entre sus edificios se destaca la Casa de la Ñusta («princesa»), que pudo ser una zona de baños y de la que se conservan varias puertas trapezoidales con enormes dinteles. En lo alto del área urbana está la llamada **Intihuatana**, un pilar tallado en la roca que sirvió para estudiar los movimientos del Sol y que muestra exactamente cuándo se producen los equinoccios. Todas esas estructuras se caracterizan por una gran habilidad constructiva y una hermosa artesanía. La ciudad fue redescubierta en 1911 por el explorador estadounidense Hiram Bingham y en 2007 fue declarada como una de las nuevas siete maravillas del mundo.

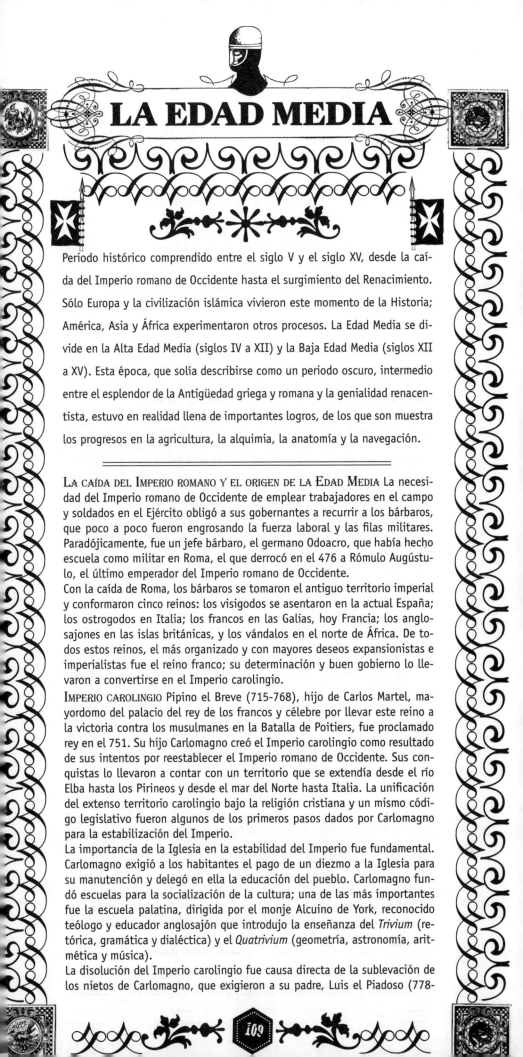

LA EDAD MEDIA

Periodo histórico comprendido entre el siglo V y el siglo XV, desde la caída del Imperio romano de Occidente hasta el surgimiento del Renacimiento. Sólo Europa y la civilización islámica vivieron este momento de la Historia; América, Asia y África experimentaron otros procesos. La Edad Media se divide en la Alta Edad Media (siglos IV a XII) y la Baja Edad Media (siglos XII a XV). Esta época, que solía describirse como un periodo oscuro, intermedio entre el esplendor de la Antigüedad griega y romana y la genialidad renacentista, estuvo en realidad llena de importantes logros, de los que son muestra los progresos en la agricultura, la alquimia, la anatomía y la navegación.

LA CAÍDA DEL IMPERIO ROMANO Y EL ORIGEN DE LA EDAD MEDIA La necesidad del Imperio romano de Occidente de emplear trabajadores en el campo y soldados en el Ejército obligó a sus gobernantes a recurrir a los bárbaros, que poco a poco fueron engrosando la fuerza laboral y las filas militares. Paradójicamente, fue un jefe bárbaro, el germano Odoacro, que había hecho escuela como militar en Roma, el que derrocó en el 476 a Rómulo Augústulo, el último emperador del Imperio romano de Occidente.

Con la caída de Roma, los bárbaros se tomaron el antiguo territorio imperial y conformaron cinco reinos: los visigodos se asentaron en la actual España; los ostrogodos en Italia; los francos en las Galias, hoy Francia; los anglosajones en las islas británicas, y los vándalos en el norte de África. De todos estos reinos, el más organizado y con mayores deseos expansionistas e imperialistas fue el reino franco; su determinación y buen gobierno lo llevaron a convertirse en el Imperio carolingio.

IMPERIO CAROLINGIO Pipino el Breve (715-768), hijo de Carlos Martel, mayordomo del palacio del rey de los francos y célebre por llevar este reino a la victoria contra los musulmanes en la Batalla de Poitiers, fue proclamado rey en el 751. Su hijo Carlomagno creó el Imperio carolingio como resultado de sus intentos por reestablecer el Imperio romano de Occidente. Sus conquistas lo llevaron a contar con un territorio que se extendía desde el río Elba hasta los Pirineos y desde el mar del Norte hasta Italia. La unificación del extenso territorio carolingio bajo la religión cristiana y un mismo código legislativo fueron algunos de los primeros pasos dados por Carlomagno para la estabilización del Imperio.

La importancia de la Iglesia en la estabilidad del Imperio fue fundamental. Carlomagno exigió a los habitantes el pago de un diezmo a la Iglesia para su manutención y delegó en ella la educación del pueblo. Carlomagno fundó escuelas para la socialización de la cultura; una de las más importantes fue la escuela palatina, dirigida por el monje Alcuino de York, reconocido teólogo y educador anglosajón que introdujo la enseñanza del *Trivium* (retórica, gramática y dialéctica) y el *Quatrivium* (geometría, astronomía, aritmética y música).

La disolución del Imperio carolingio fue causa directa de la sublevación de los nietos de Carlomagno, que exigieron a su padre, Luis el Piadoso (778-

840), la repartición del poder y del territorio heredado de su abuelo. El Imperio fue dividido entonces en tres partes: Francia le correspondió a Carlos el Calvo, Alemania, a Luis el Germánico y Lotaringia (Italia y una franja de tierra entre Provenza y Frisia), a Lotario. La principal consecuencia del derrumbe del Imperio carolingio fue la radicalización del poder de los señores locales, que desembocó en el surgimiento del feudalismo.

FEUDALISMO El feudalismo fue un sistema político, económico y social que se originó en Francia, luego de la caída del Imperio carolingio, y se extendió por Europa entre los siglos IX y XV. Luego de la división del Imperio, varios pueblos intentaron invadir y conquistar el territorio, generando miedo e inseguridad en los habitantes; esto, sumado al vacío de un poder central, hizo que los campesinos entregaran el control de sus tierras a un señor a cambio de protección.

El señor feudal era un hombre libre, rico y poderoso, poseedor de grandes extensiones de tierra o feudos, a cuyo servicio estaban los vasallos, también libres. Los vasallos eran señores de otros más pobres y con menos poder. Los siervos, también al servicio del señor, explotaban porciones de tierra con el compromiso de pagar con una parte de sus cosechas y con trabajo en las tierras de su amo. En principio, los feudos producían lo necesario para el sostenimiento de sus habitantes; cuando había excedentes, se usaban para intercambiarlos por otros productos que se cultivaban en los feudos vecinos.

El cultivo de la tierra y la ganadería fueron las formas básicas de subsistencia en la Edad Media, y la tierra, la principal fuente de riqueza y de poder. Los principales productos cultivados durante esta época fueron trigo, centeno, avena, hortalizas, legumbres y frutas, y los principales productos de la ganadería fueron la carne, la leche y la lana.

La sociedad feudal estaba dividida en nobles (dedicados al oficio de la guerra), clérigos (dedicados a la oración y la vida religiosa y moral), y siervos (que trabajaban la tierra del señor a cambio de protección). Por encima de estos estamentos estaba el Rey.

LA IGLESIA El clero ostentaba gran poder político, económico y social. Las donaciones que hacían monarcas, nobles y fieles para subsanar sus culpas, hicieron de la Iglesia la mayor propietaria de tierras y bienes. Los conventos medievales fueron focos de cultura. Allí, muchos monjes se dedicaban a la transcripción de obras clásicas de la Antigüedad griega y romana. Unos se dedicaban a la enseñanza y otros a la caridad. Durante esta época, la Iglesia dividió al clero de la siguiente forma: clero regular, que vivía en monasterios y comunidades; y clero secular, que estaba en contacto con la población y vivía inmerso en ella.

SACRO IMPERIO ROMANO GERMÁNICO El Sacro Imperio romano germánico surgió tras la caída del Imperio carolingio y se mantuvo íntegro hasta 1122, cuando fue promulgado el concordato de Worms (aunque nominalmente se prolongó hasta 1806). Tuvo su inicio formal cuando el monarca germánico Otón I el Grande fue coronado por el papa Juan XII en 936. La estabilidad del Imperio se basó en la alianza entre el Emperador y el Papa. El Emperador se constituía en defensor de la Iglesia e intervenía en la elección del Papa y de los altos eclesiásticos. La primera mitad del siglo XI fue la época de su máximo esplendor. El conflicto entre ambos poderes se inició en 1059, cuando el papa Nicolás II reservó al colegio cardenalicio la elección del Pontífice. Con el papa Gregorio VII, el enfrentamiento llegó a su fase crítica. En 1073 estalló la querella de las investiduras, que finalizó tras largas negociaciones en 1122 con el concordato de Worms, que limitó el poder del Imperio sobre la Iglesia, iniciándose la decadencia de aquél. Federico I Barbarroja y sus sucesores trataron de imponerse de nuevo al papado, pero cada vez tenían que enfrentarse con más enemigos (las ciudades libres y los nacientes Estados nacionales), y su autoridad quedó restringida a los territorios germánicos.

LAS CRUZADAS Con el propósito original de reconquistar Tierra Santa (Palestina), que estaba en manos de los musulmanes, la sociedad europea en su conjunto, dirigida por la nobleza y la Iglesia, emprendió y financió entre 1095 y 1270 una serie de expediciones, que en general no tuvieron éxito, aun cuando sí lograron la cohesión de los pueblos europeos en torno una común conciencia cultural. De las ocho cruzadas que se llevaron a cabo, la única que cumplió su cometido fue la primera (1096-99): fue convocada por el papa Urbano II y en ella se adoptó el emblema de la cruz en el pecho. Su resultado fue la creación del reino de Jerusalén, que subsistió precariamente hasta 1187. La segunda (1147-49) fue predicada por el monje francés Bernardo de Claraval y capitaneada por el emperador de los germanos, Conrado III, y el rey de Francia, Luis VII, quienes sitiaron Damasco inútilmente y tuvieron que regresar a Europa. La Tercera Cruzada se propuso arrebatar Jerusalén a Saladino, sultán de Egipto; fue dirigida por el emperador Federico Barbarroja, el rey de Francia Felipe II Augusto y Ricardo Corazón de León, rey de Inglaterra. Federico murió ahogado en Cilicia (sureste de Anatolia) y Ricardo firmó un armisticio con Saladino, que permitió a los cruzados reconstituir su reino a lo largo de la costa sirio-palestina, aunque Jerusalén quedó en manos musulmanas. La Cuarta Cruzada (1202-04) fue desviada por los intereses venecianos contra el Imperio bizantino, concluyendo con el saqueo de Constantinopla. La Quinta Cruzada (1217-21) fue dirigida por Juan de Brienne, rey nominal de Jerusalén, y el rey de Hungría Andrés II, sin ningún resultado positivo. En la Sexta Cruzada (1228-29), el emperador germano Federico II logró una restitución de Jerusalén por vía diplomática, sin ninguna consecuencia duradera. El protagonista de la Séptima Cruzada (1248-54) y la Octava Cruzada fue el rey francés Luis IX: en aquélla cayó prisionero en Egipto, en ésta murió a causa de la peste en el sitio de Túnez (1270).

ORIGEN DE LAS NACIONES EUROPEAS La rigidez de la vida en los feudos hizo que muchos campesinos empezaran a buscar liberarse de la tutela de los señores refugiándose en las ciudades. La entrada masiva de gentes a las ciudades las convirtió nuevamente en centro de la vida social, política y económica: se organizaron milicias para su defensa, los oficios (zapateros, albañiles, carpinteros, etc.) retomaron importancia y reapareció, con renovado impulso, el comercio.

Aun así, el campo no desapareció de la escena. Los señores feudales decidieron dar libertad a sus siervos y parcelar los feudos para arrendárselos. El arrendamiento de la tierra ya no se pagó con trabajo sino con dinero, con lo cual la tenencia de tierra siguió siendo fuente de riqueza. El poder, sin embargo, se centralizó nuevamente en cabeza del Rey. La burguesía, clase emergente de comerciantes, apoyó el renacimiento del poder monárquico a cambio de la libertad para el comercio y de la supresión de los impuestos locales propuestos por los señores. El renacer de las ciudades y del poder monárquico generó sentimientos nacionales y arraigo a la lengua, a la religión y a la lealtad al Rey de una nación, ya no al señor de un feudo.

CRISIS Y DECADENCIA DEL ORDEN MEDIEVAL Desde finales del siglo XIII y hasta el siglo XV, el área de influencia medieval (Europa, Asia Menor y Oriente Medio) vivió una intensa crisis que condujo finalmente al ocaso del orden impuesto durante la Edad Media. Los cambios climáticos perjudicaron las cosechas, generando terribles hambrunas que ocasionaron la muerte de una buena parte de la población. Enfermedades como la peste negra, procedente de Asia y que se expandió por Europa entre 1348 y 1400, la tos ferina y la varicela, sumadas a la falta de higiene, el hacinamiento y la precariedad de la medicina, fueron causa de muertes masivas, con lo que se redujo notablemente la población. Éstas y otras situaciones, como los levantamientos contra los abusos de los señores, los altos impuestos y el acoso del bandidaje, minaron el orden medieval. Entretanto, se iba gestando en Italia un movimiento que habría de alcanzar gran trascendencia: el Renacimiento.

EL CONFLICTO ANGLO-IRLANDÉS I

El inicio del conflicto anglo-irlandés está marcado por la invasión a la isla en 1171 por parte de un ejército comandado por el rey inglés Enrique II, que buscaba el sometimiento del conde de Pembroke. La isla, que se encontraba dividida en principados rivales, fue, a partir de entonces, conquistada poco a poco por señores feudales ingleses. Tras la peste de 1348, Irlanda dejó de ser atractiva para éstos, cuyo absentismo redujo la zona bajo su dominio, limitándola en el siglo XV a una franja de territorio entre Dublín y Dundalk. A finales de este siglo, el rey Enrique VII, apoyado por un ejército invasor, impuso el dominio judicial al establecer la subordinación de la legislación irlandesa a la inglesa. Su hijo Enrique VIII recibió el título de rey de Irlanda por parte del Parlamento irlandés, en 1541.

Tras el rechazo de Enrique VIII a la autoridad papal y con la fundación de la Iglesia anglicana, se añadió al problema político el problema religioso, que en adelante daría identidad nacional a los irlandeses, quienes se mantuvieron fieles a Roma, sobre todo tras la dura represión de la revuelta del Ulster (provincia del norte de la isla) entre 1593 y 1603. A partir de entonces, la dinámica del conflicto, siempre con ventaja para los ingleses, fue un proceso sabido: rebelión, represión, apropiación y adjudicación de tierras a colonos ingleses y escoceses. El estallido de la guerra civil de 1611, que enfrentó a los protestantes y los católicos de Ulster, originó una separación tajante entre las dos comunidades. Luego del corto reinado (1685-88) del monarca católico Jacobo II, que intentó restaurar el catolicismo, el Parlamento protestante irlandés aprobó un código penal que prohibía a los católicos asistir a misa y comprar o heredar tierra, con lo que la economía de los irlandeses nativos colapsó. De este modo comenzó un periodo de dominio protestante en Irlanda, que se extendió casi por un siglo, hasta cuando el primer ministro británico William Pitt impulsó en 1795 la promulgación de una ley que dio a los católicos el derecho a votar y ser elegidos, sobre las mismas bases que los protestantes.

LA CIVILIZACIÓN ISLÁMICA

Mahoma El principal profeta del islamismo nació en La Meca en el año 570 y fue descendiente de la tribu de los koraischitas, familia dedicada al comercio y al antiguo culto de la Kaaba (en cuyo templete se adoraban las deidades de las diferentes tribus y clanes árabes). Inicialmente se desempeñó como intermediario comercial y, aun cuando tuvo éxito, sus inquietudes religiosas lo condujeron a profundas meditaciones en solitario. En el 610 tuvo su primera experiencia profética, cuando el arcángel Gabriel le reveló la palabra de Alá, por lo cual empezó a predicar al Dios único mientras se proclamó a sí mismo su profeta. Las primeras revelaciones advertían que los hombres serían castigados con severidad por su mala conducta en el mundo terrenal; posteriormente se centraron en la solución de los conflictos prácticos que debían afrontar él y sus seguidores. Ante la oposición de los habitantes de La Meca, en 622 se trasladó con sus seguidores a Yatrib (hoy Medina), suceso conocido como la Hégira, que marcó el inicio del calendario musulmán. En Yatrib consiguió adeptos, consolidó su fe y fue nombrado jefe religioso y político. Pronto estuvo al mando de una importante fuerza que le permitió iniciar una campaña de hostigamiento contra las caravanas de La Meca y rechazar, en los años 625 y 627, los intentos de los mequíes por tomarse Medina. Sus éxitos militares indujeron una creciente aceptación de su autoridad y muchas tribus comenzaron a establecer alianzas con él y a acoger el islamismo. En el año 630, con un ejército de diez mil musulmanes, Mahoma entra triunfal a La Meca, destruye los ídolos de la Kaaba, declara la ciudad como ciudad santa del Islam y establece el rito que obliga a los fieles a peregrinar a ella, al menos, una vez en la vida. Tras la conquista de La Meca, el prestigio y la autoridad de Mahoma siguieron expandiéndose por toda la península Arábiga, y las fuerzas musulmanas llegaron al sur de Siria. En 632, Mahoma viajó por última vez desde La Meca a Medina para realizar las ceremonias del peregrinaje (**hach**). Este episodio se denomina **Peregrinaje de Despedida**, ya que poco después, tras regresar a Medina, falleció.

La doctrina islámica El *Corán* es el libro sagrado del islamismo, en él se recogen las revelaciones transmitidas a Mahoma por el arcángel Gabriel y se establece la obligación de someterse a la voluntad de Alá (Dios único), afirmando que todas las cosas ocurren porque Él las ha previsto así, y el musulmán debe aceptarlas en todo momento. Monoteísmo, resurrección, juicio final y paraíso o infierno, son los dogmas fundamentales del islamismo, que carece de culto y de ministros, admite la poligamia y prohíbe la carne de cerdo y las bebidas alcohólicas. Las normas para llegar a ser un musulmán perfecto son la práctica de la oración, individual o en común, cinco veces al día, postrado en dirección a La Meca; el ejercicio de la limosna y la hospitalidad; la práctica del ayuno anual durante el mes de Ramadán (noveno del año lunar árabe); la peregrinación, al menos una vez en la vida, a La Meca para adorar la Kaaba y la participación en la guerra santa contra los infieles para defender el islamismo.

La expansión islámica A la muerte de Mahoma, Abu Bakr, su fiel compañero desde las primeras predicaciones, fue elegido como primer califa o sucesor. A partir de este momento se inició un complejo proceso de expansión que incluyó territorios de los Imperios persa y bizantino. Para el año 800, finalizado el primer periodo de expansión, la cultura islámica se extendía por el centro y el suroeste asiático, el norte de África y el sur de España, territorios que ocuparía durante toda la Edad Media. Durante este periodo, los musulmanes mantuvieron una organización teocrática del Estado y demostraron una gran capacidad de asimilación de las poblaciones conquistadas.

En términos generales, el proceso de consolidación de civilización musulmana se divide en cuatro periodos: 1) Época correspondiente al gobierno de los primeros cuatro califas (632-661), caracterizada por la expansión del Islam por Asia, África y España. 2) Dinastía de los omeyas (661-750), de linaje árabe. Durante este periodo de gran expansión y organización del Imperio, la capital fue situada en Damasco. 3) Califato de los Abbasíes (750-1517). Los Abbasíes destronaron a los omeyas, erigiéndose como jefes políticos, religiosos, militares y jurídicos; impusieron el árabe como lengua oficial y trasladaron la capital a Bagdad. Posterior al siglo X se creó el califato de Córdoba en España, el califato de El Cairo en Egipto y varios reinos al norte de África e Irán. 4) Época de estancamiento y el desorden (XI-XV). La pérdida del poder sobre gran parte del Mediterráneo, la crisis y desaparición del califato de Córdoba, y la transformación cultural vivida por el califato de Bagdad como consecuencia de la entrada de turcos selyúcidas, que impusieron sus costumbres a la fuerza, marcó un periodo de retroceso.

La población musulmana mundial se estima en aproximadamente mil millones de personas. El Islam ha florecido en muy diversas regiones geográficas, culturales y étnicas. Los principales grupos étnicos que componen la comunidad musulmana engloban a los árabes (la mayor parte del norte de África y Oriente Próximo), los pueblos turcos y otomanos (Turquía, regiones de la antigua Unión Soviética y Asia Central), iraníes, afganos, indo-musulmanes (Pakistán, la India y Bangladesh), comunidades del Sureste asiático (Malaysia, Indonesia y Filipinas) y un pequeño porcentaje de chinos. En Europa, el islamismo es la segunda religión más profesada después del cristianismo.

EL descubrimiento DE AMÉRICA

El restablecimiento del contacto comercial entre Europa y China, que había sido suprimido por los turcos otomanos al bloquear las vías terrestres y al haberse adueñado del mercado de especias; el convencimiento de que era posible llegar a Oriente navegando hacia el Occidente; y la ventaja de su posición geográfica en el extremo oeste de Europa, fueron los argumentos con los que el navegante genovés Cristóbal Colón finalmente convenció a los Reyes Católicos de que financiasen su campaña exploradora. En abril de 1492 firmó las Capitulaciones de Santa Fe, contrato con los Reyes Católicos por el que se acordaba que las tierras descubiertas quedarían bajo tutela política y económica de la Corona española y mediante el cual se le otorgaba a Colón el almirantazgo de la Mar Océana y el virreinato vitalicio y hereditario de dichas, así como una décima parte de los beneficios que se obtuvieran de las mismas. En agosto del mismo año salió de Palos de Moguer con tres carabelas (la Niña, la Pinta y la Santa María) y una tripulación próxima al centenar de hombres. El 12 de octubre del mismo año, desembarcaron en la isla de Guanahaní (a la que Colón llamó San Salvador), en las Antillas Menores. Aunque realizó otros tres viajes y pisó tierra continental, el «descubridor de América» murió en 1504 convencido de que había desembarcado en Asia.

El descubrimiento de nuevas tierras provocó una disputa entre España y Portugal, solucionada con el tratado de Tordesillas, por el que se demarcaba la línea divisoria entre los territorios por descubrir de cada nación; gracias a este tratado, Portugal pudo realizar la colonización del Brasil y España, afirmarse en su condición de potencia territorial. En 1499, el navegante florentino Américo Vespucio, al mando de una de las naves de una flota española de exploración, concluyó que las tierras recién descubiertas pertenecían a un continente desconocido hasta entonces para los europeos. Este hecho animó a otros países europeos a lanzarse a la conquista del Nuevo Mundo: Inglaterra estableció puestos de ataque contra las naves españolas en el norte de la Florida; Francia penetró el curso inferior del río San Lorenzo y, ya a finales del siglo XVI, los holandeses establecieron puestos comerciales en Guyana.

Para las metrópolis de Europa, la colonización de América significó la apertura de nuevas rutas comerciales y la posesión de nuevos focos de explotación de recursos naturales para la satisfacción de sus imperios. En cambio, para los pueblos nativos, la ocupación europea de su territorio produjo un enorme y desfavorable impacto: el sometimiento contra su voluntad al dominio de los extranjeros llevó a la aculturación casi total de avanzadas civilizaciones, como la inca y la azteca, y de otras muchas culturas menores; el exterminio de millones de indígenas a causa de enfermedades ante las que no tenía defensas; la muerte de otros tantos en las guerras de resistencia o bajo la inhumana explotación de su fuerza de trabajo; el mestizaje involuntario; la pérdida de sus territorios en manos de conquistadores que se servían de poderosas y desconocidas armas; la adopción de nuevas religiones, lenguas, costumbres y normas hasta entonces inimaginables. Sólo el paso del tiempo permitirá vislumbrar que la conquista de América significó también el nacimiento de nuevas realidades culturales, la apertura de nuevos horizontes y que, en medio del torbellino cruel que fueron la Conquista y la Colonización, hubo también, en tono menor, un generoso y enriquecedor encuentro de culturas.

¿SABÍA USTED QUE...

El monje francés **BEDA EL VENERABLE**, en su *Historia eclesiástica* de la nación inglesa del 725, es el primero en emplear **la nomenclatura histórica** d.C. y a.C.

En el 740, se generaliza en **GERMANIA** el uso del **LÚPULO** para aromatizar y dar sabor amargo a la **CERVEZA**.

En el 1057, **MACBETH**, muere a manos del primogénito de **DUNCAN I**, a quien había asesinado para usurparle el trono de Escocia. **SHAKESPEARE** se basará en la vida de Macbeth para escribir la tragedia homónima.

El nombre «Querella de las investiduras» con que se conocen los enfrentamientos entre la Iglesia y el Estado en 1106, proviene de la ceremonia en la que el príncipe entrega al prelado el anillo y el báculo, símbolos de su autoridad espiritual.

Miles de jóvenes campesinos emprenden la «Cruzada de los niños» en 1212; más de siete mil llegan a Génova para embarcarse a **TIERRA SANTA**, pero la mayoría termina siendo vendida a los tratantes de esclavos.

En 1281, el emperador chino **KUBLAI KAN** envía a Japón una flota con 150.000 hombres para someter el país. Un tifón acaba con la fuerza invasora; los japoneses llamaron a esta tormenta «**KAMIKAZE**», es decir: «viento divino».

En 1350, se calcula que han **muerto** en Europa, a causa de **LA PESTE NEGRA**, unos veinticinco millones de personas, **más o menos la tercera parte** de sus habitantes.

En 1478, muere en Transilvania el conde **VLAD TEPES**, llamado el **EMPALADOR** por la crueldad de sus métodos de justicia. Inspiró la novela **DRÁCULA** (1897) de Bram Stoker.

Antes de lograr el apoyo de los reyes de España **en 1492, COLÓN** había propuesto la expedición a la corona portuguesa, que la rechazó.

Se ha **calculado** que la población de **América**, antes de la llegada de los europeos, era de entre **CUARENTA Y SESENTA** millones de personas.

En un planisferio de 1507 del cartógrafo alemán M. WALDSEEMÜLLER aparece la palabra **AMÉRICA** señalando por primera vez el territorio del **NUEVO MUNDO**.

Por muchos años, la historiografía española **dividió en dos al** descubridor del Pacífico, VASCO NÚÑEZ DE BALBOA: el portugués **VASCO NÚÑEZ** y el español **NUÑO DE BALBOA**, que habrían realizado conjuntamente la exploración en 1513.

Kike   Don Vito   Colón

En 1519, se registra en **La Española** el primer brote de **viruela.** En poco tiempo causó la casi total extinción de los indígenas de las islas del Caribe.

En 1537, EL PAPA PABLO III declara que «los indios son hombres verdaderos», al considerar que poseen la capacidad de recibir la **gracia divina.**

En 1557, el gran explorador JACQUES CARTIER, que tomó posesión de **Canadá** en nombre del rey de Francia, muere desacreditado por haber llevado a Europa en 1542 un cargamento de CUARZO creyendo que se trataba de DIAMANTES.

El papa Pablo IV publica el primer Index EXPURGATORIUS en 1559, lista de libros que deben prohibirse porque «amenazan el alma». Incluyó la obra de Erasmo, el *Corán* y el *Diálogo* de Galileo, entre otros.

El holandés H. LIPPERSHEY fabrica el primer **telescopio** en 1608, luego de VER cómo su hijo jugaba enfrentando DOS LENTES para ver muy **cerca** lo que estaba muy **lejos.**

El 23 de abril de 1616 fallecen los escritores William Shakespeare y Miguel de Cervantes. Sin embargo NO han muerto **EL MISMO DÍA** ya que Inglaterra aún mantiene el calendario juliano, mientras que España ya ha adoptado el gregoriano.

En 1668, el monje benedictino «DOM» PÉRIGNON inventa un tapón de **c o r c h o** que cierra herméticamente una botella de cuello largo (diseñada también por él), para que el vino de la región (C h a m p a g n e), se mantenga burbujeante por mucho tiempo.

En 1700, casi el **90%** de la población indígena americana ha desaparecido a causa, principalmente, de enfermedades traídas por europeos y africanos (viruela, sarampión, fiebre amarilla, etc.).

En 1717, se constituye en Londres la primera **LOGIA MASÓNICA;** sus miembros deben promover la fraternidad, la tolerancia y el **libre** desarrollo de la personalidad.

Hacia el 1740, el misionero jesuita italiano GUISEPPE CASTIGLIONE introduce la perspectiva, **las técnicas cromáticas** y el **claroscuro** en la pintura china de la DINASTÍA QING.

En 1790 ERASMUS DARWIN, abuelo de CHARLES DARWIN, publica *Zoonomía,* obra en la que muestra que las especies animales **cambian** en el tiempo de **forma progresiva.**

SABÍA USTED QUE...

EL RENACIMIENTO

Movimiento de renovación cultural que se desarrolló en Europa durante los siglos XV y XVI. Nació en Florencia, Italia, se expandió, con relativa parsimonia, por toda Europa y marchó en consonancia con la era de las grandes exploraciones y con la Reforma protestante. Gracias a la difusión del humanismo, los intelectuales renacentistas retomaron al ser humano como objeto de estudio y retornaron a las ciencias para buscar explicación de los diferentes fenómenos, desarrollando métodos basados en la observación y la experimentación. Rompieron los moldes de la metafísica medieval y buscaron conocer y comprobar por sí mismos la esencia de las cosas, para lo que utilizaron la geografía, la astronomía y las ciencias naturales, entre otras disciplinas. En busca de las raíces griegas y romanas, volvieron al estudio del griego y el latín, que les permitieron estudiar a los autores clásicos e inspirarse en la Antigüedad, pionera en la utilización de las ciencias y en el estudio del hombre. El Renacimiento comenzó en Italia, en el siglo XV, cuando aún no terminaba la Edad Media. La caída del orden medieval, representada en la ruptura del sistema feudal, el ascenso de las ciudades como focos políticos, económicos y sociales, la aparición del individualismo y la desaparición de la servidumbre creó el ambiente perfecto para el cambio en la forma de ver el mundo que dio paso al Renacimiento.

En el terreno de las bellas artes, el interés por la Antigüedad determinó el estudio pormenorizado de textos y monumentos del pasado. La historia y la mitología clásicas constituyeron una fuente iconográfica inagotable. La *arquitectura* estuvo presidida por la búsqueda de la proporción y la simetría y por la imposición de los órdenes clásicos. Los artífices de esta transformación fueron los florentinos Brunelleschi y Alberti, seguidos por Bramante, Palladio y Miguel Ángel, entre otros. El colorido y el sentido de las formas fueron dos de las preocupaciones fundamentales de la *pintura*. El desarrollo de la perspectiva espacial permitió un acercamiento a la representación objetiva. En el siglo XV se destacaron Masaccio, Botticelli, Fra Angelico, Uccello y Mantegna; en el XVI, Leonardo da Vinci, Miguel Ángel, Rafael, Tiziano, entre otros; en el resto de Europa se destacaron Durero, introductor del Renacimiento en Alemania, y, en el ámbito flamenco, G. David y J. Van Cleve. La *escultura* se caracterizó por la búsqueda del equilibrio y la representación naturalista de la anatomía humana; entre los artistas más representativos están Donatello, Miguel Ángel y Cellini. En la *literatura*, el Renacimiento impuso como ideal estético la claridad y la naturalidad, al tiempo que se producía una revalorización de las lenguas vulgares. Hecho decisivo fue la invención de la imprenta. Aparecieron nuevas formas métricas y la novela alcanzó un gran desarrollo. Entre los autores más relevantes están los italianos T. Tasso, L. Ariosto y Maquiavelo, el portugués Camoens, el francés Rabelais y los ingleses Marlowe y Ben Johnson. En España se destacaron Garcilaso de la Vega, san Juan de la Cruz, santa Teresa de Jesús y fray Luis de León. En *música*, la renovación se extendió desde comienzos del siglo XV hasta principios del XVII; constituye la época dorada de la polifonía, cultivada por el francés Josquin des Prés, el español Tomás Luis de Victoria, el italiano Pierluigi da Palestrina y el flamenco Orlando di Lasso.

REFORMA Y CONTRARREFORMA

El movimiento religioso de la Reforma se desarrolló en Europa durante el siglo XVI y supuso el fin de la hegemonía de la Iglesia católica en el continente y la instauración de las distintas iglesias protestantes. Las tres corrientes más importantes fueron el luteranismo en Alemania (que se iría extendiendo por Holanda, Dinamarca, Noruega y Suecia), el calvinismo en Suiza (que se iría extendiendo por Francia, Inglaterra y Escocia, los Países Bajos, Polonia y Hungría), y el anglicanismo, que se convertiría en el culto oficial de Inglaterra. Todos estos movimientos se pronunciaron contra la autoridad papal, reinterpretaron las Escrituras, se separaron de la Iglesia católica, se desarrollaron de manera más menos independiente y desbordaron el interés meramente religioso para convertirse en causa política. La historiografía marca el inicio del movimiento en el año 1517, cuando el monje agustino alemán Martín Lutero (1483-1546) hizo públicas sus 95 Tesis, en las que reprochaba al Papa la adquisición de fondos para la construcción de la basílica de San Pedro mediante la venta de indulgencias, afirmaba que la palabra de Dios sólo se encontraba en las Sagradas Escrituras y que la relación entre Dios y el hombre era personal y directa, y enunciaba que la fe era el único camino a la salvación. Las autoridades papales ordenaron a Lutero que se retractara y se sometiera a la Iglesia, pero él replicó con mayor radicalidad, atacando el sistema sacramental. Su doctrina fue acogida por los nobles alemanes, que se distanciaron del emperador Carlos V y de la Iglesia católica.

El segundo hito de la Reforma lo protagoniza el rey Enrique VIII (1491-1547) cuando, en 1534, se declara jefe de la Iglesia de Inglaterra. Causa de ello fue la negativa del papa Clemente VII a anular su matrimonio con Catalina de Aragón. El Rey reafirmó el antiguo derecho de los príncipes cristianos a ejercer la supremacía sobre los asuntos de la Iglesia que estaba dentro de sus dominios y, en consecuencia, el Parlamento inglés creó una serie de estatutos que rechazaban todo poder y jurisdicción papal sobre la Iglesia de Inglaterra.

La otra doctrina que marcó la Reforma fue la de Juan Calvino, sacerdote francés que publicó en Suiza en 1536 su obra *La institución de la religión cristiana*, donde exponía su teoría centrada en el reconocimiento de la omnipotencia de Dios. Calvino condenaba los lujos del clero, la veneración a la Virgen y a los santos y las actividades que fueran en contra de la moral religiosa, como los bailes y las apuestas de dinero. En cambio, veía en la riqueza material un signo de que Dios aprobaba la laboriosidad, la disciplina y la búsqueda del máximo beneficio.

La Reforma rompió la unidad religiosa de Europa y motivó, por reacción, una Contrarreforma católica, mediante la cual la Iglesia buscó reafirmar su fe y eliminar la simpatía hacia los movimientos protestantes. Esto fue logrado mediante la creación y la afirmación de nuevas órdenes religiosas, entre las que se destacó la de la Compañía de Jesús, que consiguió que los cristianos volvieran a la fe católica por medio de la predicación y de la creación de colegios que atrajeron a nobles, burgueses y protestantes por su exce-

lente nivel educativo. El otro soporte de la Contrarreforma fue el Concilio de Trento (1545-63), en el cual la Iglesia reafirmó sus dogmas y reestructuró los más polémicos. Un ejemplo de esto fueron los correctivos que aplicó para combatir los vicios del clero, tan refutados por los grupos protestantes. En alianza con el emperador Carlos V, el Papa no dudó en utilizar tanto medidas diplomáticas como militares contra los protestantes. En 1542 se instituyeron el Índice de Libros Prohibidos y una nueva Inquisición. La Contrarreforma se encaminó también a la evangelización de los nuevos territorios recién explorados en el Lejano Oriente y América. El corolario de la Reforma y de la Contrarreforma fue el estallido en Alemania de la Guerra de los Treinta años, que se inició en 1618 y a la que condujeron las tensiones generadas por el enfrentamiento entre protestantes y católicos; involucró a casi todos los países de Europa y terminó en 1648 con la firma de la Paz de Westfalia, que marcó el fin de las pretensiones absolutistas del Imperio alemán, además de costarle la vida a un tercio de su población, y reconoció la libertad de culto a luteranos, calvinistas y católicos.

EL ABSOLUTISMO

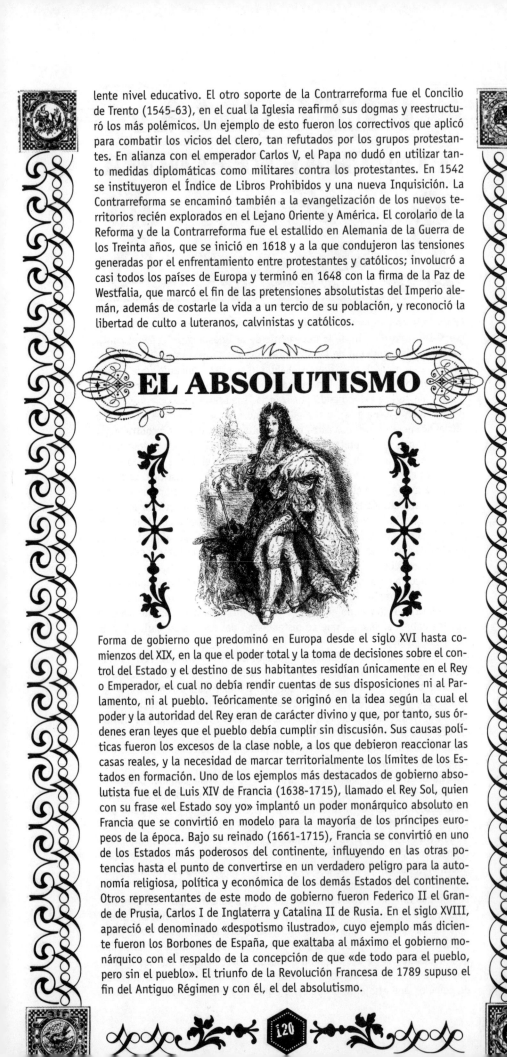

Forma de gobierno que predominó en Europa desde el siglo XVI hasta comienzos del XIX, en la que el poder total y la toma de decisiones sobre el control del Estado y el destino de sus habitantes residían únicamente en el Rey o Emperador, el cual no debía rendir cuentas de sus disposiciones ni al Parlamento, ni al pueblo. Teóricamente se originó en la idea según la cual el poder y la autoridad del Rey eran de carácter divino y que, por tanto, sus órdenes eran leyes que el pueblo debía cumplir sin discusión. Sus causas políticas fueron los excesos de la clase noble, a los que debieron reaccionar las casas reales, y la necesidad de marcar territorialmente los límites de los Estados en formación. Uno de los ejemplos más destacados de gobierno absolutista fue el de Luis XIV de Francia (1638-1715), llamado el Rey Sol, quien con su frase «el Estado soy yo» implantó un poder monárquico absoluto en Francia que se convirtió en modelo para la mayoría de los príncipes europeos de la época. Bajo su reinado (1661-1715), Francia se convirtió en uno de los Estados más poderosos del continente, influyendo en las otras potencias hasta el punto de convertirse en un verdadero peligro para la autonomía religiosa, política y económica de los demás Estados del continente. Otros representantes de este modo de gobierno fueron Federico II el Grande de Prusia, Carlos I de Inglaterra y Catalina II de Rusia. En el siglo XVIII, apareció el denominado «despotismo ilustrado», cuyo ejemplo más diciente fueron los Borbones de España, que exaltaba al máximo el gobierno monárquico con el respaldo de la concepción de que «de todo para el pueblo, pero sin el pueblo». El triunfo de la Revolución Francesa de 1789 supuso el fin del Antiguo Régimen y con él, el del absolutismo.

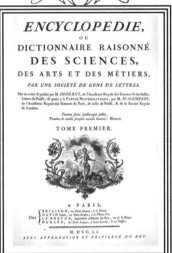

Movimiento intelectual surgido en Francia en el siglo XVIII entre la élite noble y burguesa, y que posteriormente se extendió por Europa y América. Este movimiento se basó en la convicción de que la razón y la experiencia humana eran los vehículos apropiados para lograr la certeza científica y transformar la realidad. Según sus teóricos, la educación ilustrada, es decir, la fundamentada en la razón, era la clave para lograr el progreso y la felicidad, que a su vez serían las bases del bienestar material. En Francia tuvo un desarrollo sobresaliente representado por ilustrados como el barón de Montesquieu, Diderot, Voltaire y Rousseau; fue también un movimiento cosmopolita con numerosos representantes en otros países, como Kant en Alemania, Hume en Escocia y B. Franklin y T. Jefferson en las colonias británicas. Sus precursores fueron Descartes, Spinoza, Hobbes y Locke. Durante el siglo XVIII, también llamado el Siglo de las Luces, la razón fue la lente a través de la cual se observaron la religión, las ciencias, la economía, la naturaleza, la sociedad, la política, las técnicas, el arte, y por supuesto, el hombre. Para los ilustrados, la ciencia no podía regirse por la fe, y para progresar en el estudio del hombre y de su entorno, debía regirse por los parámetros de la razón, facultad que el ser humano poseía por naturaleza. Al mismo tiempo, los ilustrados afirmaron la existencia de leyes naturales que regían y daban equilibrio al mundo y que serían descubiertas gracias a la acción de la razón; su paradigma en este sentido fue la ley de la gravitación universal, expuesta por el físico y matemático británico Isaac Newton (1642-1727).

El sistema parlamentario inglés fue el sistema de gobierno ideal para los ilustrados, pues en él tanto nobles como burgueses compartían igualitariamente el poder. En lo económico, defendieron y postularon la libertad comercial, la libertad para contratar mano de obra, la libertad de compra y venta, y privilegiaron la producción agrícola, de la que, en su opinión, dependía la riqueza de las naciones.

Las ideas de la Ilustración abrieron el camino a la independencia de las naciones de Hispanoamérica, a donde llegaron con los intelectuales americanos con capacidad económica para realizar viajes a Europa, absorber la cultura y el pensamiento de la época y estudiar en colegios y universidades que les permitieron conocer las obras de sus autores. Al finalizar el Siglo de las Luces, surgieron algunos cambios en el pensamiento ilustrado, bajo la influencia de Rousseau y como consecuencia de la guerra de independencia estadounidense. El Siglo de las Luces, que concluyó en 1789 con la Revolución Francesa, sirvió como modelo para el liberalismo político y económico, que modelaría el mundo de los siglos XIX y XX.

LA INDEPENDENCIA DE ESTADOS UNIDOS

A causa del déficit ocasionado por las recién terminadas guerras franco-británicas, de las que Inglaterra salió victoriosa y por las que logró el control de las posesiones francesas en América del Norte (este del Mississippi y Canadá) y españolas en la Florida, la Corona inglesa se vio obligada a promulgar nuevas leyes impositivas y a impulsar una política para convertir sus colonias en productoras de materias primas para las industrias de la metrópolis. Así fue que la Corona prohibió a los colonos comprar tierras a los indígenas, reservándose tal derecho para sí; exportar productos que pudieran competir con los producidos en la metrópolis; y les exigió comprar el té exclusivamente a la Compañía de las Indias Orientales, que tenía el monopolio sobre el mismo. Esta última norma animó a los colonos a arrojar al mar un valioso cargamento de té de las naves de la compañía, hecho que, a su vez, sirvió al gobierno de justificación para cerrar el puerto de Boston y privar a los colonos de Massachussets del derecho de elegir consejeros. La indignación que suscitaron estas medidas entre las colonias condujo a la celebración en septiembre de 1774 del primer Congreso Continental, en el que se pidió al monarca que cambiara su actitud y permitiera la presencia de sus representantes en el Parlamento, al mismo tiempo que se acordó boicotear los productos ingleses. El rey Jorge III rechazó las peticiones, lo que condujo al primer choque entre las tropas inglesas y las milicias rebeldes unos meses después en Lexington.

El segundo Congreso Continental, reunido en Filadelfia en 1775, dispuso organizar un ejército bajo el mando de George Washington. La Corona británica declaró rebeldes a los colonos, con lo que la guerra adquirió su carácter definitivo. El ejército de Washington, integrado por colonos (terratenientes y comerciantes), artesanos y campesinos, obtuvo la victoria en las primeras ofensivas.

Un nuevo Congreso Continental declaró la independencia el 2 de julio de 1776 y dos días más tarde adoptó una declaración formal de principios, redactada por Thomas Jefferson, en la que afirmaba que las colonias «son y por derecho deben ser Estados libres e independientes». Desde ese momento, los colonos no se consideraron súbditos británicos rebeldes, sino ciudadanos de una nación soberana que repelía una invasión a su país.

Gracias a la estrategia y la perseverancia de Washington, el ejército independentista logró una gran victoria en la batalla de Saratoga, éxito que convenció a franceses y españoles de entrar abiertamente en el conflicto (ya lo apoyaban subrepticiamente) con miras, sobre todo, a recuperar sus territorios perdidos en 1763. Gracias a este apoyo, los independentistas consiguieron la victoria en la decisiva batalla de Yorktown en 1781. En 1783, por el Tratado de París, Inglaterra reconoció la independencia de Estados Unidos y aceptó sus fronteras, limitando al Oeste con el río Mississippi, al Norte con Canadá y al Sur con Florida. Por su parte, Francia recuperó Luisiana y España la Florida.

En 1787 se reunió una convención federal que elaboró la Constitución de los Estados Unidos, que consagró la autonomía interna de los trece nuevos estados mediante la adopción de un sistema político federal. George Washington fue elegido primer presidente de Estados Unidos en 1788 y fue reelegido en 1792; su secretario de Estado fue Thomas Jefferson, quien, a su vez, obtuvo la victoria en las elecciones de 1800 y 1804.

MOVILIZACIONES SOCIALES HISPANOAMERICANAS

La severidad de las reformas borbónicas y el alza en los impuestos, algunos de los cuales estuvieron dirigidos a pagar la participación española en la guerra independentista de Estados Unidos, fueron algunas de las razones que llevaron, al finalizar el siglo XVIII, a la explosión de movimientos de rebeldía y levantamientos populares en contra del poder virreinal en las colonias americanas de España. Estos brotes tuvieron lugar en Cuba (1717-1723), Paraguay (1721-1735), Quito (1765) y Nueva Granada (1781), entre otros territorios.

Aun cuando estos grupos no tuvieron unidad ni relación entre sí, hubo características que los hicieron similares: no fueron movimientos independentistas, no buscaban separarse de la Corona española, querían llamar la atención sobre los abusos del sistema colonial y modificar las políticas que la Corona imponía en sus colonias. En su mayoría fueron movimientos liderados por criollos y mestizos, que criticaban el bajo perfil dado por las autoridades españolas en comparación con los ibéricos. Los movimientos liderados por indígenas no tuvieron intervención de criollos y buscaban protestar y detener los abusos del sistema colonial. Dos ejemplos característicos son el movimiento indígena de Tupac Amaru en Perú, y el movimiento comunero en la Nueva Granada.

TUPAC AMARU II José Gabriel Condorcanqui Noguera (1738-1781), descendiente por línea materna de Tupac Amaru, último emperador los incas, lideró uno de los movimientos sociales más importantes del siglo XVIII en América. Luego de adoptar el nombre de Tupac Amaru II, Condorcanqui pidió en 1776 a la Audiencia de Lima que eximiera a los indígenas de la mita o trabajo obligatorio en las minas de la Corona. Ante la negativa de las autoridades españolas, en 1780, Tupac Amaru II acaudilló una insurrección popular que rápidamente se propagó por el territorio del antiguo Imperio incaico. La rebelión se inició en noviembre con el apresamiento y la ejecución del corregidor Antonio Arriaga. Tras una serie de victorias, la superioridad de los realistas acabó desmoronando las fuerzas indígenas en la batalla de Checacupe, en abril de 1781. Tupac Amaru fue capturado, torturado y ejecutado junto con su mujer y dos de sus hijos. La rebelión continuó en manos de su sobrino Diego Cristóbal Tupac Amaru y, en el Alto Perú, en las de Julián Apaza Tupac Catari; ambos dirigentes fueron derrotados en 1782 tras los ataques que dirigieron contra la ciudad de La Paz (en la actual Bolivia). A pesar de haber fracasado, este movimiento provocó la abolición de los repartimientos indígenas, de los obrajes (talleres preindustriales en los que los indígenas producían, fundamentalmente, textiles) y del cargo de corregidor que, nominalmente y por encargo regio, resguardaba la integridad de los indígenas, cargo que fue usado para cometer grandes abusos.

REBELIÓN DE LOS COMUNEROS DE LA NUEVA GRANADA El principal motivo del alzamiento comunero de 1781 en el virreinato de la Nueva Granada fue el endurecimiento de las políticas españolas hacia el virreinato, orientado por el visitador general enviado por la Corona. Algunas

de las nuevas medidas, que generaron inquietud en criollos, mestizos e indígenas, fueron la reducción de la potestad del virrey, el incremento de la
producción de la colonia en beneficio de España, los nuevos impuestos y la
disminución de la participación de los criollos en las decisiones políticas locales. Las protestas comenzaron en la provincia del Socorro, impulsadas por
la heroína Manuela Beltrán quien, con su gesto de arrancar el edicto de los
nuevos impuestos, provocó un alzamiento espontáneo. Posteriormente, los
comuneros se organizaron y promulgaron un proyecto mediante una cédu-
la que, en términos generales, exigía una reforma de la administración colonial que fortaleciera el poder comunal de los cabildos. Varias poblaciones
se sumaron al movimiento y se conformó un ejército dirigido por el criollo
Juan Francisco Berbeo, que enfrentó a las tropas realistas y obtuvo victorias
sobre ellas en su recorrido hasta la ciudad de Zipaquirá, donde una comisión negociadora del gobierno español pactó unas capitulaciones que deberían satisfacer las demandas de los comuneros. Pero las autoridades virrei-
nales se negaron a cumplirlas, aprovechando la dispersión del movimiento.
El mestizo José Antonio Galán continuó la lucha armada al mando de un
ejército insurrecto que ahora contaba también con la presencia de negros e
indígenas. Finalmente, Galán y sus capitanes fueron apresados y cruelmente ejecutados en 1782, luego de que las capitulaciones fueran definitivamente anuladas. Este mismo año, el nuevo virrey otorgó el indulto para los
insurrectos sobrevivientes.

REVOLUCIÓN FRANCESA

Revolución de carácter político-social ocurrida en Francia entre la apertura de los Estados Generales, en mayo de 1789, y el golpe de Estado de Napoleón, en noviembre de 1799, cuyos efectos mas importantes fueron el derrocamiento del Antiguo Régimen, la declaración de los **Derechos del hombre y el ciudadano**, y el establecimiento del Estado liberal moderno. Para finales del siglo XVIII, Francia contaba con una burguesía numerosa, impregnada por la filosofía de la Ilustración y descontenta con la manera como el Rey obligaba al Tercer Estado, compuesto por burgueses, artesanos y campesinos, a costear los gastos del Estado y los privilegios de nobles y miembros del clero católico, que estaban exentos del pago de impuestos. Además, los cargos públicos eran exclusivos de la nobleza y los burgueses no tenían oportunidad de acceder a ellos.

En la asamblea de 1789, el Tercer Estado se declaró a sí mismo Asamblea Nacional y fue reconocido como tal por el Rey; encabezada por la burguesía exigió que tanto los nobles como el clero pagaran impuestos sobre sus tierras, a lo que se negaron la nobleza y el Rey, defendiendo los privilegios de estas clases. Todo esto, sumado a la marcada desigualdad social y al descontento popular con el absolutismo, generó el ambiente propicio para el estallido de la Revolución.

Con la consigna «libertad, igualdad y fraternidad», la burguesía francesa aglutinó a las multitudes del Tercer Estado, se tomó la Bastilla el 14 de julio de 1789, derrocó el mandato de Luis XVI, quien reinaba desde 1774, e inició el movimiento revolucionario, que pronto se propagó por todo el país y condujo en primera instancia a la abolición de la servidumbre y los privilegios de los nobles y del clero. Los miembros de la Asamblea Nacional se declararon Asamblea Constituyente a fin de redactar una nueva Constitución. Se nombró así una Asamblea Legislativa, cuyos principales partidos eran los constitucionalistas, los girondinos y los jacobinos o republicanos extremistas. En 1792, los jacobinos se apoderaron del gobierno y proclamaron la Convención Nacional, que abolió la monarquía e instituyó la República. En enero de 1793, Luis XVI fue guillotinado y empezó el Régimen del Terror, que envió a la guillotina a centenares de aristócratas y a muchos revolucionarios; concluyó en 1794 cuando su principal gestor, Robespierre, sufrió la misma pena. En 1795 fue disuelta la Convención y se estableció el Directorio, más moderado, bajo el cual se llevaron a cabo las primeras campañas militares de Napoleón Bonaparte, quien dio un golpe de Estado en 1799. Los principales legados de la Revolución Francesa fueron la sustitución del absolutismo por un régimen representativo basado en la soberanía del pueblo y el ascenso de la burguesía al poder político, económico y social. Francia se convirtió así en ejemplo de democracia y libertad que inspiró a las colonias europeas en América a buscar su independencia.

REVOLUCIÓN INDUSTRIAL

Cambio experimentado por la industria como consecuencia de la adopción de nuevas tecnologías en la producción. La Revolución Industrial tuvo su origen en Inglaterra hacia 1780, aproximadamente, y se extendió por Francia, Alemania, Estados Unidos y Rusia a lo largo de los siglos XIX y XX. En este proceso intervinieron la técnica, los descubrimientos científicos, una aportación considerable de capital y los profundos cambios sociales, marcados especialmente por la aparición del proletariado. La invención y posterior introducción de máquinas en la industria, como el telar mecánico, la máquina de vapor y el ferrocarril, supusieron un cambio fundamental en la forma de producción, dejando atrás la realización artesanal de los productos para dar paso a las fábricas y la producción por medio de máquinas. La Revolución Industrial constituyó uno de los cambios socioeconómicos más importantes de la historia de la humanidad al multiplicar sustancialmente la productividad del trabajo humano.

1843. RAIL-ROAD ROUTE 1843.
BETWEEN
Albany & Buffalo.

FARE REDUCED--ARRANGEMENT TO COMMENCE JULY 10, 1843.

Those who pay *through* between Albany and Buffalo, - $10. in the best cars,
do.   do.   do.   N. in accomodation cars,
which have been re-arranged, cushioned and lighted.
Those who pay *through* between Albany & Rochester, $8. in the best cars,
do.   do.   do.   6.50 in accomodation cars.

THREE DAILY LINES.
Through in 25 hours.

GOING WEST.	1st Train	2d Train	3d Train		GOING EAST.	1st Train	2d Train	3d Train
Leave Albany.	6 A.M.	1 P.M.	7 P.M.		Leave Buffalo.	4 A.M.	9 A.M.	4 P.M.
Pass Schenectady,	7 A.M.	3 P.M.	9 P.M.		Pass Rochester,	8 A.M.	3 P.M.	10 P.M.
Pass Utica,	1 P.M.	9 P.M.	4 A.M.		Pass Auburn,	3 P.M.	9 P.M.	4 A.M.
Pass Syracuse,	5 P.M.	2 A.M.	8 A.M.		Pass Syracuse,	5 P.M.	11 P.M.	6 A.M.
Pass Auburn,	7 P.M.	4 A.M.	10 A.M.		Pass Utica,	9 P.M.	4 A.M.	10 A.M.
Pass Rochester,	2 A.M.	10 A.M.	4 P.M.		Pass Schenectady,	3 A.M.	10 A.M.	3 P.M.
Arrive at Buffalo.	7 A.M.	3 P.M.	9 P.M.		Arrive at Albany,	5 A.M.	11 A.M.	5 P.M.

EMIGRANTS WILL BE CARRIED ONLY BY SPECIAL CONTRACT.

Passengers will procure tickets at the offices at Albany, Buffalo or Rochester *through*, to be entitled to seats at the reduced rates.

Fare will be received at each of the above places to any other places named on the route.

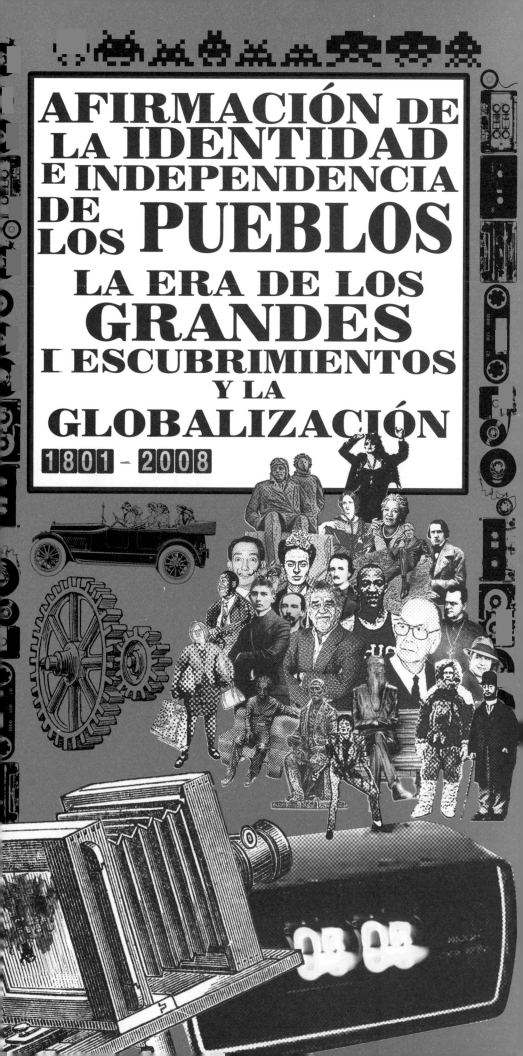

AFIRMACIÓN DE LA IDENTIDAD E INDEPENDENCIA DE LOS PUEBLOS

LA ERA DE LOS GRANDES DESCUBRIMIENTOS Y LA GLOBALIZACIÓN

1801 - 2008

Siglo XIX Nace en Europa el vals, que se convertiría en el baile de salón de mayor reconocimiento internacional, sobre todo gracias a los compositores vieneses Johann Strauss padre y Johann Strauss hijo.

Siglo XIX El nacimiento de este siglo marca el inicio la edad contemporánea, cuyo rasgo fundamental es el afianzamiento del pensamiento liberal en los ámbitos social, político y económico.

1801 El astrónomo italiano Giuseppe Piazzi descubre el primer planeta menor: Ceres, el cuerpo más grande del cinturón de asteroides que se ubica entre Marte y Júpiter.

1801 Richard Trevithick, ingeniero inglés, construye el primer vehículo para el transporte de pasajeros propulsado a vapor.

1801 Mediante el Acta de Unión, Inglaterra anexiona Irlanda y conformada el Reino Unido de Gran Bretaña e Irlanda.

1801 Napoleón Bonaparte y el papa Pío VII firman un concordato por el que se restauran Estados pontificios y el clero francés queda sometido al Estado.

1802 Se dicta en Francia la Constitución del año X que otorga carácter vitalicio al consulado de Napoleón.

1803 El químico inglés John Dalton postula que la materia está conformada por átomos que se combinan para formar compuestos; es la teoría básica de la física moderna.

1803 Francia vende Luisiana a Estados Unidos, con lo que se duplica el tamaño de este último Estado.

1803 El nacionalista irlandés Robert Emmet encabeza una rebelión independentista contra el Acta de Unión. Su plan fracasa y es ejecutado.

1803 J. J. Dessalines, al mando de un ejército de ex esclavos negros, expulsa las fuerzas francesas de ocupación y proclama la independencia de Haití.

1804 El literato y filósofo alemán F. von Schiller estrena *Guillermo Tell*, drama basado en el legendario patriota suizo, personificación de la lucha por la justicia y la libertad.

1804 Los naturalistas Aimé Bonpland (francés) y Alexander von Humboldt (alemán) llegan a París tras completar su expedición por el continente americano, iniciada en 1799.

1804 Richard Trevithick construye la primera locomotora a vapor, que usa para halar, sobre una vía férrea (de 15 kilómetros), vagones de carga en una mina de hierro.

1804 Napoleón se proclama emperador y es coronado por el papa Pío VII. Este mismo año promulga el llamado Código Napoleónico (código civil), que contiene algunos de los principios de la Revolución Francesa; fue difundido en Europa por el ejército imperial.

1805 El compositor alemán Ludwig van Beethoven estrena la *Sinfonía Heroica*. Compuesta en 1803, originalmente estaba dedicada a Napoleón, pero decepcionado por su proclamación como emperador resolvió enmendar la dedicatoria.

1805 Jacques-Louis David realiza la *Coronación de Napoleón y Josefina*, uno de los lienzos más grandiosos de la historia del arte.

1805 En el combate naval de Trafalgar (costas de Cádiz) se enfrentan los británicos al mando de Nelson, y la flota hispano-francesa. La batalla se saldó con la victoria británica, lo que desbarató el plan de Napoleón I de invadir Gran Bretaña.

1806 El dramaturgo español Leandro Fernández de Moratín estrena *El sí de las niñas*, obra en la que ataca la educación poco formativa que recibían las mujeres en la época.

1806 El venezolano Francisco de Miranda organiza una rebelión contra los españoles. Su ejército es rechazado por los realistas tras el intento de desembarco en Ocumare.

1806 Tras su victoria en la batalla de Jena, Napoleón I induce a Francisco II a renunciar al trono del Sacro Imperio romano germánico.

1806 Napoleón I decreta el bloqueo continental contra Gran Bretaña, al que no se suman Portugal y Rusia.

1806 Los británicos invaden Buenos Aires, de donde son desalojados por la resistencia bonaerense, con apoyo montevideano, tras dos meses de ocupación.

1807 El italiano Antonio Canova termina su escultura de María Paulina Bonaparte, en la que exaltó a la hermana de Napoleón y la asemejó a la diosa romana Venus.

1807 El filósofo alemán G. W. F. Hegel, publica *Fenomenología del espíritu*, donde afirma que el saber absoluto es el objetivo de la Historia.

1807 Humboldt comienza a publicar *Viaje a las regiones equinocciales* (30 volúmenes), memoria de sus exploraciones por América del Sur en compañía de Bonpland.

1807 El ingeniero estadounidense Robert Fulton diseña un barco a vapor, el *Clermont*, con el que inaugura una línea regular en el río Hudson, entre Nueva York y Albany.

1807 El Reino Unido decreta la prohibición del comercio de esclavos. Prusia, entre tanto, concede la abolición de la servidumbre de los campesinos.

C. = hacia, alrededor de.

1807 Tras la invasión napoleónica a Portugal, la familia real y su corte huyen a Brasil.

1807 Segunda invasión inglesa al Río de la Plata. Las fuerzas británicas ocupan Montevideo durante siete meses.

1808 El filósofo alemán J. G. Fichte publica *Discursos a la nación alemana*, obra en la que sostiene la superioridad de la cultura alemana.

1808 El pensador francés C. Fourier propone un sistema utópico basado en falansterios, a partir de los cuales la comunidad se organizaría de modo cooperativo.

1808 Estados Unidos decreta la prohibición de la trata de negros. La abolición definitiva en todo el país tendrá que esperar al fin de la Guerra Civil (1865).

1808 Napoleón I corona rey de España a su hermano José Bonaparte. Este hecho terminará desencadenando la guerra de independencia contra los franceses, que enfrentará a éstos contra las tropas españolas y británicas.

1809 El pensador alemán Johann Wolfgang von Goethe publica *Las afinidades electivas*, una novela que cuestiona la validez moral de las costumbres sociales.

1809 El biólogo francés J. B. de Lamarck expone su teoría de la evolución, según la cual formas de vida complejas proceden de otras simples.

1809 El científico francés J. L. Gay-Lussac formula la ley según la cual los volúmenes de los gases, en una reacción, están en la proporción de números enteros pequeños.

1809 El ingeniero británico G. Cayley publica su trabajo *Sobre la navegación aérea*, exponiendo por vez primera los principios científicos del vuelo más pesado que el aire.

1809 El militar y político británico Arthur Wellesley, futuro duque de Wellington, inicia su campaña contra los franceses en la península Ibérica. Logra el control de Portugal e inicia su incursión en España.

1810 El inventor británico Peter Durand patenta la idea de usar latas revestidas de estaño para la conservación de alimentos.

1810 Con el ataque a un bar gay londinense sale a la luz pública la existencia de un movimiento clandestino de homosexuales en Europa.

1810 Coincidiendo con la invasión napoleónica a España, sus colonias inician las luchas independentistas: Caracas, 19 de abril; Buenos Aires, 25 de mayo; Bogotá, 20 de julio; México, 16 de septiembre; Santiago, 18 de septiembre; Quito, 19 de septiembre.

1810 El político y jurista colombiano Camilo Torres viaja a España para presentar ante las cortes su *Memorial de agravios*, en el que reivindica la igualdad de representación de las provincias americanas y las de la península Ibérica.

1811 La novelista inglesa Jane Austen publica *Razón y sensibilidad*. Austen describe en sus novelas la pequeña burguesía rural inglesa. Otras obras: *Orgullo y prejuicio* y *Emma*.

1811 El científico italiano Amedeo Avogadro postula la ley que posteriormente llevará su nombre, según la cual, volúmenes iguales de gases contienen el mismo número de moléculas bajo condiciones iguales de temperatura y presión.

1811 El movimiento luddita inglés preconiza que las máquinas acabarán con el trabajo de los artesanos y propicia motines en los que se destroza la nueva maquinaria.

1811 El albanés Mehmet Alí, virrey de la provincia otomana de Egipto, asegura la supremacía de su poder tras masacrar a los mamelucos.

1811 La Confederación India, que se oponía a la expansión estadounidense por el territorio de Ohio, es derrotada en la batalla del río Tippecanoe por un ejército dirigido por W. H. Harrison, futuro presidente de Estados Unidos.

1811 En el marco de la guerra independentista española se abren las Cortes de Cádiz, que buscan estructurar un nuevo sistema político de tendencia liberal. Es de destacar la presencia de un alto número de representantes de las provincias americanas.

1812 Los lingüistas e investigadores culturales alemanes Jacob y Wilhelm Grimm, publican el primer volumen de su colección de cuentos de hadas.

1812 El pintor francés Théodore Géricault realiza el *Oficial de la guardia imperial*, obra maestra del romanticismo, que rompe con el neoclasicismo imperante.

1812 El reino de Prusia otorga a los judíos la equiparación civil.

1812 Un terremoto sacude Caracas; mueren entre doce y quince mil personas, de las aproximadamente cincuenta mil que habitaban la ciudad.

1812 Las Cortes de Cádiz decretan y sancionan la Constitución española.

1812 Napoleón I lanza una invasión contra Rusia. Vence a las fuerzas del zar Alejandro I en Borodino, y ante la inminencia de la toma de Moscú, sus habitantes queman la ciudad, con lo que las fuerzas napoleónicas, desabastecidas, tienen que retirarse.

1813 El poeta romántico inglés P. B. Shelley publica *La reina Mab*, donde expone temas como el ateísmo y el amor libre.

Prohibición de la trata de negros

Johan W. von Goethe

Camilo Torres

Lamarck

Lata de conservación

Amedeo Avogadro

))) **Afirmación de la identidad e independencia de los pueblos**
La era de los grandes descubrimientos y la globalización

1813 El químico sueco J. J. Berzelius idea el sistema de notación química, vigente hoy, en el cual cada elemento se representa con una o dos letras.

1813 Suecia renuncia al comercio de esclavos, Holanda lo hará en 1814.

1813 Las fuerzas aliadas al mando del duque de Wellington terminan victoriosas su campaña de expulsión del ejército francés de España.

1813 Napoleón I es derrotado en Leipzig, Alemania, por la coalición de rusos, prusianos y austriacos; debe retirarse a Francia.

1813 El venezolano Simón Bolívar, a quien Miranda había nombrado coronel del movimiento revolucionario de 1810, decreta la guerra a muerte a los españoles y lleva a cabo su Campaña Admirable. En agosto entra triunfante a Caracas.

1813 El general argentino José de San Martín derrota a los españoles en San Lorenzo. Poco después es nombrado general en jefe del Ejército del Norte.

1814 El artista español Francisco de Goya pinta *El 3 de mayo de 1808*, cuadro que representa a los españoles independentistas fusilados por los soldados de Napoleón.

1814 El sacerdote José María Morelos y Pavón proclama a México como república independiente de España y proscribe la esclavitud.

1814 Estados Unidos pierde la guerra que había declarado en 1812 a Gran Bretaña por el dominio de Canadá. La superioridad británica obliga a los estadounidenses a firmar el tratado de Gante, que fija el límite entre Estados Unidos y la colonia británica.

1814 El emperador Napoleón I, presionado por sus mariscales, abdica en un gobierno provisional y es exiliado a la isla de Elba. Las tropas aliadas entran a París.

Simón Bolívar

1814 Se firma en París un acuerdo internacional entre los gobernantes franceses y los aliados (Gran Bretaña, Rusia, Austria, Prusia, Suecia, Portugal y España), por el que se le permite a Francia conservar todos los territorios que poseía en Europa en 1792.

1814 Se restablece en Francia la monarquía borbónica con Luis XVIII.

1814 Los Países Bajos ceden su colonia surafricana del Cabo a los británicos.

1814 El rey Fernando VII de España regresa del exilio y toma de nuevo el poder. Declara nulos la Constitución y los decretos de las Cortes de Cádiz.

1815 El británico Humphry Davy inventa una lámpara de seguridad para minas, en la que la llama está protegida por una malla metálica, evitando así las explosiones de grisú.

1815 Napoleón escapa de la isla de Elba y regresa a Francia para recuperar el poder. Lleva a cabo una campaña militar que concluye a los cien días con su definitiva derrota en Waterloo, Bélgica, a manos de las tropas aliadas comandadas por el duque de Wellington.

El 3 de mayo de 1808

1815 Gran Bretaña, Austria, Rusia y Prusia firman otro tratado de paz que sanciona la derrota napoleónica y restablece las fronteras francesas de 1790.

1815 Con el propósito de implantar los ideales del cristianismo en las potencias europeas, el zar Alejandro I funda la Santa Alianza con Austria y Prusia.

1815 José María Morelos, caudillo de la emancipación mexicana, es capturado por los realistas y, tras ser acusado de herejía por la Inquisición, fusilado.

1815 El general español Pablo Morillo llega a Venezuela, al mando de 10.000 hombres, y luego se dirige a Cartagena de Indias, donde inicia su campaña de reconquista.

Humphry Davy

1815 Bolívar se refugia en Jamaica, donde redacta la *Carta de Jamaica*, que explica su ideario político.

1816 El compositor italiano Gioacchino Rossini estrena la ópera *El barbero de Sevilla*. Otras obras: *La italiana en Argel* (1813) y *Guillermo Tell* (1829).

1816 El escritor alemán E. T. A. Hoffmann escribe *Cascanueces y el rey de los ratones*, que inspiraría al compositor ruso Piotr Ilich Chaikovski el famoso ballet del mismo nombre.

1816 Aparece el *Periquillo Sarniento*, novela del mexicano José Joaquín Fernández. Este autor consolida el género novelesco en Hispanoamérica.

1816 La heroína boliviana Juana Azurduy, al frente de 200 hombres, defiende con éxito el sitio de la hacienda de Villar, de gran valor estratégico para las tropas españolas.

Gioacchino Rossini

1816 Pablo Morillo entra a Bogotá, iniciando de inmediato la persecución de los patriotas. Durante el Régimen del Terror pereció la mayor parte de la generación que dirigió los destinos de la Nueva Granada después de la revolución de 1810.

1816 Tras dejar a Juan Sámano al frente del gobierno de la Nueva Granada, Morillo se instala con sus fuerzas en Venezuela, donde va recuperando el territorio poco a poco.

1816 Con San Martín repeliendo la campaña de reconquista española, Argentina se declara independiente.

E. T. A. Hoffmann

1817 El filósofo francés Claude Henri de Rouvroy, conde de Saint-Simon, expone en *La industria* sus razonamientos en favor de una organización social, encabezada por sabios y basada en la industria, que beneficie por igual a todos los miembros de la sociedad.

José Joaquín Fernández

1817 El naturalista francés G. Cuvier expone su clasificación de los seres vivos, empezando por los organismos más sencillos y terminando en los seres humanos.

1817 El médico británico James Parkinson describe la parálisis agitante, enfermedad senil que en la actualidad lleva su nombre.

1817 El economista británico David Ricardo, en *Principios de Economía*, afirma que el precio de un producto lo determinan la oferta y la demanda.

1817 Bolívar regresa a Venezuela para aliarse con Páez y enfrentar a los realistas. Ganan la batalla de San Félix, logrando el dominio de la cuenca baja del Orinoco.

1817 El general argentino José de San Martín, al mando del Ejército de los Andes, cruza la cordillera, y tras derrotar a los realistas, entra victorioso a Santiago de Chile. Ha recibido el apoyo del general chileno Bernardo O'Higgins.

Lord Byron

1818 El poeta inglés Lord Byron comienza *Don Juan*, obra donde presenta a don Juan no como un mujeriego sino como un hombre al que las mujeres seducen fácilmente.

1818 La novelista inglesa Mary Shelley publica *Frankenstein*, obra en la que explora temas como la moral científica y la audacia del ser humano ante Dios.

1818 Luego de su triunfo en la batalla de Maipo, San Martín y O'Higgins liberan definitivamente a Chile.

1818 Chaka accede a la jefatura zulú. Su ejército, de más de cien mil combatientes, conquista territorios del sureste de África, en detrimento de los colonos europeos.

1819 Se inaugura en Madrid el Museo del Prado, una de las más importantes pinacotecas del mundo.

Mary Shelley

1819 El filósofo alemán A. Schopenhauer expone en *El mundo como voluntad y representación*, los elementos característicos de su sistema: ateísmo y pesimismo.

1819 El médico francés René Laennec inventa el estetoscopio.

1819 En febrero, Bolívar instala el Congreso de Angostura (a orillas del Orinoco), que lo designa presidente de Venezuela. Seguidamente inicia la campaña de la Nueva Granada, que culmina con la derrota de los realistas en la Batalla de Boyacá el 7 de agosto y la huida de Bogotá del virrey Sámano, quedando así libre la Nueva Granada.

1819 El 10 de agosto, Bolívar entra triunfante a Bogotá, establece un gobierno provisional y nombra vicepresidente al general colombiano Francisco de Paula Santander, responsable directo de la victoria independentista en Boyacá. El 17 de diciembre, a instancias de Bolívar, el segundo Congreso de Angostura, crea la República de la Gran Colombia, con los departamentos de Venezuela, Cundinamarca y Quito.

René Laennec

1819 Mediante el tratado Adams-Onís, España cede Florida a Estados Unidos, que renuncia a sus pretensiones territoriales sobre Texas.

1820 El escritor escocés Walter Scott escribe *Ivanhoe*, modelo de novela histórica en la que un protagonista ficticio se desenvuelve en medio del acontecer histórico, en este caso, el enfrentamiento entre sajones y normandos por el poder en Inglaterra.

1820 El físico danés H. C. Oersted descubre la existencia del campo magnético creado por las corrientes eléctricas.

1820 Simón Bolívar y Pablo Morillo firman un armisticio conocido como la Tregua de Trujillo, y un tratado que tiene por objeto acabar con la guerra de exterminio.

Museo del Prado

1821 La Gran Colombia decreta la abolición de la esclavitud.

1821 José de San Martín toma Lima y declara el Perú como república independiente.

1821 Muere Napoleón en la isla de Santa Elena.

1821 Bolívar asegura la independencia de Venezuela al derrotar a las fuerzas realistas en la batalla de Carabobo.

1821 Panamá declara su independencia de España y pasa a formar parte de la República de la Gran Colombia con el nombre de departamento del Istmo.

1821 Por el tratado de Córdoba, firmado entre el caudillo independentista Agustín de Iturbide y el virrey Juan O'Donojú, España reconoce la independencia de México.

Walter Scott

1822 Haití invade Santo Domingo (hoy República Dominicana), que había proclamado su independencia de España el año anterior.

1822 Los esclavos liberados de Estados Unidos empiezan a establecerse en el territorio de la futura Liberia. Para este fin se había fundado en 1816 la Sociedad de Colonización.

1822 Pedro I, hijo del rey de Portugal Juan VI y príncipe regente de Brasil, proclama la independencia de este país y se corona emperador.

1822 San Martín y Bolívar se reúnen en Guayaquil, donde acuerdan que será Bolívar quien reduzca los últimos focos realistas.

1822 El 24 de mayo, las tropas independentistas del venezolano Antonio José de Sucre vencen en la batalla de Pichincha, Ecuador, a las fuerzas realistas.

1823 Giovanni Mastai Ferretti, futuro papa Pío IX, es enviado en misión diplomática a las nuevas repúblicas suramericanas.

Beethoven y Schiller

1823 El presidente estadounidense J. Monroe expone su «doctrina Monroe», que postula que las potencias europeas no deben intervenir en los asuntos del continente americano.

1823 Se constituye la Federación de las Provincias Unidas del Centro de América, formada por Guatemala, Honduras, El Salvador, Nicaragua y Costa Rica.

1824 Luego de escribirla estando totalmente sordo, Beethoven estrena la *Sinfonía 9 en re menor*. La letra del coro final, la «Oda a la alegría», fue escrita por Schiller.

1824 En la batalla de Ayacucho, las tropas de Sucre derrotan a las españolas del último virrey del Perú, José de la Serna e Hinojosa. Se consolida así la emancipación de la América hispana.

1825 El pintor francés Camille Corot, precursor del impresionismo, pinta *Isla de San Bartolomé*, que revela el nuevo estilo objetivo de la pintura.

1825 El utopista británico Robert Owen funda la comunidad *New Harmony*, donde pretendió, sin éxito, un modelo de sociedad basado en los principios cooperativos.

Camille Corot

1825 Con una locomotora construida por el ingeniero británico George Stephenson, que alcanza 15 kilómetros por hora, se inaugura la primera vía férrea del mundo en Gran Bretaña.

1825 El Alto Perú se independiza, pasando a llamarse República de Bolivia. Antonio José de Sucre ejercerá como su primer presidente entre 1826 y 1828.

1825 Muere el zar Alejandro, al que sucede su hermano Nicolás. Es sofocada la rebelión decembrista de los oficiales del ejército para exigir una asamblea nacional.

1826 El compositor alemán Carl Maria von Weber, uno de los creadores del movimiento romántico, estrena su ópera *Oberón*.

1826 El escritor estadounidense James Fenimore Cooper publica *El último mohicano*, novela que gira en torno a la experiencia pionera y la expansión blanca hacia el Oeste.

Locomotora de G. Stephenson

1826 El físico francés Nicéphore Niépce registra la primera fotografía de la historia mediante un sistema de impresión sobre compuestos bituminosos fotosensibles.

1826 Pedro I de Brasil abdica al trono de Portugal en favor de su hija, María.

1827 Finaliza la publicación de *Los novios*, novela del italiano Alessandro Manzoni sobre la vida en el Milán del siglo XVII.

1827 El pintor francés, Jean-Auguste D. Ingres pinta *Apoteosis de Homero*, obra testimonial del espíritu neoclásico de la época.

1827 Como contraparte de la *Apoteosis de Homero*, Eugéne Delacroix presenta la *Muerte de Sardanápalo*, obra emblemática del romanticismo francés.

1827 Los experimentos de Thomas Young (británico) y Agustín Fresnel (francés) sobre interferencia y difracción dan pie para establecer la naturaleza ondulatoria de la luz.

Primera fotografía

1827 El físico alemán G. S. Ohm formula la ley que llevará su nombre y que establece la relación entre intensidad de corriente, diferencia de potencial y resistencia eléctrica.

1827 El químico británico John Walker inventa los fósforos o cerillas de fricción.

1827 Empieza a circular *The Freeman's Journal*, primer periódico afroamericano de Estados Unidos. Se oponía a la esclavitud y exigía la escolaridad para todos los negros.

1827 Los cherokee del sureste de Estados Unidos establecen un sistema de gobierno republicano, redactan una Constitución y se convierten en la Nación Cherokee.

1828 El químico alemán Friedrich Wöhler sintetiza la urea, demostrando, en contra de los postulados de la época, que un producto orgánico puede ser creado artificialmente.

Bandera Cherokee

1828 Los cherokee empiezan a publicar el *Cherokee Phoenix*, primer periódico indígena estadounidense.

1828 Finaliza la guerra que desde 1825 enfrentaba a Argentina y a Brasil por la soberanía sobre el actual territorio uruguayo. Mediante un tratado se otorga la independencia a este territorio, que pasa a llamarse República Oriental del Uruguay.

1829 El pianista y compositor polaco Frédéric Chopin ofrece en Viena su primer concierto. Sus composiciones poseen la belleza lírica típica del Romanticismo.

1829 El científico británico Thomas Graham enuncia la ley según la cual la tasa de difusión de un gas es inversamente proporcional a la raíz cuadrada de su densidad.

1829 El francés Barthélemy Thimonnier fabrica la primera máquina de coser práctica, que funciona mediante un sistema de pedal-resorte que da movimiento a una aguja curva.

Frédéric Chopin

1829 El profesor invidente francés Louis Braille inventa un modo de comunicación escrita entre los no videntes, basado en puntos y guiones en relieve.

1829 Los británicos, que han logrado el dominio de la India, prohíben la antigua costumbre hindú de quemar a las viudas en las piras funerarias de sus maridos.

1829 Se lleva a cabo una asamblea popular que decide la separación de Venezuela de la Gran Colombia. El caudillo José Antonio Páez es nombrado «Jefe Superior del País».

1829 El tratado de Adrianópolis pone fin al dominio otomano sobre Grecia, que luchaba por su independencia desde 1821 con el apoyo de Rusia, Gran Bretaña y Francia.

Stendhal

Victor Hugo

Delacroix

Hans Christian Andersen

Louis Daguerre

Samuel Morse

1830 El novelista francés Stendhal publica *Rojo y negro*, obra que prefigura el realismo y que trata de las ambiciones de un joven para elevarse sobre su pobreza.

1830 George Stephenson inaugura en Gran Bretaña la línea Liverpool-Manchester, la primera vía férrea pública para el transporte de carga y pasajeros.

1830 La secesión de Ecuador y Venezuela convierte la Gran Colombia en la Nueva Granada (República de Colombia desde 1886).

1830 Fernando VII de España deroga la Ley Sálica, para que pueda sucederle su hija Isabel, hecho que provocaría las guerras carlistas.

1830 Estalla en París un movimiento revolucionario que hace abdicar al rey borbónico Carlos X e instaura la monarquía, limitada en sus poderes, de Luis Felipe de Orleans.

1831 Goethe termina *Fausto*. Considerada una de las obras maestras de la literatura universal, es una reelaboración de la leyenda del erudito mago medieval Johann Faust.

1831 El poeta ruso Alexandr Pushkin termina la redacción de *Eugene Onegin*, historia de amor escrita en verso, considerada una de las grandes novelas de la literatura rusa.

1831 Victor Hugo, el más destacado de los escritores románticos franceses, publica su novela histórica *Nuestra señora de París*, ambientada en el siglo XV.

1831 El científico inglés Michael Faraday descubre la inducción electromagnética y formula las leyes que rigen la electrólisis.

1831 El explorador inglés James Clark Ross identifica el Polo Norte magnético.

1831 El emperador Pedro I abdica al trono de Brasil en favor de su hijo Pedro II.

1831 Con el Pacto Federal termina la guerra civil que enfrentó a los argentinos entre unitarios y federales desde 1828.

1832 El compositor italiano Gaetano Donizetti estrena *Elíxir de amor*, con la que demostró su maestría en la ópera bufa.

1832 La escritora francesa George Sand (Aurore Dupin) publica *Indiana*, novela donde defiende el derecho de la mujer a tener su propia vida, amor e independencia.

1832 La Convención Nacional sanciona la Constitución de la Nueva Granada y nombra a Francisco de Paula Santander como su presidente.

1833 Los científicos franceses Jean-François Persoz y Anselme Payen identifican por primera vez una enzima: la diastasa.

1833 Gran Bretaña declara su soberanía sobre las islas Falkland o Malvinas; Argentina impugna la decisión.

1833 El virrey de Egipto, Mehmet Alí, declara la independencia de este país, con la aquiescencia del poder imperial otomano.

1833 El político y militar mexicano Antonio López de Santa Anna asume la presidencia de su país, la que ejercerá de manera casi ininterrumpida hasta 1855.

1834 Delacroix pinta *Mujeres de Argel*, fruto de sus viajes por Marruecos y Argelia.

1834 La rebelión de esclavos en Jamaica en 1831 conduce a la abolición definitiva de la esclavitud en las colonias británicas del Caribe.

1834 Tras la muerte de Fernando VII en 1833 y la asunción de su hija Isabel, estalla una guerra civil en España, que enfrenta a los partidarios de ésta contra los de su tío y pretendiente, Carlos Isidoro. Termina en 1839 con la huida de Carlos Isidoro a Francia.

1835 El escritor danés Hans Christian Andersen publica la primera parte de sus cuentos. Muchos siguen siendo favoritos en el mundo: «El patito feo», «El ruiseñor», «El traje del emperador» y «El soldadito de plomo».

1835 El poeta italiano Giacomo Leopardi reúne sus poemas en *Cantos*, síntesis perfecta de romanticismo y clasicismo. Destacan «El infinito» y «Canto nocturno».

1835 El matemático francés G. G. Coriolis describe la fuerza que lleva su nombre y que experimenta un cuerpo al moverse en un sistema de rotación.

1836 El inventor estadounidense Samuel Colt patenta el primer revólver de repetición provisto de tambor central rotatorio.

1836 El presidente mexicano López de Santa Anna, ante el levantamiento de los colonos de Texas, firma un tratado que concede a dicho territorio su independencia.

1837 El pedagogo alemán Friedrich Fröbel, pionero en educación infantil, inaugura el primer jardín infantil.

1837 El cartismo, movimiento reformista obrero británico, logra el sufragio para los varones y la abolición de los requisitos de propiedad para acceder al Parlamento.

1837 El francés Louis Daguerre inventa la daguerrotipia, proceso mediante el cual se logra una imagen positiva a partir de una placa de cobre recubierta de yoduro de plata.

1837 El estadounidense Samuel Morse hace las primeras demostraciones de su telégrafo eléctrico. El británico Charles Wheatstone presenta un prototipo de similar función.

1837 La princesa Victoria sucede al monarca británico Guillermo IV, su tío, quien ha muerto sin dejar descendencia.

))) **Afirmación de la identidad e independencia de los pueblos**
La era de los grandes descubrimientos y la globalización

1838 El escritor argentino Esteban Echeverría, introductor del Romanticismo en Hispanoamérica, publica *El matadero*, relato con el anticipa el realismo.

1838 El escritor británico Charles Dickens publica *David Copperfield*, obra que lo consagró como el más celebre y leído autor inglés. Otras obras: *Documento póstumos del club Pickwick* (1837) y *Un cuento de navidad* (1843).

1838 Samuel F. B. Morse idea su alfabeto telegráfico (código o clave Morse).

1838 Las fuerzas estatales estadounidenses obligan a los cherokee a emigrar hacia el oeste del Mississippi. Más de 4.000 mueren de frío y hambre en el camino.

1838 Estalla la guerra entre el Imperio colonial británico y Afganistán. Se prolongará en una serie de conflictos hasta 1919, cuando Amanullah Kan declara Afganistán como Estado soberano independiente.

1838 El Congreso de las Provincias Unidas del Centro de América decide que los Estados son libres de separarse de la unión; así lo hicieron todos sus miembros a excepción de San Salvador, la capital.

1838 Las tierras de los zulúes son incorporadas a la colonia británica de Natal, en Suráfrica, tras la derrota de los primeros en la batalla del río Blood.

1839 Los científicos alemanes M. J. Schleiden y T. Schwann formulan la teoría celular, según la cual la célula es la unidad estructural común de los seres vivos.

1839 El inventor estadounidense Charles Goodyear descubre la vulcanización, proceso que le da más elasticidad y resistencia al caucho.

1839 Mehmet Alí se proclama rey de Egipto; sus descendientes gobernarán hasta 1952.

1839 Estalla la Primera Guerra del Opio entre Gran Bretaña y China, cuando las autoridades chinas destruyen un cargamento de opio en Cantón. Los británicos obtienen la victoria.

1840 El escritor estadounidense Edgar Allan Poe publica *Cuentos grotescos y fantásticos*, que incluye el famoso «La caída de la casa de Usher».

1840 José de Espronceda, el más destacado poeta romántico español, publica el poema narrativo *El estudiante de Salamanca*.

1840 El pensador francés Joseph Proudhon publica el panfleto *¿Qué es la Propiedad?*, donde critica con gran dureza la injusticia social que genera la propiedad privada. Este texto se considera el documento fundacional del anarquismo filosófico.

1840 El físico británico J. P. Joule determina la relación numérica entre la energía térmica (calor) y la mecánica (trabajo).

1841 El filósofo alemán Ludwig Feuerbach publica *La esencia del cristianismo*, donde afirma que la religión es justificable en tanto que satisface una necesidad psicológica.

1841 Entre este año y 1873, el médico y misionero escocés D. Livingstone, considerado uno de los más importantes exploradores de África, recorre el sur de este continente.

1841 El arqueólogo francés Jean François Champollion, tras descifrar la escritura jeroglífica de la piedra de Rosetta, publica el *Diccionario egipcio en escritura jeroglífica*.

1842 El escritor Nikolái Gogol publica *Almas muertas*, considerada una de las obras maestra de la literatura universal y que tuvo gran influencia en la posterior literatura rusa.

1842 El filósofo francés Auguste Comte termina la publicación de *Curso de filosofía positiva*, obra que marca el nacimiento de la sociología y el positivismo.

1842 El físico alemán Julius von Mayer enuncia la primera ley de la termodinámica, que afirma que el calor y el trabajo son interconvertibles.

1842 El botánico suizo Karl W. von Nägeli descubre la división de la célula vegetal.

1842 Tras finalizar la guerra civil que estalló en 1839 es disuelta la Federación de las Provincias Unidas del Centro de América.

1842 Tras la victoria de los británicos en la Primera Guerra del Opio, se firma el tratado de Nanjing, que obliga a China a abrirse al comercio exterior y ceder Hong Kong.

1843 La expedición del inglés James Clark llega el punto más al Sur hasta ahora alcanzado (su intención era descubrir el Polo Sur magnético, lo que no logró).

1844 El escritor francés Alexandre Dumas publica la novela histórica *Los Tres Mosqueteros*, cuya acción transcurre durante el reinado de Luis XIII. Otras obras: *El Conde de Montecristo* (1845) y *El collar de la reina* (1850).

1844 El escritor español José Zorrilla publica el drama *Don Juan Tenorio*, la más popular de las recreaciones del mítico personaje.

1844 El paisajista inglés J. M. William Turner realiza el óleo llamado *Lluvia, vapor y velocidad*, una alegoría romántica del progreso que traería el tren.

1844 El filósofo danés Sören Kierkegaard, considerado el gran precursor del existencialismo, publica *El concepto de la angustia*.

1844 Santo Domingo (hoy República Dominicana) declara su independencia de Haití.

1845 El novelista francés Honoré de Balzac publica el catálogo de *La comedia humana*, serie de 91 novelas completas y 46 inacabadas, que constituyen un fresco de la sociedad francesa. *Papá Goriot* y *Eugenia Grandet* son quizá las más conocidas de dichas obras.

Charles Dickens

Edgar A. Poe

Jean François Champollion

Alexandre Dumas

José Zorrilla

Honoré de Balzac

1845 Domingo Faustino Sarmiento publica *Civilización o barbarie* (*Facundo*) que trata sobre el caudillo Facundo Quiroga y los enfrentamientos federales y unitarios. Sarmiento será presidente de Argentina entre 1868 y 1874.

1845 Texas se incorpora a Estados Unidos, situación que México no reconoce.

1845 Una epidemia en los cultivos de patata lleva a Irlanda a un colapso por hambre conocido como «la hambruna». Un millón de personas mueren y otro tanto debe emigrar; su destino es mayoritariamente Estados Unidos. La hambruna termina en 1849.

1845 El Reino Unido y Francia establecen el derecho mutuo de inspección de barcos para vigilar el cumplimiento de la normativa en contra de comercio de esclavos.

1846 Estalla la guerra mexicano-estadounidense. En 1848, México es derrotado y debe ceder, además de Texas, el territorio que hoy corresponde a Arizona, California, Nevada, Nuevo México y Utah, tras firmar el tratado Guadalupe Hidalgo.

Domingo Faustino Sarmiento

1847 La escritora británica Charlotte Brontë publica *Jane Eyre*, novela de un éxito inmediato. Su hermana Emily publica *Cumbres borrascosas*, obra maestra de la literatura inglesa, y Anne hace lo propio con *Agnes Grey*, estudio de la vida de una institutriz.

1847 El médico escocés J. Young lleva a cabo, con éxito, la primera intervención quirúrgica en que se usa un anestésico: el cloroformo.

1848 Los pensadores alemanes Karl Marx y Friedrich Engels publican en Londres el *Manifiesto Comunista*, texto en que se llama a los trabajadores de todo el mundo para poner fin a la existencia de clases explotadoras y explotadas a través de la revolución.

Charlotte Brontë

1848 En Seneca Falls, en el estado de Nueva York, se celebra la primera convención mundial sobre los derechos de la mujer. Se plantea la igualdad entre géneros en la educación, el matrimonio y la propiedad, y el derecho al voto.

1848 Sufragistas y socialistas derrocan al rey francés Luis Felipe y proclaman la Segunda República. El sobrino de Napoleón I Bonaparte, Luis, es elegido presidente.

1848 El ejemplo francés se propaga y estallan insurrecciones liberales en varios países: Inglaterra, Austria, Hungría, Irlanda, Suiza, Dinamarca, Alemania e Italia. Aunque fueron aplastadas, ejercieron a largo plazo gran influencia en los gobiernos europeos.

Karl Marx

1849 El compositor húngaro Franz Liszt presenta *Lo que se escucha en la montaña*, obra representativa del poema sinfónico, género creado por él mismo.

1849 El pensador estadounidense Henry David Thoreau publica *Desobediencia civil*, ensayo que establece las bases de la resistencia pasiva, un método pacifista de protesta.

1849 Elizabeth Blackwell, inglesa que creció en Nueva York y Cincinnati, se convierte en la primera mujer médico en Estados Unidos.

1849 El descubrimiento de oro en California, Estados Unidos, desata una fiebre que atrae buscadores de todo el mundo.

1850 El escritor estadounidense Nathaniel Hawthorne publica *La letra escarlata*, donde describe con maestría los sentimientos de culpa en los seres humanos.

1850 El emperador Pedro II de Brasil prohíbe el tráfico de esclavos.

1850 La rebelión Taiping contra el domino manchú en el sur de China mantiene en jaque a las autoridades hasta 1864, cuando los rebeldes son derrotados. Con alrededor de 25 millones de muertos, ha sido la guerra civil más destructiva de la historia.

1851 El compositor romántico alemán R. Schumann presenta su *Sinfonía 4 en re menor*, en la que los cuatro movimientos aparecen unidos y se ejecutan sin interrupción.

Franz Liszt

1851 El estadounidense H. Melville publica *Moby Dick*, novela en la que muestra una alegoría del mal, representado por la ballena, y la maldad, representada por el capitán Ahab.

1851 Para albergar la Exposición Universal de 1851, se construye en Londres el Palacio de Cristal, de J. Paxton, que marcó un hito en la evolución de la arquitectura moderna.

1852 La novela *La cabaña del tío Tom* de la estadounidense Harriet Beecher-Stowe, donde denuncia la esclavitud, vende unos 300.000 ejemplares sólo en su primer año.

Nathaniel Hawthorne

1852 El ingeniero francés Henri Giffard construye el primer dirigible que consigue volar: sobrevoló París a una velocidad de unos 10 kilómetros por hora.

1853 A cargo del ingeniero británico Charles Tilston Bright se extiende el primer cable telegráfico submarino entre Escocia e Irlanda.

1854 Las autoridades japonesas aceptan un tratado comercial con Estados Unidos. Tras permanecer cerrado al comercio exterior durante dos siglos, Japón abre sus puertos.

1854 El escritor francés Gérard de Nerval publica *Las hijas del fuego*, obra que, junto con otras de su producción, influyó notablemente en el surrealismo por su lenguaje onírico.

Primer dirigible

1854 El pensador estadounidense H. D. Thoreau publica *Walden o la vida en los bosques*, obra donde propone la realización de los ideales de libertad e individualismo.

1854 El papa Pío XI proclama el dogma de la inmaculada concepción de María.

1855 El escritor argentino José Mármol publica *Amalia*, novela histórica que toma su argumento de la vida de Buenos Aires durante la tiranía de Rosas.

1855 El poeta estadounidense Walt Whitman publica el poemario *Hojas de hierba*.

1855 Gracias a la novela de la noruega Camilla Collett, *Las hijas del perfecto*, las danesas obtienen los mismos derechos de los hombres en cuanto a patrimonio y empleo.

1855 Un terremoto en Tokio causa más de 100.000 muertos.

1856 El naturalista alemán J. K. Fuhlrott descubre en el valle del río alemán Neander, los primeros restos del hombre de Neandertal.

1856 Finaliza la guerra de Crimea entre Rusia y el Imperio otomano (aliado con Francia y Gran Bretaña). Tras la victoria aliada, el zar Alejandro II tuvo que aceptar la neutralidad del mar Negro y la libre navegación por el Danubio.

1857 El escritor francés Gustave Flaubert publica su novela *Madame Bovary*, en la que hace gala de sus innovadoras técnicas narrativas, que prefiguran la corriente objetivista.

1857 El poeta francés Charles Baudelaire, considerado el iniciador del simbolismo, publica *Las flores del mal*.

1857 El pintor francés J. F. Millet, uno de los primeros de la escuela realista, pinta *Las espigadoras*. Otras obras: *El Angelus* (1859) y *Los plantadores de papas* (1862).

1857 El inventor estadounidense E. G. Otis instala el primer ascensor de pasajeros de Estados Unidos.

1858 Los exploradores británicos John H. Speke y Richard Burton llegan al lago Tanganica. Este mismo año, Speke llega al lago Victoria.

1858 Gran Bretaña impone el comercio legal de opio en China, pese a la oposición del gobierno chino. Millones de chinos se hicieron adictos.

1858 Tras el triunfo de los liberales reformistas, Benito Juárez es elegido presidente de México. Aplica las Leyes de Reforma, de marcado carácter anticlerical y laico.

1859 El pintor francés Gustave Courbet realiza la obra *Los picapedreros*, pintura en la que ensalza el carácter realista del arte de su tiempo.

1859 El biólogo inglés Charles Darwin publica *El origen de las especies*, texto con el que da a conocer su teoría de la evolución y la selección natural de las especies.

1860 La enfermera británica Florence Nightingale funda la Escuela para Enfermeras en Londres, hecho que marca el inicio de la formación profesional en este campo.

1860 Estalla la Segunda Guerra del Opio: las fuerzas británicas, ayudadas por las francesas, ocupan Pekín, lo que lleva a la Dinastía Qing a aceptar la residencia de emisarios extranjeros y la admisión de misioneros cristianos.

1861 Con el auspicio del jefe del gobierno piamontés, el conde de Cavour, y el liderazgo militar y político de Giuseppe Garibaldi, se logra la unificación de Italia. El Parlamento de Turín proclama el nuevo reino y nombra a Víctor Manuel de Saboya su rey.

1861 El zar Alejandro II de Rusia decreta la emancipación de los siervos y la entrega de tierras a los campesinos.

1861 Once estados esclavistas del sur de Estados Unidos establecen una alianza para luchar contra el gobierno federal, dando inicio a la Guerra Civil.

1862 El escritor francés Victor Hugo publica su novela *Los miserables*, en la que describe y condena la injusticia social francesa durante el siglo XIX.

1862 Ingres pinta *El baño turco*, obra que evidencia el acercamiento a los temas orientales, tendencia compartida por varios artistas de la época.

1862 El inventor estadounidense Richard J. Gatling patenta la primera ametralladora.

1863 El pintor francés Edouard Manet expone su cuadro *La merienda campestre*. Su obra inspiró el estilo impresionista, pero él rehusó ser identificado con este movimiento.

1863 Se inaugura el metro de Londres, el primero del mundo.

1863 La esclavitud es abolida en las Antillas holandesas.

1863 Por iniciativa del filántropo suizo Jean Henri Dunant, se funda en Ginebra, Suiza, la Cruz Roja, institución de asistencia social y médica internacional.

1863 Abraham Lincoln, presidente de Estados Unidos, proclama la libertad de los esclavos de los estados confederados del Sur, bajo control de la fuerzas unionistas.

1864 El poeta romántico colombiano Rafael Pombo publica *La hora de las tinieblas*. Pombo es muy conocido, además, por sus fábulas para niños, entre las que se cuentan «Simón el bobito», «La pobre viejecita» y «El renacuajo paseador».

1864 El poeta español Gustavo Adolfo Bécquer termina *Cartas desde mi celda* y *Leyendas*. A partir de su obra comienza la lírica española contemporánea.

José Mármol

Camilla Collett

Gustave Flaubert

Charles Baudelaire

Charles Darwin

La merienda campestre

Rafael Pombo

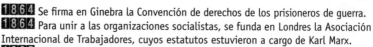

1864 Se firma en Ginebra la Convención de derechos de los prisioneros de guerra.

1864 Para unir a las organizaciones socialistas, se funda en Londres la Asociación Internacional de Trabajadores, cuyos estatutos estuvieron a cargo de Karl Marx.

1865 El escritor y matemático inglés Lewis Carroll publica *Alicia en el país de las maravillas*, una fantástica aventura en el mundo de los sueños.

Lewis Carroll

1865 El escritor francés Jules Verne publica *De la tierra a la luna*. Verne, considerado el padre de la ciencia ficción, predijo muchos de los logros tecnológicos del siglo XX (cohetes, submarinos, helicópteros, misiles, etc.). Otras obras: *Viaje al centro de la tierra*; *Veinte mil leguas de viaje submarino* y *La vuelta al mundo en 80 días*.

1865 El monje austriaco Gregor Mendel formula las leyes de la herencia, que proporcionan las bases teóricas para la genética moderna y la herencia.

1865 El científico francés Louis Pasteur desarrolla la pasteurización, proceso para destruir las bacterias perjudiciales en la leche sin producir cambios en su composición.

1865 El médico británico Joseph Lister introduce el uso de antisépticos en el quirófano. Consiguió reducir la mortalidad desde un 50% hasta un 15% en cuatro años.

Jules Verne

1865 Con la rendición del general secesionista Robert Edward Lee y el triunfo de las fuerzas unionistas del Norte finaliza la Guerra Civil estadounidense. El conflicto se saldó con la muerte de más de 600.000 personas y la abolición de la esclavitud.

1865 Lincoln es asesinado por John Wilkes, partidario de la causa secesionista. El vicepresidente A. Johnson asume la presidencia de Estados Unidos.

1865 Estalla la guerra de la Triple Alianza que enfrenta hasta 1870 a Paraguay con Argentina, Brasil y Uruguay. La guerra concluye con la derrota de Paraguay y la muerte de medio millón de sus ciudadanos, la tercera parte de la población del país.

1866 El escritor ruso Fedor M. Dostoievski publica *Crimen y castigo*, novela en la que explora el impacto psicológico de las restricciones sociales.

1866 Los hermanos ingleses Cadbury fabrican por primera vez polvo de cacao puro, para cocinar y preparar bebidas.

1866 Se inaugura el primer cable telegráfico transatlántico entre Europa y América del Norte, con una longitud de 3.700 kilómetros.

1866 El Congreso de Estados Unidos concede la ciudadanía a todos los nacidos en Estados Unidos, excepto a los indígenas.

Gregor Mendel

1866 Un grupo de ex oficiales de la vencida fuerza confederada, funda en el sur de Estados Unidos el Ku Klux Klan, una organización racista cuyo único objetivo es «devolver a los negros su natural condición de esclavos».

1867 El escritor colombiano Jorge Isaacs, uno de los mayores exponentes del Romanticismo hispanoamericano, publica la novela *María*.

1867 El químico sueco Alfred Nobel patenta la dinamita, un explosivo más seguro que la nitroglicerina pura. Por su voluntad testamentaria fueron fundados los premios anuales de física, medicina, química y literatura que llevan su nombre.

1867 Se crea la Confederación de Canadá, en la que quedan integrados los dominios británicos de América del Norte.

Fedor Dostoievski

1867 Estados Unidos compra a Rusia por 7,2 millones de dólares el territorio que más tarde se convertiría en el estado de Alaska.

1867 Francisco José I pasa a ser emperador de Austria y rey de Hungría, tras fundar el Imperio austro-húngaro, para acabar con la oposición de los húngaros.

1867 El hermano de Francisco José I, Maximiliano, instaurado como emperador de México por los franceses en 1864, es ejecutado. Juárez inicia su segundo mandato.

1868 La escritora estadounidense Louisa May Alcott publica *Mujercitas*, que se convertiría en uno de los libros más populares para niños y jóvenes.

Jorge Isaacs

1868 Los inventores estadounidenses C. Glidden y C. Latham Sholes patentan la primera máquina de escribir.

1868 El ingeniero francés G. Leclanché inventa la pila seca, de la que derivan todas las pilas de uso habitual en la actualidad.

1868 La instauración de la monarquía constitucional del emperador Mutsuhito da inicio a la era Meiji, que transformará a Japón en la primera potencia industrializada de Asia.

1868 Los generales Prim, Serrano y Topete se pronuncian en contra del gobierno de la reina Isabel II de España, quien tiene que exiliarse en Francia.

1868 El hacendado cubano Carlos Manuel de Céspedes libera a sus esclavos, con los que conforma un pequeño ejército, y le declara la guerra a España.

Louisa May Alcott

1869 El novelista ruso León Tolstói publica su obra maestra, *Guerra y paz*, que trata el tema de la invasión napoleónica de Rusia.

1869 El papa Pío IX prohíbe la interrupción deliberada del embarazo.

1869 El químico ruso Dmitri Mendeléiev publica la tabla periódica, donde expone una periodicidad de las propiedades de los elementos según la masa atómica.

1869 Se inaugura en Estados Unidos el primer ferrocarril transcontinental, que enlaza los océanos Atlántico y Pacífico entre las poblaciones de Omaha y Sacramento.

1869 El ingeniero estadounidense George Westinghouse inventa el freno neumático o de aire comprimido para los trenes, cuyo uso da seguridad al transporte masivo.

1869 Se inaugura el canal de Suez, construido por los franceses en diez años. Permitirá la comunicación artificial entre el mar Mediterráneo y el mar Rojo.

1869 En Wyoming, Estados Unidos, las mujeres logran que les sea concedido el derecho al voto.

1870 Durante el papado de Pío IX tienen lugar las sesiones del Concilio Vaticano I. Una de sus principales disposiciones fue la de la infalibilidad papal.

1870 El arqueólogo alemán Heinrich Schliemann descubre en Asia Menor los restos de la antigua ciudad de Troya a unos 6,5 kilómetros del mar Egeo.

1870 Las Cortes eligen a Amadeo de Saboya como rey de España.

1870 Francia es derrotada en la guerra contra Prusia y los estados alemanes del Sur, que había estallado por su oposición a la candidatura al trono de España de un noble prusiano. Napoleón III abdica y Francia debe ceder Alsacia y parte de Lorena.

1870 Las tropas francesas que protegían al Papa salen de Roma que entonces es proclamada capital del reino de Italia. Víctor Manuel II anexiona los Estados pontificios concluyendo así la unificación nacional. La jurisdicción papal se reduce al Vaticano.

1871 Giuseppe Verdi, el compositor de ópera más importante de Italia, estrena en El Cairo *Aida*. Otras de sus grandes obras son *La Traviata* (1853) y *Otello* (1887).

Giuseppe Verdi

1871 Publicación póstuma de las *Rimas* de Bécquer, serie de poemas breves que se refieren a experiencias convertidas en sentimientos.

1871 Con la coronación de Guillermo I de Prusia como emperador de Alemania se sella la unificación alemana. Otto von Bismarck, su jefe de gobierno, ha adelantado desde 1864 una campaña por la conquista de regiones históricas alemanas que estaban en poder de daneses, franceses y austriacos.

1871 El proletariado parisino, que se oponía a que la Asamblea Nacional estableciera una república conservadora, conforma el gobierno revolucionario de la Comuna, bajo la consigna «La tierra para el campesino, la herramienta para el obrero, el trabajo para todos». En dos meses fueron derrotados por un ejército al mando de Thiers, jefe del gobierno instalado en Versalles y quien había conseguido la paz con los alemanes. En la represión subsiguiente murieron más de 20.000 miembros de la Comuna.

José Hernández

1872 El escritor argentino José Hernández publica *El gaucho Martín Fierro* que con su continuación *La vuelta de Martín Fierro* (1879) constituyen un poema épico popular, de gran rigor métrico y rítmico, en el que el gaucho narra su vida.

1872 El pintor impresionista francés Edgar Degas realiza su conocidísimo cuadro *La sala de baile*. El año anterior había pintado *Hortense Valpinçon*, cuya tapicería recuerda la influencia que comenzaba a ejercer la cultura japonesa en el arte occidental.

1873 El poeta simbolista francés Arthur Rimbaud publica *Una temporada en el infierno*, relato alegórico sobre su relación con el poeta Verlaine.

1873 El escritor español Benito Pérez Galdós comienza a publicar *Episodios nacionales*, serie de 46 novelas en las que narra la historia de España en el siglo XIX. Destacan: *Trafalgar* (1881), *Fortunata y Jacinta* (1887) y *Nazarín* (1895).

1873 El físico británico J. C. Maxwell publica *Tratado sobre electricidad y magnetismo*, donde describe la naturaleza de los campos electromagnéticos.

1873 El rey español Amadeo I renuncia al trono, abriendo el camino a la instauración de la Primera República, que fue abolida en once meses por el golpe de Estado del general Pavía.

Arthur Rimbaud

1874 El músico alemán Richard Wagner compone la tetralogía *El anillo del nibelungo*, integrada por *El oro del Rin*, *La Valquiria*, *Sigfrido* y *El ocaso de los dioses*. En esta creación expone su concepción de la obra de arte global, que integra elementos dramáticos, visuales y musicales. Otras obras: *Tristán e Isolda* (1859) y *Parsifal* (1882).

1874 El poeta simbolista francés Paul Verlaine publica *Romanzas sin palabras*, basado en su relación con Rimbaud. En 1884 publicó su obra crítica *Los poetas malditos*.

1874 Primera exposición de los pintores impresionistas. Los impresionistas buscaron representar el mundo espontánea y directamente. Algunas de las figuras de este movimiento son Edgar Degas, Claude Monet, Camille Pissarro y Auguste Renoir.

1874 Se regula en el Reino Unido la jornada laboral máxima de 10 horas y la prohibición del trabajo de menores de nueve años.

Claude Monet

1875 El compositor francés Georges Bizet presenta su ópera *Carmen*, que significó una ruptura revolucionaria en la ópera bufa.

1875 Se funda en Nueva York la Sociedad Teosófica, una hermandad mundial que busca el conocimiento de Dios.

1875 El sistema métrico decimal es adoptado por la mayoría de los países como sistema común de pesos y medidas.

1875 Alfonso XII de la casa de Borbón asume el trono del reino español.

Carmen

1875 Bosnia-Herzegovina se rebela contra el Imperio otomano.

1876 Mark Twain publica *Las aventuras de Tom Sawyer*, obra realista y de crítica social, considerada la primera novela moderna estadounidense.

1876 El inventor estadounidense Alexander Graham Bell prueba con éxito el primer teléfono capaz de transmitir y recibir voz humana.

1876 Comienza en México el periodo histórico conocido como el Porfiriato que se extenderá hasta 1911, durante el cual el general Porfirio Díaz gobernó el país de manera dictatorial.

1877 El ingeniero alemán August Otto construye un motor de cuatro cilindros que constituye la base de casi todos los motores posteriores de combustión interna.

1877 El estadounidense Thomas Alva Edison inventa el fonógrafo, aparato mediante el que se puede grabar el sonido en un cilindro de papel de estaño.

1877 Estalla la guerra turco-rusa (hasta 1878); Rusia apoya a los cristianos eslavos de los Balcanes en el Imperio otomano, pretendiendo ganar territorios e influencia.

1878 El inventor británico J. W. Swan inventa la lámpara incandescente de filamento de carbono. El año siguiente, Edison lanzará una lámpara similar, con gran éxito comercial.

1878 Las cosechas fallidas de China causan la muerte de diez millones de personas.

1878 Bismarck convoca el Congreso de Berlín: Rumania, Serbia y Montenegro se independizan del Imperio otomano; Bulgaria se independiza parcialmente y Austria-Hungría obtiene derechos sobre Bosnia-Herzegovina. Crece la tensión en los Balcanes.

1879 El dramaturgo noruego Henrik Ibsen estrena *Casa de muñecas*. Su protagonista —y su portazo final— se convirtió en bandera del feminismo europeo.

1879 Entre este año y 1883, Bolivia, Chile y Perú se enfrentan por el control del desierto de Atacama, con abundantes depósitos de nitratos formados a partir del guano. Chile derrotó a los otros dos países e inició su actividad exportadora de fertilizantes.

1879 Con la derrota de las fuerzas zulúes en la batalla de Ulundi a manos de las tropas coloniales británicas del sur de África, finaliza la independencia de la nación zulú.

1880 El compositor alemán Johannes Brahms presenta la *Obertura del festival académico*, obra en la que combina los estilos clásico y romántico.

1880 El novelista francés Émile Zola publica *Nana*, obra sobre una prostituta que se convierte en una actriz de éxito. En ella, Zola expone su teoría naturalista, según la cual la conducta humana está determinada por el instinto y las condiciones socioeconómicas.

1881 El escritor brasileño Machado de Assis publica *Memorias póstumas de Braz Cubas*, novela en la que usa la técnica de asociación libre, fundamental en la evolución de la narrativa latinoamericana.

1881 El británico Eadweard Muybridge presenta el zoótropo, un aparato que reproduce imágenes en movimiento en una pantalla.

1881 El zar ruso Alejandro II es asesinado en San Petersburgo por un revolucionario nihilista. Le sucedió en el trono su hijo, Alejandro III.

1882 El político y escritor cubano José Martí, considerado como uno de los pioneros del modernismo, publica *Ismaelillo* y *Versos sencillos*.

1882 El pensador estadounidense Charles Peirce publica sus artículos *La fijación de la creencia* y *Cómo esclarecer nuestras ideas*, que marcan el inicio del pragmatismo.

1882 El científico alemán Robert Koch identifica el bacilo de la tuberculosis.

1883 El escritor escocés Robert Louis Stevenson publica *La isla del tesoro*, novela que presenta una reflexión moral sobre el dinero y la ambición. Otras obras: *El extraño caso del doctor Jekyll y mister Hyde* (1886), *La flecha negra* (1888) y *El señor de Ballantree* (1889).

1883 El arquitecto modernista español Antoni Gaudí comienza la construcción del templo expiatorio de la Sagrada Familia.

1883 Hace erupción la isla volcán Krakatoa, en Indonesia, provocando un maremoto que acaba con la vida de más de 37 mil personas.

1884 El filósofo alemán Friedrich Nietzsche termina la redacción de *Así habló Zaratustra*, obra en la que expone sus teorías del superhombre y el eterno retorno. Otras obras: *La gaya ciencia*, *El ocaso de los ídolos* y *La voluntad de poder*.

1884 El biólogo ruso Iliá Mechnikov explica la fagocitosis, según la cual los fagocitos, o leucocitos, destruyen bacterias y otros elementos extraños al organismo.

1884 La Academia de Medicina de París aprueba el método de vacunación propuesto por Pasteur para prevenir la rabia.

1884 Se adopta internacionalmente el meridiano de Greenwich como origen para medir la longitud y, también, como la línea base para establecer los husos horarios a nivel mundial.

1884 La Conferencia de Berlín establece la división de África entre las potencias europeas. Sólo Liberia y Etiopía conservaron la independencia.

1885 Franz Liszt compone la última de sus veinte rapsodias húngaras, piezas inspiradas en la música popular gitana.

1885 El escritor español Leopoldo Alas Clarín publica *La regenta*, primera novela española que trata el tema del adulterio de forma extensa.

1885 El arquitecto e ingeniero estadounidense W. Le Baron Jenney construye en Chicago el primer rascacielos del mundo.

1885 Bulgaria expulsa al Imperio otomano de Rumelia oriental; Bismarck recurre a Italia, Gran Bretaña y Austria-Hungría para evitar la interferencia rusa.

1885 La creación del Partido del Congreso da inicio a la lucha independentista india.

1886 La española Emilia Pardo Bazán publica *Los pasos de Ulloa*, la historia del Marqués de Ulloa que sucumbe al amor ilícito con su sirvienta.

Emilia Pardo Bazán

1886 El escritor ruso Anton Chejov publica *Cuentos de todos los colores*. Otras obras: *La gaviota* (1896), *El tío Vania* (1897) y *El jardín de los cerezos* (1903).

1886 Se instala en el puerto de Nueva York la estatua de *La Libertad iluminando al mundo*. Regalada por el pueblo francés a Estados Unidos, simboliza la unión de los dos países en la defensa de las libertades. Fue esculpida por F. A. Bertholdi y construida por Gustave Eiffel.

1886 El escultor francés Auguste Rodin termina su bronce *El pensador*.

1886 El físico alemán Heinrich Hertz prueba la existencia de ondas electromagnéticas y amplía la teoría del físico británico James Clerk Maxwell.

1886 El ingeniero alemán Karl Benz patenta el primer automóvil de gasolina.

1886 El primero de mayo tienen lugar en todo Estados Unidos huelgas obreras en las que se demanda la jornada laboral de ocho horas, ya aprobada pero no cumplida.

1886 Tras una serie de conflictos, especialmente en Cuba, el gobierno español decreta la abolición de la esclavitud.

1887 El pintor impresionista francés Auguste Renoir termina la serie *Las grandes bañistas* (iniciada en 1884), estudios de grupo de figuras desnudas.

1887 El británico John Boyd Dunlop inventa la llanta neumática inflable.

1888 El nicaragüense Rubén Darío publica *Azul*, libro inaugural del modernismo hispanoamericano, que recoge tanto relatos en prosa como poemas.

1888 El escritor uruguayo Juan Zorrilla de San Martín publica *Tabaré*, poema épico que convierte la figura del indio uruguayo en mito.

1888 El poeta francés Stéphane Mallarmé publica *Álbum de verso y prosa*. Mallarmé, que trató de hallar el absoluto en la escritura, influyó en Gide, Valéry y Claudel.

1888 El pintor francés Paul Cézanne presenta su naturaleza muerta *Melocotones y persa*, en la que usa una perspectiva plana que prefigura el cubismo.

1888 Alexander Graham Bell funda la *National Geographic Society*, de la que fue presidente entre 1896 y 1904.

1888 El inventor estadounidense George Eastman lanza al mercado la cámara fotográfica Kodak Nº 1, la primera diseñada para una película en forma de carrete.

El pensador

Estatua de La Libertad

Juan Zorrilla

1888 El ingeniero croata-estadounidense Nikola Tesla construye el primer sistema de inducción de corriente alterna que permite dosificar la electricidad.

1888 El emperador Pedro II de Brasil declara abolida la esclavitud. Brasil es el último país americano en prohibir la esclavitud.

1888 El estado de Nueva York aprueba una ley que establece la electrocución como método de ejecución.

1889 En el cuadro *Campo de trigo con cipreses*, del holandés Vincent van Gogh, uno de los pintores más influyentes de la historia del arte, se percibe claramente su característica pincelada enérgica. Otras obras: *La habitación de Arlés* (1888) y *Noche estrellada* (1889).

1889 Se inaugura en París la Torre Eiffel durante la Exposición Universal, considerada un hito de la construcción en hierro forjado. Hoy en día es símbolo de París y de toda Francia.

Vincent van Gogh

1889 El químico alemán Felix Hoffman, de los laboratorios Bayer, desarrolla un proceso para producir sintéticamente ácido acetilsalicílico (aspirina), que se convertirá en el analgésico de mayor consumo.

1890 Con *Cavalleria rusticana*, de Pietro Mascagni, comienza el verismo en la ópera, estilo que busca alejarse de los ambientes elitistas para centrarse en la vida rural.

1890 El matemático alemán Georg Cantor introduce la teoría de conjuntos. Muchos de sus colegas consideran sus ideas demasiado abstractas.

1896 Nace en Europa el *art nouveau*, estilo de las artes decorativas que se caracterizó por su tendencia a utilizar líneas curvas y ondulantes.

1890 El inventor estadounidense Hermann Hollerith desarrolla un método de codificación de datos mediante perforaciones en tarjetas, que significó un paso muy importante en el futuro desarrollo de las computadoras.

1890 El médico francés Charles Robert Richet inventa la sueroterapia.

1890 Guillermo II, que ha sucedido a Guillermo I como emperador de Alemania, destituye a Bismarck.

Torre Eiffel

1891 El escritor esteticista irlandés Oscar Wilde publica su única novela: *El retrato de Dorian Gray*, una melodramática historia de decadencia moral. Otras obras: *El príncipe feliz*, *El crimen de lord Arthur Saville* y *La importancia de llamarse Ernesto*.

1891 El antropólogo holandés E. Dubois encuentra en Java los restos de un homínido extinguido que posteriormente será clasificado como *Homo erectus*.

1892 El compositor ruso Piotr Ilich Chaikovski compone la música para el ballet *El cascanueces*. Otras obras: *El lago de los cisnes* y *La bella durmiente*.

1892 Con la publicación de *Estudio en escarlata*, el escocés Arthur Conan Doyle da vida al detective de ficción Sherlock Holmes, caracterizado por su gran capacidad analítica.

1892 Claude Monet inicia la serie de pinturas de la *Catedral de Ruán*, a la que representa en distintas horas del día o estaciones del año.

1892 El artista francés Paul Gauguin pinta *El mercado*, obra en la que retrata la vida cotidiana en Tahití y en cuya composición es clara la influencia del arte egipcio.

1892 El ingeniero alemán Rudolf Diesel presenta su motor de combustión interna.

1893 El músico checo Antonín Dvorák estrena en Nueva York la *Sinfonía del Nuevo Mundo*, en la que expresa sus impresiones de su estancia en Estados Unidos.

1893 El artista noruego Edvard Munch pinta *El grito*, obra emblemática del expresionismo, que refleja la angustia del ser humano ante el mundo que lo rodea.

1893 El ingeniero estadounidense Henry Ford, pionero de la industria automovilística, construye su primer automóvil.

1894 El escritor inglés nacido en la India Rudyard Kipling publica *El libro de la selva*, la historia de un niño criado entre animales salvajes.

1894 El poeta colombiano José Asunción Silva compone el poema «Nocturno», una de las obras que marcó el tránsito entre el Romanticismo y el modernismo hispanoamericano.

1894 El escritor decadentista Gabriele D'Annunzio publica *El triunfo de la muerte*, que refleja el Romanticismo y la extravagancia característicos de su obra.

1894 El oficial francés de origen judío Alfred Dreyfus es acusado de traición tras haberse descubierto sus supuestas actividades de espionaje en favor de los alemanes.

1894 Se constituye la Liga Panalemana para promover la expansión alemana.

1895 Los hermanos Auguste y Louis Lumière patentan la primera cámara de cine o cinematógrafo. Este mismo año proyectan su primera película: *Salida de los obreros*.

1895 El físico alemán W. C. Roentgen descubre una radiación invisible, más penetrante que la radiación ultravioleta, que llamó «rayos X» por su naturaleza desconocida.

1895 El escritor y político cubano José Martí, nombrado jefe supremo de la revolución independentista cubana, muere en una escaramuza contra el coronel realista Ximénez de Sandoval. Martí había fundado en 1892 el Partido Revolucionario.

1895 Finaliza la guerra chino-japonesa con la derrota de China, que debe ceder Taiwán, la península de Liaodong y el archipiélago Pescadores a Japón.

1895 Etiopía derrota a las fuerzas italianas, que venían ocupando progresivamente el territorio desde mediados de siglo. Italia es obligada a replegar su avance.

1896 El compositor italiano Giacomo Puccini presenta *La Bohème*, que aunque no fue bien recibida, algunas de sus arias se encuentran entre las más populares del género operístico. Otras obras: *Tosca* (1900) y *Madame Butterfly* (1904).

1896 El físico francés Henri Becquerel descubre la radiactividad al observar que las sales de uranio ennegrecían una placa fotográfica aunque estuviera separada.

1896 Se celebran los primeros Juegos Olímpicos modernos en Atenas. Desde entonces se organizan sucesivamente en un país distinto. Sus raíces se hallan en las antiguas competiciones griegas que se hacían en la ciudad de Olimpia en honor de Zeus.

1896 El político indio Mahatma Gandhi comienza a propagar la idea de la resistencia pasiva como medida para luchar por las libertades civiles en Suráfrica.

1896 Los militares franceses ocultan pruebas que revelan la inocencia de Dreyfus.

1896 El archiduque Francisco Fernando se convierte en heredero del trono austrohúngaro; sus ideas federalistas lo oponen a los nacionalistas serbios.

1897 El escritor irlandés William B. Yeats, Nobel de Literatura 1923, publica *La rosa secreta*, conjunto de narraciones basadas en leyendas irlandesas.

1898 El novelista Émile Zola publica en la prensa la carta «Yo acuso», que convirtió el caso Dreyfus en un tema de interés mundial.

1898 Los esposos Marie y Pierre Curie descubren los elementos químicos radio y polonio. Marie desarrolla el concepto de la radiactividad para describir los elementos que emiten radiaciones cuando sus núcleos se descomponen.

1898 La entrada de Estados Unidos en la guerra independentista cubana, aunque determina la terminación del dominio español, no conduce a la independencia de Cuba, que queda bajo administración estadounidense hasta 1902. Este mismo año, Puerto Rico cae en poder estadounidense, con lo que España pierde sus últimas colonias en América.

1898 Filipinas queda sometida al dominio estadounidense tras el pago de 20 millones de dólares a España.

1899 Henri de Toulouse-Lautrec pinta su obra *En una habitación en el Rat-Mort*. Este artista francés centró sus temáticas en la vida nocturna de París.

1899 Se funda la empresa agroindustrial *United Fruit Company*, que se convertirá en la mayor fuerza económica de Centroamérica y el Caribe.

1899 Un nuevo juicio a Dreyfus reduce a diez años de prisión la condena inicial a cadena perpetua. Este mismo año el nuevo gobierno otorga el perdón a Dreyfus.

1899 Estalla en Colombia la Guerra de los Mil Días, que enfrenta a conservadores y liberales. El conflicto termina en 1903 con la derrota de los liberales.

1900 El uruguayo José Enrique Rodó publica *Ariel*, ensayo en el que presenta a Estados Unidos como un imperio en donde el utilitarismo ha relegado los valores espirituales.

1900 La publicación de *La interpretación de los sueños*, del neurólogo austriaco Sigmund Freud, marca el nacimiento del psicoanálisis.

1900 El cirujano y bacteriólogo estadounidense Walter Reed demuestra que el germen de la fiebre amarilla se transmite por la picadura de mosquitos.

1900 El físico alemán Max Planck expone su teoría cuántica al postular que la materia sólo puede emitir o absorber energía en pequeñas unidades llamadas cuantos.

1900 El inventor alemán conde de Zeppelin construye el primer dirigible rígido, que transporta cinco personas y alcanza 396 metros de altura.

1900 La rebelión contra los extranjeros por parte de la sociedad secreta bóxer fue sofocada por una fuerza aliada occidental y el ejército imperial. La rebelión quiso enfrentar la influencia comercial, política, religiosa y tecnológica foránea en China.

1900 Muere la reina Victoria de Inglaterra después de casi 64 años en el trono.

Siglo XX Nace el jazz en Estados Unidos; se convertirá en la expresión musical emblemática del siglo XX, al extender su influencia estética por todos los continentes.

Siglo XX A finales de la primera década surge la pintura abstracta, considerada una de las manifestaciones más significativas del siglo XX. Su principal característica es la de sustituir la representación, más o menos realista, por un lenguaje visual autónomo.

Siglo XX El psicoanálisis, método para investigar los procesos mentales inconscientes, desarrollado por S. Freud y C. Jung, y que abarca la moral, la política, el arte y el destino del hombre, se constituye como la explicación del mundo en el nuevo siglo.

1901 Los escritores Pío Baroja, R. de Maeztu y Azorín firman *El Manifiesto de los Tres*, primer testimonio de la Generación del 98, a la que también pertenecen Miguel Unamuno, Valle-Inclán, Benavente, Manuel y Antonio Machado, entre otros.

1901 El artista español Pablo Picasso pinta *Habitación azul*, obra que refleja la influencia de Degas y Toulouse-Lautrec.

1901 El escritor indio Rabindranath Tagore, Nobel de Literatura 1913, funda la escuela Santiniketan para la enseñanza de una mezcla de filosofías orientales y occidentales.

1901 Según lo estableció Alfred Nobel en su testamento, se entregan los primeros premios que llevan su nombre. En adelante, cada año, se concederán en las categorías de literatura, física, química y medicina.

1901 El inmunólogo austriaco Karl Landsteiner termina sus investigaciones que lo llevan a establecer la actual clasificación de los grupos sanguíneos: A, B, O y AB.

1901 El italiano Guglielmo Marconi, inventor en 1895 del primer sistema de radiocomunicación, realiza una transmisión trasatlántica entre Gran Bretaña y Canadá.

1901 El ingeniero estadounidense Alva Fischer inventa la lavadora eléctrica.

1901 Estados Unidos crea la base naval de Guantánamo, en el oriente de la isla de Cuba.

1902 El escritor anglo-polaco Joseph Conrad publica *El corazón de las tinieblas*. Otras obras: *Lord Jim* (1900), *Nostromo* (1904) y *La línea de la sombra* (1915).

1902 En *Filosofía del espíritu,* el pensador italiano Benedetto Croce expone su teoría del conocimiento, que otorga un papel más relevante al arte y a la estética que a la ciencia.

1902 Termina con la victoria británica la guerra que enfrentó a británicos y bóers (colonos de ascendencia holandesa) en África del Sur por la posesión de las minas de oro. Las dos repúblicas independientes que los bóers habían fundado dejan de existir.

1902 Se funda el Sinn Fein («Nosotros Solos»), partido nacionalista irlandés que aboga por la unión de toda Irlanda.

1903 El británico-estadounidense Henry James publica *Los embajadores*, novela caracterizada por la detallada descripción de la vida interior de sus personajes. Otras obras: *Daisy Miller* (1879) y *Otra vuelta de tuerca* (1898).

1903 El novelista estadounidense Jack London publica el libro de aventuras *La llamada de lo salvaje*. Otras obras: *El lobo de mar* (1904) y *Martin Eden* (1909).

Toulouse-Lautrec

Sigmund Freud

Walter Reed

Valle-Inclán

Alfred Nobel

Jack London

1903 El intelectual francés André Gide funda la *Nouvelle Revue Française*, una de las revistas culturales más importantes de las primeras décadas del siglo.

1903 Los esposos Curie reciben el Premio Nobel de Física por sus investigaciones sobre la radioactividad.

1903 Tras varios intentos, los estadounidenses hermanos Wright logran volar con un biplano propulsado a motor. El vuelo, de corta duración, marcó el inicio de la aviación.

1903 Emmeline Pankhurst funda la Unión Social y Política de Mujeres, organización que busca el voto para las mujeres en Gran Bretaña. Sus tácticas incluyeron el boicoteo, las bombas, la rotura de ventanas y el acoso de los legisladores antisufragistas.

Hermanos Wright

1903 Panamá, con el apoyo del gobierno estadounidense, proclama su separación de Colombia, aprovechando que esta nación se niega a ratificar un tratado con Estados Unidos referente a la construcción de un canal en el istmo.

1903 Las fuerzas gubernamentales sofocan la rebelión que desde 1901 enfrentaba el dictador venezolano Cipriano Castro. Murieron cerca de 40.000 personas.

1904 El dramaturgo irlandés G. B. Shaw estrena *La otra isla de John Bull*. Otras obras: *La profesión de la señora Warren* (1893), *Pigmalión* (1914) y *Ginebra* (1938).

1904 El ingeniero inglés John Fleming desarrolla el diodo de tubo de vacío, un dispositivo electrónico que convierte la corriente eléctrica alterna en corriente continua.

1904 Tras la firma de un tratado por el cual Panamá concedía a Estados Unidos la zona del canal, se inician las excavaciones para la construcción del canal, aprovechando para ello las obras realizadas por los franceses en la década anterior. Colombia recibirá en 1921 una indemnización de 25 millones de dólares.

Emmeline Pankhurst

1904 Los japoneses atacan la ciudad de Port Arthur, al oeste de Corea, que se encontraba bajo control ruso. Esto desató la guerra ruso-japonesa.

1905 El compositor francés Claude Debussy compone la sinfonía *El mar*. Debussy fue uno de los primeros en implementar la escala de tonos enteros en lugar de la tradicional. Otras obras: *Preludio a la siesta de un fauno* y *La catedral sumergida*.

1905 El escritor checo en lengua alemana Rainer M. Rilke publica *El libro de las horas*, texto innovador por sus imágenes simbólicas y sus reflexiones espirituales. Otras obras: *Historias del buen Dios* (1900), *Elegías de Duino* (1923) y *Sonetos a Orfeo* (1923).

1905 El artista francés Paul Signac pinta *Vista del puerto de Marsella*, obra maestra de la técnica divisionista: pequeños cuadrados de color que crean un efecto de mosaico.

Claude Debussy

1905 La exposición del Salón de Otoño en París da origen al fauvismo, movimiento que revoluciona el concepto de color con sus pinturas de tonos intensos. Algunos de sus integrantes: A. Derain, M. de Vlaminck, R. Dufy, y H. Matisse.

1905 En *La ética protestante* y *El espíritu del capitalismo,* el pensador alemán Max Weber expone que los valores religiosos influyen en los sistemas económicos.

1905 Con su teoría especial de la relatividad el físico alemán A. Einstein explica que la percepción del espacio y el tiempo depende del estado de movimiento del observador.

Einstein

1905 Inauguración del Ferrocarril Transiberiano, desde Moscú hasta el puerto pacífico de Vladivostok (9.300 kilómetros). En 1914 se concluyó de manera definitiva.

1905 Noruega se independiza de Suecia tras noventa y un años de unión.

1905 Tras la violenta represión de la guardia imperial rusa contra una multitud de manifestantes, se desata durante todo el año una serie de huelgas y levantamientos que ha pasado a denominarse la «Revolución de 1905». Un año después, Nicolás II forma un cuerpo parlamentario, la Duma, con poderes legislativos y consultivos.

1905 Poco después del estallido de la Revolución, termina la guerra ruso-japonesa. Japón obtiene el usufructo de Porth Arthur y el protectorado sobre Corea.

1906 El escritor ruso Maxim Gorki, activo defensor de la clase obrera rusa, escribe *La madre*, considerada la primera obra literaria del realismo socialista.

1906 El estadounidense Lee Forest inventa el triodo, un tubo de vacío que se vuelve pieza fundamental de radios, radares y televisiones hasta el invento del transistor.

Las señoritas de Avignon

1906 El químico belga-estadounidense Leo Baekeland inventa la baquelita, el primer plástico industrial.

1906 Un terremoto sacude la ciudad de San Francisco, Estados Unidos, produciendo, además, un gran incendio que deja a más de 50.000 familias sin vivienda.

1906 La justicia francesa concede a A. Dreyfus un definitivo veredicto de inocencia.

1907 El dramaturgo español Jacinto Benavente, Nobel de Literatura 1922, presenta *Los intereses creados*, obra con la que introduce la estética realista en el teatro español.

María Montessori

1907 Los cómics triunfan en los periódicos estadounidenses. Las viñetas narrativas se convirtieron en una institución dominical que pronto saltarían a las ediciones diarias.

1907 Con el cuadro de Picasso *Las señoritas de Avignon*, donde descarta la perspectiva y estructura la figura mediante líneas y planos cortantes, comienza el cubismo.

1907 La pedagoga italiana Maria Montessori presenta un método que, básicamente, defiende el desarrollo de la iniciativa infantil.

1907 En *La evolución creadora,* el filósofo francés H. Bergson, Nobel de Literatura 1927, expone que el órgano de conocimiento es la intuición y que la objetividad falsea la realidad.

1907 El biólogo estadounidense Ross Granville descubre que los tejidos vivos pueden crecer fuera de su órgano, es decir, pueden cultivarse.

1907 Este año llegan a Estados Unidos 1,2 millones de inmigrantes.

1907 Gran Bretaña, Francia y Rusia establecen una alianza (*Triple Entente*) para enfrentar la Triple Alianza de los Imperios alemán y austro-húngaro e Italia. La tensión creciente entre estos bandos provocará el estallido de la Primera Guerra Mundial.

1908 El compositor francés Maurice Ravel presenta la suite *Gaspar de la noche,* una de las obras pianísticas más complejas y técnicamente difíciles.

1908 En *La mesa roja,* el pintor francés H. Matisse transforma lo que ve en un esquema decorativo, característica fundamental de su estilo, que será de enorme trascendencia en la pintura y el diseño del siglo XX.

1908 El rumano Constantin Brancusi esculpe su pequeña pieza *El Beso,* que evidencia la fuerte influencia del primitivismo en la escultura de la época.

1908 William Hoover diseña la primera aspiradora eléctrica.

1908 Un terremoto asuela el estrecho de Messina, en Italia, y deja 100.000 muertos.

1908 Tras la muerte de Ci Xi, emperatriz viuda, Pu Yi, de dos años, se convierte en el nuevo y último emperador de China.

1908 El vicepresidente de Venezuela, Juan Vicente Gómez, da un golpe de Estado que lo convierte en dueño del gobierno. Hasta su muerte en 1935, Gómez gobernó dictatorialmente a Venezuela, aunque no siempre de manera directa.

1908 Los Jóvenes Turcos, grupo revolucionario de carácter liberal que contaba con apoyo del Ejército, derrocan el gobierno del sultán Abdülhamit II, reinstaura la Constitución y el Parlamento, y organiza los partidos políticos.

1909 Sergei Diáguilev funda en París la compañía «Ballets Rusos», que inicia la era del ballet moderno. Contó con los famosísimos Anna Pavlova y Vaslav Nijinsky.

1909 El poeta italiano Filippo Tomaso Marinetti publica la «Fundación y manifiesto del futurismo», artículo que impulsó este movimiento artístico.

1909 El bacteriólogo alemán Paul Ehrlich desarrolla la quimioterapia al usar una preparación de arsénico orgánico para tratar la sífilis.

1909 El explorador estadounidense Robert Peary es el primero en llegar al Polo Norte.

1910 El compositor austriaco Gustav Mahler inicia su décima sinfonía, inconclusa, en la que se aprecia que abandona su anterior tono trágico para adentrarse en el estructuralismo y anunciar la nueva música del siglo XX.

1910 El artista francés Georges Braque presenta su obra *Violín y jarro* que, junto con *Las señoritas de Avignón* de Picasso, es considerada el punto de partida del cubismo.

1910 El artista ruso nacionalizado alemán y luego francés, Wasili Kandinsky pinta la primera obra abstracta: *Acuarela abstracta.*

1910 En el marco de un congreso internacional de mujeres en Copenhague, se aprueba la resolución por la que el 8 de marzo se celebraría el Día Internacional de la Mujer.

1910 El cometa Halley reaparece después de su periplo espacial de 76 años.

1910 Las autoridades británicas garantizan el autogobierno, ejercido por la minoría blanca, a sus colonias del sur de África, que se convierten en la Unión Surafricana.

1910 Estalla la Revolución Mexicana, liderada por Francisco Madero, en contra de la de Porfirio Díaz, quien gobierna dictatorialmente el país desde 1876, en detrimento de las clases medias y campesinas. En el Norte fue dirigida por Pascual Orozco y Francisco Villa, y en el Sur por Emiliano Zapata.

1911 EL escritor inglés G. K. Chesterton publica *El candor del padre Brown,* primer volumen de la serie de aventuras detectivescas del afable padre Brown.

1911 Ernest Rutherford, físico británico nacido en Nueva Zelanda, postula que la masa del átomo está concentrada en su núcleo, con carga positiva, y que en torno a él orbitan los electrones, con carga negativa.

1911 Se forma la asociación de artistas expresionistas *El jinete azul.* Sus principales miembros fueron Kandinsky, Marc, Macke y Klee. Tomaron el nombre del cuadro de Kandinsky *El jinete azul* (1903).

1911 El artista alemán Franz Marc, de *El jinete azul* pinta sus obras *El zorro* y *Caballos azules,* que demuestran el papel protagónico del mundo animal en su obra.

1911 El explorador noruego Roald Amundsen es el primero en llegar al Polo Sur.

1911 Tras derrocar a Porfirio Díaz, Francisco Madero es nombrado presidente de México. No satisfizo plenamente, propósitos de la Revolución, como la reforma agraria o la nacionalización del ferrocarril, por lo que los revolucionarios continuaron la lucha rural.

1911 La Dinastía Manchú es depuesta por el movimiento nacionalista chino Kuomintang de Sun Yat Sen, quien proclama la república y es elegido presidente.

1911 Italia declara la guerra al Imperio otomano e invade sus principales centros en Libia (Tripolitania y Cirenaica).

Ross Granville

Maurice Ravel

Paul Ehrlich

Robert Peary

G. Chesterton

Roald Amundsen

1912 El músico austriaco Arnold Schönberg, creador de la escala atonal dodecafónica, compone *Pierrot Lunaire*.

1912 El poeta español Antonio Machado publica *Campos de Castilla*, una exploración íntima sobre el amor perdido y su paisaje natal.

1912 Se publica *De lo espiritual en el arte*, de Kandinsky, donde reflexiona sobre la poética de la pintura.

1912 El psicoanalista C. G. Jung comienza a desarrollar su idea del inconsciente colectivo, según la cual en los individuos subsisten experiencias arcaicas que se manifiestan en elementos culturales como la religión y los mitos.

1912 El descubrimiento del astrónomo estadounidense V. M. Slipher de que las líneas espectrales de las galaxias se desplazan hacia la zona espectral roja, permite inferir que las galaxias se alejan unas de otras y que, por tanto, el Universo se expande.

1912 El alemán A. Wegener propone la teoría de la deriva continental, que afirma que los continentes conformaban un único supercontinente que se escindió en grandes fragmentos que fueron alejándose unos de otros.

1912 El trasatlántico *Titanic*, una de las maravillas del desarrollo tecnológico naval, se hunde en su primer viaje al chocar con un iceberg; mueren 1.513 de los 2.224 pasajeros.

1912 Para defender los derechos civiles de los negros, y en respuesta al régimen segregacionista de la Unión de Suráfrica, se funda el Congreso Nacional Africano.

Arnold Schönberg

1912 al **1913** Serbia, Bulgaria, Grecia, Rumania y Montenegro enfrentan al Imperio otomano por el dominio de la península de los Balcanes. Tras su victoria, los aliados se disputan entre ellos los nuevos dominios. Serbia duplica su territorio y declara que su próximo objetivo es Bosnia-Herzegovina, dominada por Austria.

1912 Estados Unidos envía a sus *marines* a Honduras, Nicaragua y Cuba.

1913 Se estrena el ballet *La consagración de la primavera*, del compositor ruso Igor Stravinski, en la que, musicalmente, se destaca su violencia rítmica.

1913 El filósofo alemán Edmund Husserl publica el texto fundacional de la fenomenología, *Ideas relativas a una fenomenología pura*, doctrina que describe las estructuras de la experiencia tal y como se presentan en la conciencia.

1913 El industrial estadounidense Henry Ford impulsa la producción en cadena de montaje y en serie, sistema que pasará a otros frentes fabriles.

1913 La sufragista británica Emily Davison hace pública su causa arrojándose a los pies de los caballos que disputaban el derby de Epsom Downs, para morir aplastada.

Antonio Machado

1914 El estadounidense E. R. Burroughs publica *Tarzán de los monos*, primera de sus novelas que giran en torno al héroe de origen noble que lidera una tribu de monos.

1914 Finaliza la construcción del Canal de Panamá, que une los océanos Atlántico y Pacífico mediante una vía fluvial artificial de más o menos 80 kilómetros.

1914 Tras el asesinato del archiduque Francisco Fernando, heredero del trono austrohúngaro, por un nacionalista serbio, estalla la Primera Guerra Mundial o Gran Guerra. Lo que comienza como un enfrentamiento del Imperio austro-húngaro y Serbia, se transforma pronto en un conflicto mundial. Gran Bretaña, Francia, Rusia, Italia y Estados Unidos liderarán el grupo de veintiocho naciones «aliadas» que enfrentan a los llamados Imperios Centrales (Alemania, Austria-Hungría, el Imperio otomano y Bulgaria).

1914 El aventurero británico Thomas Edward Lawrence (Lawrence de Arabia) se une a la insurrección árabe contra el dominio turco, unificando y encabezando sus ejércitos. En *Los siete pilares de la sabiduría*, Lawrence narra su vida en el desierto.

El Titanic

1915 El escritor británico William Somerset Maugham publica *La servidumbre humana*, obra que lo convierte en figura de talla internacional.

1915 El escritor checo Franz Kafka publica *La metamorfosis*, donde cuenta la historia de un joven que despierta un día convertido en un insecto.

1915 La nueva tecnología armamentística recrudece los horrores de la guerra: bombas aéreas, sistemas de detección y destrucción, gases venenosos, etc.

1915 El Imperio otomano inicia una matanza sistemática de sus súbditos armenios. Está considerada como uno de los grandes genocidios de la Historia.

1916 El poeta chileno Vicente Huidobro presenta el creacionismo, un movimiento estético basado en la idea de que un poema debe crearse como se crea un árbol.

1916 El pintor italiano Giorgio de Chirico, quien califica su propia obra como «pintura metafísica», realiza su lienzo *La melancolía de la partida*.

Tarzán

1916 Con la idea de expresar el rechazo a los valores sociales y estéticos del momento, el poeta rumano Tristan Tzara y el artista francés Jean Arp fundan el dadaísmo.

1916 Albert Einstein formula la teoría general de la relatividad, fundamento para la demostración de la unidad esencial de la materia y la energía, el espacio y el tiempo.

1916 Tiene lugar en Dublín el denominado Levantamiento de Pascua. Aunque fracasa, las ejecuciones posteriores impactan profundamente a la opinión pública. El Sinn Fein consigue miles de nuevos partidarios.

1916 Durante casi todo el año, tropas alemanas y francesas se enfrentan en las proximidades de Verdún, Francia, en uno de los más cruentos combates de la Gran Guerra: murieron 350.000 soldados franceses y 330.000 alemanes.

Franz Kafka

Vicente Huidobro

1917 El cantante argentino nacido en Francia Carlos Gardel, figura cimera del tango, graba su primer disco.

1917 El escritor francés Guillaume Apollinaire publica el drama *Las tetas de Tiresias*, con el que introduce el surrealismo en el mundo literario.

1917 El poeta francés Paul Valéry publica el poemario *La joven parca*, obra que explica el mundo como una combinación de las fuerzas de la vida y las esencias absolutas.

1917 El literato español Juan Ramón Jiménez, Nobel de Literatura 1956, publica *Platero y yo*, obra que muestra la gran sencillez y belleza de su lírica.

1917 El artista francés Marcel Duchamp firma su urinario, titulado *La fuente*, y lo expone en Nueva York; con esto produce el golpe más visible del arte conceptual.

1917 Gran Bretaña propone la creación de una nación judía en Palestina.

1917 Triunfa la insurrección armada organizada por los bolcheviques en contra del gobierno reformista instaurado tras la abdicación del zar. La Revolución Rusa, que demuestra que el marxismo puede tomarse el poder, introduce cambios radicales en las relaciones económicas, políticas y sociales de la sociedad rusa y convierte a los bolcheviques en ejemplo para los revolucionarios de todo el mundo. Lenin fue elegido jefe de un gobierno en el que también figuraron León Trotski y José Stalin.

1917 El frente aliado de los rusos que combate en la Primera Guerra Mundial a los Imperios Centrales se desploma a causa del triunfo de la Revolución Rusa.

1917 Estados Unidos entra a la guerra del lado de los aliados; su participación representó un vuelco en la marcha de la guerra, propiciando la victoria aliada.

1918 El Parlamento británico concede el derecho al voto a las mujeres cabeza de familia y las graduadas universitarias. A partir de ese momento, la mayoría de las naciones que no lo habían concedido, promulgan leyes relativas al sufragio femenino.

1918 El 11 de noviembre termina la Gran Guerra con la firma de la paz entre las victoriosas potencias aliadas y Alemania. Este armisticio fue precedido por los de Bulgaria, Turquía y Austria-Hungría. Esta guerra causó la muerte de alrededor de diez millones de personas.

1918 Alemania adopta un régimen republicano llamado la República de Weimar, tras su fracaso bélico y después de la disolución del Segundo Imperio alemán.

1918 El ejército rojo bolchevique ejecuta al zar Nicolás Romanov junto con su familia.

1918 Una epidemia de gripe azota todos los rincones del mundo. Causa alrededor de veinte millones de muertos.

1919 El escritor indigenista boliviano Alcides Arguedas publica *Raza de bronce*, donde denuncia las míseras condiciones de vida de los campesinos indígenas de su país.

1919 Se abre la escuela de arte Bauhaus en Weimar, Alemania, bajo la dirección del arquitecto Walter Gropius. Kandinsky y Klee se contaban en el repertorio de sus destacados maestros.

1919 A mediados de este año, los pilotos británicos John Alcock y Arthur Brown realizan el primer vuelo transatlántico sin escalas, entre Terranova e Irlanda.

1919 Se funda el IRA (*Irish Republican Army*), organización militar ilegal, para luchar contra el dominio británico en Irlanda del Norte. Su táctica de asesinar oficiales de policía conduce al surgimiento de fuerzas paramilitares.

1919 Se firma el tratado de Versalles que obliga a Alemania a desmilitarizarse y pagar una indemnización a las victoriosas potencias aliadas. Alemania debe ceder, además, miles de kilómetros cuadrados de su territorio y todo su imperio colonial.

1919 Se promulga en Weimar la nueva Constitución, según la cual Alemania se convierte en una república federal democrática.

1919 El político italiano Benito Mussolini funda el movimiento fascista, cuyo objeto principal es la contención de las organizaciones obreras comunistas.

1920 La escritora británica Agatha Christie presenta el famoso detective privado Hercule Poirot, en su primera novela *El misterioso caso de Styles*.

1920 Surge el muralismo mexicano, movimiento que se centra en la creación de obras monumentales que expresan la realidad local y las luchas sociales de los mexicanos. Sus principales representantes fueron Clemente Orozco, Diego Rivera y David Alfaro Siqueiros.

1920 Las sufragistas británicas consiguen que el derecho al voto les sea otorgado a las mujeres mayores de 21 años.

1920 Entra en vigor la Ley Seca promulgada por el Senado de Estados Unidos, que prohíbe el consumo de bebidas alcohólicas. Posibilitó el surgimiento de poderosas bandas criminales y fue abolida en 1933.

1920 Con el fin de mantener la concordia internacional, se funda en Suiza la Sociedad de Naciones. Su principal impulsor fue el presidente de Estados Unidos T. W. Wilson, pero, paradójicamente, el Congreso estadounidense rechaza el ingreso de esta nación a la misma.

Carlos Gardel

Juan Ramón Jiménez

Fuente de Duchamp

La Bauhaus

Agatha Christie

Diego Rivera

1920 Según el tratado de Sèvres, el Imperio otomano debe ceder casi todas sus posesiones europeas. En Turquía comienza el proceso revolucionario acaudillado por Mustafá Kemal, ex oficial del ejército, quien establece un gobierno paralelo.

1920 Los polacos rechazan una ofensiva del ejército soviético, que le significa a los primeros la ampliación de sus territorios hacia el Este en unos cien kilómetros.

1920 El presidente de México Venustiano Carranza es derrocado por el revolucionario Álvaro Obregón, quien pone en marcha la Constitución promulgada en 1917, dando inicio a la reforma agraria con la expropiación de latifundios. Su llegada al poder marca el fin y la institucionalización de la Revolución, aunque las revueltas continuaron hasta mediados de la década de 1930.

1921 El filósofo austriaco, L. Wittgenstein, expone en *Tractatus logico-philosophicus* que la filosofía debe pretender la clarificación lógica de las ideas.

1921 Los fisiólogos canadienses Frederick Banting y Charles Best y el británico J. J. Rickard Macleod descubren la insulina, cuya insuficiencia produce la diabetes.

1921 Con el apoyo y la orientación de la Unión Soviética y de la Internacional Comunista, se funda en Shanghai el Partido Comunista chino; entre sus fundadores está Mao Zedong (Mao Tsé-tung), el futuro artífice de la Revolución China. Su discurso, de carácter social y patriota, lo llevó a ganar la simpatía del campesinado, que se convirtió en su base de apoyo más importante.

1922 El escritor suizo de origen alemán Hermann Hesse, Nobel de Literatura 1946, publica *Siddartha*, fruto de un viaje a la India, obra en la que refleja su interés por el misticismo oriental.

1922 El poeta peruano César Vallejo publica *Trilce*, obra en la que incorpora recursos y figuras propias de las vanguardias.

1922 El novelista irlandés James Joyce publica *Ulises*, una de las obras maestras del siglo XX, en la que la narración se sincroniza con el libre fluir del pensamiento.

1922 Aparece *La tierra baldía*, del poeta inglés T. S. Eliot, libro de 433 versos en los que, fundamentalmente, expone la esterilidad de la vida contemporánea.

1922 Mussolini, junto con 35.000 seguidores, marcha sobre Roma. Por encargo del rey Víctor Manuel, asume la jefatura del gobierno e impone el régimen fascista.

1922 Inglaterra reconoce el Estado libre de Irlanda, que aglutina a los condados católicos del Sur. El Norte protestante, el Ulster, sigue formando parte del Reino Unido.

1923 Empieza a circular en Estados Unidos la revista *Time*.

1923 El pensador español José Ortega y Gasset funda la *Revista de Occidente*, medio de divulgación de la modernidad española, americana y europea.

1923 Picasso pinta *Arlequín con espejo*, obra de su llamado periodo clásico.

1923 El ingeniero ruso-estadounidense V. K. Zworykin desarrolla el primer sistema de televisión electrónica.

1923 El dirigente nacionalsocialista Adolf Hitler lidera un alzamiento derechista en Múnich, que busca la disolución del gobierno bávaro. Es arrestado y condenado a ocho meses de prisión, tiempo durante el cual escribe la primera parte de *Mi lucha*, obra en la que expone su propuesta ideológica y política, que se apoya en la teoría de la superioridad de la raza aria.

1923 El gobierno fascista de Benito Mussolini completa la ocupación de Libia.

1923 La Asamblea Nacional turca proclama la República. El presidente Mustafá Kemal introduce el laicismo, decretando la abolición de los tribunales religiosos y de la poligamia, la concesión del voto femenino, la introducción del alfabeto latino, etc.

1924 El novelista alemán Thomas Mann publica *La montaña mágica*, transposición novelada de los debates políticos y filosóficos de su tiempo. Otras obras: *Los Buddenbrook* (1901), *La muerte en Venecia* (1912) y *Doctor Faustus* (1947).

1924 Aparece *La vorágine*, novela del colombiano José Eustasio Rivera, que describe el enfrentamiento del hombre con la violencia del medio selvático.

1924 El novelista inglés E. M. Forster publica *Pasaje a la India*, obra en la que explora las barreras culturales que impiden la comunicación entre las personas.

1924 El poeta francés A. Breton publica el *Manifiesto surrealista*, en el que llama a la protesta nihilista, subrayando el papel del inconsciente en la actividad creadora.

1924 Se celebra en Francia la primera edición de los Juegos Olímpicos de Invierno.

1924 Tras la muerte de V. Lenin, José Stalin, secretario general del Partido Comunista, se convierte en jefe del Estado de la Unión Soviética.

1924 En Italia, los fascistas obtienen cinco de los siete millones de votos en unas elecciones evidentemente irregulares.

1925 El escritor francés A. Gide publica *Los monederos falsos*. Este autor trata los temas de la incesante búsqueda de la verdad y la preocupación por la cuestión social. Otros títulos: *El inmoralista* (1902) y *La sinfonía pastoral* (1919).

1925 El novelista estadounidense F. S. Fitzgerald publica *El gran Gatsby*, una fábula en la que critica duramente a su generación, obsesionada con el éxito.

1925 Como reacción al *art nouveau* surge en Europa el *art déco*, estilo decorativo caracterizado por el uso de líneas definidas, contornos nítidos y formas simétricas.

Mustafá Kemal

César Vallejo

James Joyce

T. S. Eliot

José Ortega y Gasset

F. S. Fitzgerald

1925 Sube al trono persa el general de la brigada cosaca Kan Reza Sha Pahlevi.

1925 Tras la muerte de Sun Yat, estalla la guerra civil en China, que enfrenta a la alianza del grupo mayoritario del Kuomintang, liderado por Chiang Kaishek, y del Partido Comunista de Mao Zedong contra los señores feudales.

1926 El escritor modernista español Ramón del Valle-Inclán, publica *Tirano Banderas*, en la que devela el mundo de los caudillos americanos.

1926 El término «Generación Perdida» aparece en el prólogo de *Fiesta*, del estadounidense E. Hemingway, para referirse al paisaje moral que había dejado entre sus coterráneos la Primera Guerra Mundial.

1926 La Convención Internacional sobre la Esclavitud de la Sociedad de Naciones, celebrada en Ginebra, decreta la abolición total de cualquier forma de esclavitud.

1926 Augusto César Sandino inicia la guerrilla en contra de la ocupación de Nicaragua por parte de los *marines* estadounidenses desde 1912; abandonarán el territorio en 1933.

Hemingway
Generación del 27

1927 Termina la publicación de los siete volúmenes de la obra del escritor francés Marcel Proust *En busca del tiempo perdido*, una de las cumbres de la literatura universal: *Por el camino de Swann* (1913), *A la sombra de las muchachas en flor* (1919), *El mundo de Guermantes* (1920), *Sodoma y Gomorra* (1921), *La prisionera* (1923) y los títulos póstumos, *La fugitiva* (1925) y *El tiempo recobrado* (1927).

1927 Nacimiento del grupo de autores españoles conocido como la «Generación del 27», durante la conmemoración del tricentenario de la muerte del poeta Luis de Góngora. Algunos miembros son: Federico García Lorca, Jorge Guillén, Luis Cernuda, Dámaso Alonso, Gerardo Diego, Vicente Aleixandre, y Pedro Salinas.

1927 El pintor Diego Rivera, uno de los fundadores del muralismo mexicano, presenta su mural *Tierra fecunda*, considerada su obra maestra, donde representa el desarrollo biológico del hombre y su conquista de la naturaleza.

1927 Son ejecutados en Estados Unidos los anarquistas Nicola Saco y Bartolomeo Vanzetti, acusados, sin pruebas, de delito común. Su caso conmovió el movimiento obrero internacional, que presionó por un perdón que no se logró.

1927 La alianza entre los comunistas chinos y los nacionalistas del Kuomintang se rompe.

Virginia Woolf

1928 El compositor francés Maurice Ravel presenta su famoso *Bolero*.

1928 El escritor inglés David Herbert Lawrence publica *El amante de Lady Chaterley*, punto culminante de su obra, que se caracterizó por la audacia con la que trató el amor físico.

1928 La inglesa Virginia Woolf publica *Orlando*, una fantasía histórica en la que hace un análisis de la identidad. Otras obras: *La señora Dalloway* (1925) y *Las olas* (1931).

1928 El religioso español Josemaría Escrivá de Balaguer funda el Opus Dei.

1928 El bacteriólogo inglés Alexander Fleming, Nobel de Medicina 1945, descubre la acción antibacteriana del moho *Penicillium notatum*, del que sintetizó la penicilina, el primer antibiótico.

1928 El bioquímico húngaro-estadounidense A. Szent-Györgyi, Nobel de Medicina 1937, logra el aislamiento del ácido ascórbico o vitamina C, a partir del pimentón.

1928 Perú y Chile firman un acuerdo que pone fin a la disputa (desde 1883) por la soberanía sobre las provincias Tacna, que pasa a Perú, y Arica, que sigue siendo chilena.

William Faulkner

1929 El escritor estadounidense William Faulkner, Nobel de Literatura 1949, publica *El ruido y la furia*, novela en la que describe la impotencia del ser humano ante sus pasiones. Otras obras: *Mientras agonizo* (1930) y *Santuario* (1931).

1929 El multifacético artista francés Jean Cocteau publica su novela *La terrible infancia*.

1929 Se funda el Museo de Arte Moderno de Nueva York, cuya colección se convertirá en una de las más importantes del mundo.

1929 La especulación bursátil de los últimos años produce el colapso de la bolsa de Nueva York, iniciándose así la Gran Depresión, una crisis económica internacional, cuya manifestación más evidente es un acentuado aumento del desempleo.

1929 León Trotski, uno de los fundadores de la Unión Soviética y ahora opositor de Stalin, es desterrado.

1930 El escritor estadounidense Dashiell Hammett publica la novela policíaca *El halcón maltés*, en la que presenta a su personaje más conocido, Sam Spade.

1930 El pensador español José Ortega y Gasset publica *La rebelión de las masas*, donde reflexiona sobre el efecto sobre la cultura del creciente protagonismo de las «masas».

León Trotski
Dashiell Hammett

1930 El astrónomo estadounidense W. Tombaugh descubre Plutón, catalogado como planeta menor desde 2007.

1930 El químico estadounidense W. H. Carothers inventa el nailon, iniciando una nueva era en el campo de los materiales sintéticos.

1930 Tras colaborar con la ocupación estadounidense, el general Leonidas Trujillo toma el poder en República Dominicana. Gobernó el país hasta 1961, bajo una severa dictadura, aunque nominalmente la presidencia fuera ejercida por civiles.

Mahatma Gandhi

1930 Mahatma Gandhi inicia una campaña de desobediencia civil en contra del pago de impuestos sobre la sal. Encabeza una marcha hasta el mar, en la que miles de indios obtienen sal evaporando agua. La campaña continuó con un bloqueo popular a los tejidos extranjeros.

1930 El político brasileño Getúlio Vargas, que ha sido derrotado en las elecciones, encabeza un golpe de Estado e inicia un gobierno dictatorial, que se extiende hasta 1945.

1931 Vicente Huidobro publica su libro más importante, *Altazor*.

1931 El escritor venezolano Arturo Uslar Pietri publica la novela *Las lanzas coloradas*.

1931 El artista surrealista español Salvador Dalí pinta *La persistencia de la memoria*, que él mismo describió como «fotografías de sueños pintadas a mano».

1931 El científico estadounidense V. Bush inventa el analizador diferencial, precursor de la computadora moderna.

1931 Los republicanos obtienen una abrumadora mayoría en las elecciones municipales, lo que conduce a la instauración pacífica de la Segunda República española.

1931 Japón invade Manchuria y establece un protectorado bajo el gobierno títere del ex emperador Pu Yi. Se rehace la alianza entre comunistas y nacionalistas para enfrentar la invasión.

Arturo Uslar Pietri

1932 El escritor inglés Aldous Huxley publica la novela *Un mundo feliz*, en la que opone el optimismo tecnológico y el pesimismo espiritual.

1932 Los físicos británicos J. D. Cockcroft y E. Walton fabrican un acelerador de partículas y se convierten en los primeros en desintegrar un núcleo atómico.

1932 El físico alemán August F. Ruska diseña el microscopio electrónico.

1932 La aviadora estadounidense Amelia Earhart cruza el Atlántico en solitario.

1932 Estalla la guerra entre Bolivia y Paraguay por la soberanía del Chaco boreal. Deja un saldo de cerca de 90.000 muertos.

1933 El escritor español Miguel Unamuno, cuyas obras expresan un persistente conflicto entre la fe y la razón, publica *La tía Tula* y *San Manuel Bueno, mártir*.

1933 El poeta y dramaturgo español Federico García Lorca da a conocer su obra dramática *Bodas de sangre*. Otras obras: *Yerma* (1934, teatro), *Romancero gitano* (1928, poesía) y *Poeta en Nueva York* (publicado póstumamente en 1940).

Salvador Dalí

1933 El intelectual francés André Malraux publica *La condición humana*, obra que presagia las luchas políticas que desembocarían en la Segunda Guerra Mundial.

1933 Los físicos franceses Irène y Jean Joliot-Curie descubren que los elementos radiactivos se pueden crear artificialmente.

1933 Tras obtener el Partido Nacionalsocialista la mayoría de los votos en las elecciones, Adolfo Hitler es nombrado canciller de Alemania, quien se autoproclama Führer del Tercer Reich. Una de sus primeras acciones como tal fue promulgar una ley que le dio el control de la economía, los medios de comunicación y la cultura.

1933 El presidente estadounidense Franklin D. Roosevelt instaura el *New Deal*, legislación que representó una reorganización de la nación, arruinada por la Gran Depresión.

Henry Miller

1934 El escritor estadounidense Henry Miller, uno de los grandes autores de la literatura erótica, publica *Trópico de Cáncer*, primera parte de la trilogía autobiográfica que se completa con *Primavera negra* (1936) y *Trópico de Capricornio* (1939).

1934 En la llamada «noche de los cuchillos largos» son asesinados, por orden de Hitler, dirigentes y ex dirigentes nazis que amenazaban la preeminencia del Führer.

Pablo Neruda

1935 El chileno Pablo Neruda, Nobel de Literatura 1971, publica el poemario *Residencia en la tierra*, reflexión sobre el ser humano en un mundo que se destruye.

1935 El escritor polaco I. B. Singer, Nobel de Literatura 1978, publica *Satán en Goray*, sobre los pogromos del siglo XVII contra los judíos polacos. Otras obras: *La familia Moskat* (1950), *La casa de Jampol* (1967) y *Los herederos* (1969).

1935 El físico británico R. Watson-Watt presenta el primer sistema de radar.

1935 La guerra entre Bolivia y Paraguay por la soberanía del Chaco boreal finaliza con la firma de un tratado que divide la región entre los dos países.

1935 Hitler desposee a los judíos alemanes de sus derechos civiles.

1936 El poeta y pedagogo español Miguel Hernández, de ideas republicanas y vinculado a la Generación del 27, publica *El rayo que no cesa*.

J. M. Keynes

1936 El actor y director de teatro ruso K. S. Stanislavski publica *Un actor se prepara*, donde expone sus técnicas, de enorme efecto en el arte dramático del siglo XX.

1936 El ingeniero alemán H. Focke diseña el primer helicóptero eficaz.

1936 El economista británico J. M. Keynes publica *Teoría general sobre el empleo, el interés y el dinero*, obra en la que defiende la intervención del Estado para garantizar el pleno empleo. Impulsó la creación del Fondo Monetario Internacional en 1944.

Jesse Owens

1936 El atleta negro estadounidense Jesse Owens gana cuatro medallas de oro en los Juegos Olímpicos de Berlín, dejando en claro cómo la superioridad de los atletas arios no es cierta.

1936 Con el acuerdo del Eje Roma-Berlín, Italia y Alemania definen políticas comunes.

1936 Stalin desata la Gran Purga, una represión contra intelectuales y funcionarios mediante juicios públicos, ejecuciones y confinamientos en campos de concentración.

1936 Estalla la Guerra Civil española con la sublevación militar, encabezada por el general Franco, contra el gobierno de la Segunda República española. Adquirirá dimensión internacional cuando los bandos en disputa reciban apoyo de algunas potencias: Alemania e Italia con los militares golpistas y la Unión Soviética con el gobierno español.

1937 Poco después del bombardeo alemán sobre el pueblo vasco de Guernica, en el marco de la Guerra Civil española, Picasso pinta *Guernica*, obra en la que expresa la violencia y la crueldad del acontecimiento.

Guernica

1937 El arquitecto estadounidense F. Lloyd Wright, pionero en la utilización de nuevas técnicas como el sistema antisísmico, termina la emblemática Casa de la Cascada.

1937 Los estadounidenses K. Landsteiner y A. Wiener descubren el factor Rh.

1937 El químico británico-alemán H. Krebs explica cómo los diferentes factores químicos de los alimentos son transformados en energía por el organismo (ciclo de Krebs).

1938 La transmisión radiofónica de fragmentos de la novela de H. G. Wells *La guerra de los mundos*, provoca el pánico entre los habitantes de Nueva York, que creyeron inminente una invasión extraterrestre.

H. G. Wells

1938 En la noche del 9 al 10 noviembre, llamada la «Noche de los cristales rotos», tiene lugar un pogromo contra los judíos en varias ciudades alemanas. El ataque fue pensado para que pareciera un acto espontáneo, pero de hecho fue orquestado por el gobierno nacionalsocialista alemán. Con esto se «institucionalizó» el antisemitismo.

1939 El escritor estadounidense John Steinbeck publica *Las uvas de la ira*, novela que narra las dificultades de una familia durante la Gran Depresión.

1939 Termina la Guerra Civil española con el triunfo de los militares rebeldes y la instauración de una dictadura encabezada por el general Francisco Franco. Causó la muerte de alrededor de 500.000 personas y el exilio a otras 250.000.

1939 Hitler y Mussolini refuerzan su alianza con el Pacto de Acero, al que se unió Japón en 1940, con lo que quedó definitivamente creado el Eje Roma-Berlín-Tokio, al que poco después se adhieren Hungría, Eslovaquia, Rumania y Bulgaria.

John Steinbeck

1939 Alemania y la Unión Soviética firman un pacto de no agresión. Con un protocolo secreto acordaron la división de Europa en esferas de influencia alemana y rusa.

1939 La invasión alemana a Polonia detona la Segunda Guerra Mundial, al ser la causa directa de la declaratoria de guerra de Francia y Gran Bretaña a Alemania.

1940 La escritora española Corín Tellado comienza a publicar sus novelas rosa, que mantendrá en el mercado ininterrumpidamente por más de sesenta años.

1940 El escritor existencialista francés Albert Camus publica *El extranjero*, novela en la que expresa el desencanto ante la dignidad y la fraternidad.

1940 El estadounidense E. Hemingway, Nobel de Literatura 1961, publica *Por quién doblan las campanas*, una historia de amor en Italia durante la Primera Guerra Mundial. Otras obras: *Adiós a las armas* (1929) y *El viejo y el mar* (1952).

Corín Tellado

1940 Los alemanes ocupan sucesivamente Dinamarca, Noruega, Holanda y Bélgica, y alcanzan el canal de la Mancha.

1940 Los alemanes entran a París e instalan en Vichy el régimen colaboracionista de Pétain. En torno al general Charles de Gaulle se aglutina la resistencia francesa.

1940 La Unión Soviética ocupa Lituania, Letonia y Estonia.

1940 Es asesinado en México, por un agente estalinista, León Trotski.

1940 La Fuerza Aérea británica rechaza durante varios meses el intento de invasión alemana a Inglaterra, respondiendo a los ataques aéreos de la *Luftwaffe* alemana.

1941 El artista español Joan Miró termina su serie de pinturas *Constelaciones*, en las que las formas y figuras orgánicas se reducen a puntos, líneas y explosiones de color.

Joan Miró

1941 El presidente de Estados Unidos F. D. Roosevelt y el primer ministro británico W. Churchill, firman la Carta del Atlántico, que servirá de fundamento conceptual para la creación la de Organización de Naciones Unidas (ONU).

1941 China le declara la guerra a Alemania y Japón.

1941 El ataque alemán a la Unión Soviética y el japonés a la base estadounidense de Pearl Harbor en Hawai, inducen a las potencias agredidas a alinearse con Gran Bretaña y sumarse a las fuerzas aliadas que enfrentan a las fuerzas del Eje.

1942 El escritor español Camilo José Cela, Nobel de Literatura 1995, iniciador en su país del tremendismo, publica *La familia de Pascual Duarte*.

1942 Los japoneses logran las conquistas de Hong Kong, Singapur, Malasia, Birmania, Indonesia, Guam y Filipinas.

1942 Italia y Alemania son derrotadas en el norte de África.

1942 310.000 judíos de Varsovia son deportados al campo de exterminio de Treblinka.

1942 Jawaharlal Nehru sustituye a Gandhi en la dirección del Partido del Congreso, principal organización nacionalista de la India.

1943 El existencialista francés J. P. Sartre publica *El ser y la nada*, ensayo donde presenta la libertad de elección como condición de la auténtica existencia humana.

1943 El escritor y piloto francés Antoine de Saint-Exupéry publica *El principito*, la historia de un aviador en desgracia que conoce a un joven príncipe.

1943 Se inicia la reconquista aliada de Europa. Las tropas alemanas no logran culminar su campaña rusa y se rinden en Stalingrado (actual Volgogrado), con lo que el ejército ruso puede avanzar hacia Berlín. Desde el norte de África, los aliados conquistan Sicilia.

1944 El escritor argentino Jorge Luis Borges publica *Ficciones*, donde manipula las formas clásicas del cuento, transformándolo en juegos y enigmas. Otras obras: *Historia universal de la infamia* (1935), *El hacedor* (1960) y *La cifra* (1981).

1944 El científico estadounidense Theodore Avery demuestra que el agente responsable de la transferencia de la información genética es el ácido desoxirribonucleico o ADN.

1944 El microbiólogo estadounidense S. Waksman descubre la estreptomicina, un antibiótico que se convirtió en el primer fármaco eficaz contra la tuberculosis.

1944 A mediados de año, la mayor parte de Italia queda bajo domino aliado.

1944 En junio, una fuerza invasora aliada desembarca en Normandía (costa septentrional francesa), y en agosto, se completa la liberación de Francia. Ha sido la operación militar más grande de todos los tiempos.

1945 El compositor brasileño Heitor Villa-Lobos completa sus *Bachianas brasileiras*, un conjunto de nueve piezas con instrumentación variada, inspiradas en la obra de Bach.

1945 La poetisa chilena Gabriela Mistral recibe el Premio Nobel de Literatura. Su obra expresa su idea de amor universal, a Dios, a la naturaleza y a los humildes. El poemario *Desolación* (1922) es considerado su obra suprema.

1945 El artista expresionista irlandés Francis Bacon pinta *Tres estudios para una crucifixión*, donde refleja la experiencia contemporánea de la guerra.

1945 El psicoanalista austriaco W. Reich escribe *La revolución sexual*, donde expone la idea de que la represión del deseo va unida a la anulación del impulso revolucionario.

1945 Se funda en Egipto la Liga Árabe, con el objeto de coordinar las tareas conjuntas de los países cuyos pueblos son en su mayoría de lengua árabe.

1945 En febrero, el presidente estadounidense F. D. Roosevelt, el primer ministro británico W. Churchill, y el dirigente soviético J. Stalin, se reúnen en Yalta, Ucrania, para consensuar una estrategia militar y prefigurar las futuras relaciones internacionales. Se acordó la división de Alemania y la creación de una comisión de reparaciones.

1945 En julio, Estados Unidos prueba la primera bomba atómica en Nuevo México, dando así comienzo a la era de la amenaza nuclear.

1945 Los soviéticos entran en Berlín; Hitler se suicida. En mayo, Alemania se rinde.

1945 En agosto se lanzan las bombas atómicas sobre Hiroshima y Nagasaki; la rendición de Japón pone fin a la Segunda Guerra Mundial. Murieron sesenta millones de personas; de éstas, veintisiete millones fueron rusas.

1945 Tras la rendición de Japón, se reinicia la guerra civil en China.

1945 En su intento de huida son capturados y fusilados por partisanos italianos el ex dictador B. Mussolini y su amante, Clara Petacci.

1945 En octubre se firma la fundación de la ONU, ratificada por delegados de 50 países reunidos en Estados Unidos. Entre otros fines, la ONU se propone «mantener la paz y seguridad internacionales» y «fomentar el respeto por los derechos humanos».

1945 Al finalizar la Segunda Guerra Mundial, el mundo conoce la real dimensión de la represión nazi contra las minorías. Gitanos, judíos, comunistas, homosexuales y, en general, los miembros de cualquier grupo minoritario étnico o cultural, sufrieron una política de exterminio sistemático sin precedentes. La muerte de más de cinco millones de judíos en los campos de exterminio se conoce en la Historia como el Holocausto.

1945 al **1946** Se lleva a cabo en la ciudad alemana de Nuremberg el proceso contra los dirigentes nazis acusados de crímenes de guerra; muchos fueron condenados a muerte.

1945 Estados Unidos y la Unión Soviética acuerdan la división de la península de Corea en dos zonas de ocupación: la estadounidense, en el Sur, y la soviética, en el Norte.

1946 El escritor guatemalteco Miguel Ángel Asturias, Nobel de Literatura 1967, publica *El señor Presidente*, novela en la que hace una dura crítica a la sociedad de su país.

1946 El profesor de la Universidad de Chicago Milton Friedman expone su teoría monetarista, que defiende el libre mercado como garante del crecimiento económico.

1946 Juan Domingo Perón gana las elecciones y asume como presidente de Argentina. Adelantó una política populista con apoyo de los sindicatos. Su esposa, María Eva Duarte, pasó a ser un miembro muy influyente en la tarea gubernamental.

1946 Estalla la primera guerra de Indochina que enfrenta durante ocho años a Francia con los guerrilleros comunistas del Vietminh, dirigidos por Ho Chi Min.

1947 Son hallados en las cuevas de Qumran, cercanas al Mar Muerto, siete manuscritos hebreos en pergamino, estrechamente relacionados con los textos bíblicos.

1947 La compañía estadounidense *Bell Telephone* desarrolla la tecnología celular, base de los sistemas modernos de telefonía móvil.

1947 El secretario de Estado de Estados Unidos, G. C. Marshall, presenta el Plan Marsahll, para la recuperación de Europa occidental tras la Segunda Guerra Mundial.

1947 En el Próximo Oriente, en el territorio de la antigua Palestina, se crea, por mandato de la ONU, el Estado de Israel, rodeado de países árabes.

1947 La lucha independentista de India y Pakistán culmina al serles transferido el poder por los británicos de manera independiente.

1948 El escritor argentino Ernesto Sábato publica *El túnel*. Otras obras: *Sobre héroes y tumbas* y *Abbadón el exterminador*.

1948 El pintor estadounidense Jackson Pollock, principal representante del *action painting*, corriente asociada al expresionismo abstracto, termina *No. 5*.

1948 Los físicos estadounidenses W. Brattain, J. Bardeen y W. Shockley inventan el transistor, dispositivo para rectificar y amplificar los impulsos eléctricos. Será fundamental para el desarrollo del chip.

1948 El físico ruso-estadounidense G. Gamow expone su teoría del Big Bang o Gran Explosión, según la cual el universo nació en un gran estallido, de un estado extremadamente denso de la materia.

1948 Muere asesinado el apóstol de la no violencia Mahatma Gandhi, principal impulsor de la independencia de la India.

1948 El líder comunista Tito rompe con Stalin para impedir que éste ejerza control político sobre su país, Yugoslavia.

1948 Israel es invadido por Egipto, Siria, Arabia Saudí, Jordania, Iraq, Líbano y Yemen. Se desencadena la primera de las cuatro guerras árabe-israelíes, que termina con la victoria israelí, la ampliación significativa de su territorio y el desplazamiento de un millón de palestinos a los países vecinos.

1948 En el transcurso de la Novena Conferencia Panamericana, celebrada en Bogotá, 21 países fundan la Organización de Estados Americanos.

1948 El asesinato del líder liberal Jorge Eliécer Gaitán en Bogotá desencadena un levantamiento popular que causó la muerte de cerca de 1.500 personas, el destrozo de grandes áreas de la ciudad y una guerra civil no declarada.

1948 La Asamblea General de la ONU adopta la denominada Declaración Universal de Derechos Humanos.

1948 Tras fracasar las negociaciones de unificación, se crean la República de Corea (Corea del Sur) y la República Democrática Popular de Corea (Corea del Norte).

1949 El escritor británico G. Orwell publica *1984*, novela satírica en la que describe una aterradora vida bajo la vigilancia constante del «Gran Hermano».

1949 Se publica *El reino de este mundo*, novela del cubano Alejo Carpentier, en cuyo prólogo se anuncia la teoría de lo «real maravilloso».

1949 El japonés Yukio Mishima publica la novela *Confesiones de una máscara*, que expresa los conflictos entre lo privado y lo social generados por la homosexualidad.

1949 La filósofa francesa Simone de Beauvoir publica *El segundo sexo*, ensayo en el que expone cómo se ha concebido la mujer y cómo se pueden ampliar sus libertades.

1949 La Guerra Civil china finaliza con la victoria de los comunistas. El máximo dirigente del Partido Comunista, Mao Zedong proclama oficialmente la República Popular China. Chiang Kaishek, líder del Kuomintang, se repliega a Taiwán.

1949 Se funda la Organización del Tratado del Atlántico Norte (Otan), alianza militar de los países occidentales del hemisferio norte, para contener la expansión soviética.

1949 Eire (Estado Libre de Irlanda) se convierte en la República de Irlanda. La exclusión del Ulster en el nuevo Estado, así como las actividades del IRA, mantendrán por muchos años las tensiones con Gran Bretaña.

1950 *La cantante calva*, del dramaturgo franco-rumano Eugéne Ionesco, es considerada la primera obra del absurdo.

1950 Aparece en Estado Unidos la historieta de Charlie Brown y su perro Snoopy.

1950 El franco-suizo Le Corbusier, el más destacado innovador en la arquitectura en el siglo XX, construye la iglesia de Notre Dame du Haut, en Ronchamp (Francia).

1950 La monja católica albanesa nacionalizada india Teresa de Calcuta (Gonxha Bojaxhiu) funda en esta ciudad la congregación de las Misioneras de la Caridad. En 1979 recibirá el Premio Nobel de la Paz.

Computadora

1950 Pablo Neruda publica «Canto general», un poema en el que presenta a Latinoamérica desde sus orígenes precolombinos.

1950 Se inicia en Estados Unidos la persecución de personalidades y funcionarios por sus «tendencias comunistas» propiciada por el senador McCarthy.

1950 Las fuerzas comunistas de Corea del Norte invaden Corea del Sur, en un intento por reunificar el territorio. Se inicia la guerra de Corea, que dejó tres millones de muertos y enfrentó a una fuerza aliada, encabezada por Estados Unidos, y a los comunistas, apoyados por China. Concluyó en 1953 con la creación de una frontera militarizada.

1951 Igor Stravinski presenta *The Rake's Progress*, ópera en la que emplea la armonía tonal clásica con la interposición de disonancias.

1951 Los ingenieros estadounidenses J. Mauchly y J. Eckert presentan la primera computadora digital electrónica para uso comercial.

Juan Rulfo

1952 El médico estadounidense J. E. Salk crea la primera vacuna contra la poliomielitis.

1952 Con un golpe de Estado, el dictador Fulgencio Batista toma el poder en Cuba.

1952 Puerto Rico se convierte en Estado libre asociado con respecto a Estados Unidos.

1952 Estados Unidos prueba la primera bomba de hidrógeno, con una potencia equivalente a varios millones de toneladas de explosivos.

1953 El escritor mexicano Juan Rulfo publica el cuento «El llano en llamas», relato tenso, sin argumento creciente y en que introduce el lenguaje campesino.

1953 Los científicos J. Watson (estadounidense) y F. Crick (británico) determinan la estructura en doble hélice del ADN.

R. R. Tolkien

1953 El escalador neozelandés E. Hillary y el sherpa nepalés T. Norgay alcanzan la cima del Everest situada en el Himalaya a 8.848 metros de altitud.

1954 Se publica el primer volumen de la trilogía fantástica de J. R. R. Tolkien *El señor de los anillos*, que narra la lucha entre el bien y el mal por la posesión de un anillo mágico.

1954 Muere la pintora mexicana surrealista Frida Kahlo, una de las más grandes artistas de Latinoamérica.

1954 Los franceses son vencidos en Indochina por las fuerzas comunistas de Ho Chi Min. El acuerdo de Ginebra divide el territorio en Laos, Camboya, Vietnam del Norte, bajo el régimen de Ho Chi Minh, y Vietnam del Sur, bajo la tutela de Estados Unidos.

Hillary y Norgay

1954 Estalla la guerra de independencia de Argelia con las acciones guerrilleras del Frente de Liberación Nacional en contra del dominio francés. El FLN no pudo ser doblegado y en 1962 se acordó el fin del conflicto, que dejó más de un millón de argelino muertos, y, mediante referendo, la independencia de Argelia.

1955 Muere el compositor y saxofonista estadounidense Charly Parker, creador, con Dizzi Guillespie, del *bebop*.

1955 El escritor ruso Vladimir Nabokov escandaliza con la publicación de *Lolita*, novela que narra la relación amorosa entre un hombre maduro y una adolescente.

1955 Aparece *Aullido*, del estadounidense Allen Ginsberg, obra que expresa la actitud beat: irreverente, egoísta, ácrata y psicodélica.

1955 Se funda el Pacto de Varsovia (oficialmente llamado Tratado de amistad, colaboración y asistencia mutua), alianza militar de los países comunistas europeos, para contrarrestar a la Otan.

Frida Kahlo

1955 Rosa Louise Parks se niega a ceder el asiento del autobús a un blanco. Tras su arresto, los conductores, en su mayoría negros, inician un boicot que derivó en la declaración de inconstitucionalidad de cualquier segregación en los autobuses. Este hecho marca el inicio del movimiento por los derechos civiles en Estados Unidos.

1956 El músico alemán K. Stockhausen, pionero en el uso de medios no convencionales, compone *Gesang der Jünglinge*, obra en la que la voz de un joven se emite mezclada con sonidos electrónicos a través de altavoces.

1956 Aparece *El arco y la lira*, un largo y enjundioso ensayo del mexicano Octavio Paz sobre la creación poética.

Charly Parker

1956 El soviético Nikita Khrushchev, sucesor de Stalin, anuncia una nueva era soviética en un discurso en el que critica duramente las políticas dictatoriales de su predecesor.

1956 El recién instaurado régimen moderado húngaro, alentado por los intelectuales y estudiantes, es severamente frustrado y reprimido por las autoridades soviéticas.

1956 Tras fundar en México el Movimiento 26 de Julio, Fidel Castro y sus copartidarios (entre éstos, Ernesto Guevara) desembarcan en Cuba e inician la campaña contra Batista.

K. Stockhausen

1956 Egipto nacionaliza el canal de Suez, que estaba bajo dominio franco-británico, y desencadena la segunda guerra árabe-israelí. Francia, Gran Bretaña e Israel intentan recuperar el canal, pero fracasan ante la amenaza de los soviéticos de desencadenar un conflicto internacional y la oposición de la opinión pública en sus países.

))) **Afirmación de la identidad e independencia de los pueblos**
La era de los grandes descubrimientos y la globalización

1956 El sultán marroquí Muhammad V logra el reconocimiento de la independencia de su país por parte de Francia y España, que ejercían sobre él un régimen de protectorado.

1957 El lingüista y ensayista político estadounidense N. Chomsky, fundador de la gramática transformacional, publica *Estructuras sintácticas*.

1957 La Unión Soviética lanza el *Sputnik 1*, el primer satélite artificial del mundo. Este mismo año se pone en órbita el *Sputnik 2*, que lleva a bordo la perra Laika.

1957 Seis países de Europa occidental firman el tratado de Roma y fundan la Comunidad Económica Europea (CEE), que se convertirá en la Unión Europea.

1958 El escritor ruso Boris Pasternak, autor de *El doctor Shivago*, rechaza el Nobel de Literatura, al tiempo que es acusado de traidor por la Unión de Escritores Soviéticos.

1958 Jasper Johns, exponente del pop-art en Estados Unidos, realiza en técnica mixta su obra *Tres banderas*.

1958 El físico estadounidense Jack Kilby presenta el primer circuito integrado (chip), a partir de seis transistores en una misma base semiconductora.

1958 Estados Unidos lanza su primer satélite artificial, el *Explorer 1*.

1959 El escritor alemán Günter Grass publica *El tambor de hojalata*, novela en la que hace una descarnada requisitoria al periodo nazi de la sociedad alemana. Otras obras: *El rodaballo* (1977), *La ratesa* (1987) y *A paso de cangrejo* (2003).

1959 El arquitecto Frank Lloyd Wright termina el edificio helicoidal para el Museo Solomon Guggenheim, en Nueva York.

1959 Por el tratado Antártico se acuerda preservar la Antártida para fines pacíficos, especialmente la investigación científica.

1959 La sonda rusa *Luna 2* llega a la superficie lunar.

1959 Luego de la frustrada rebelión en Tíbet contra la ocupación china, el Dalai Lama, Nobel de Paz 1989, dirigente espiritual del lamaísmo, debe exiliarse en India.

1959 Triunfa la Revolución Cubana después de tres años de lucha contra la dictadura de Batista. Fidel Castro y su ejército entran victoriosos a la Habana.

1959 Se funda en España el movimiento separatista ETA (*Patria Vasca y Libertad*).

1960 Se inaugura Brasilia, nueva capital de Brasil. Diseñada por el arquitecto Lucio Costa, busca resolver anticipadamente los conflictos de las ciudades modernas: desigualdad y congestión.

1960 Los antropólogos británicos Louis Leakey y Mary Leakey descubren los primeros fósiles del *Homo habilis*, al que consideran el primer miembro de la especie humana.

1960 El físico estadounidense T. Maiman desarrolla un láser con un rubí rosa que produce un impulso de luz coherente.

1960 El científico estadounidense Gregory G. Pincus desarrolla la píldora anticonceptiva, que altera el modelo hormonal de la mujer para evitar el embarazo. Se convertirá en rutina diaria para millones de mujeres e impulsará la revolución sexual.

1960 Los principales países exportadores de crudo realizan una alianza estratégica agrupándose en la Organización de Países Exportadores de Petróleo (OPEP).

1960 La líder política de Sri Lanka, Srimayo Bandaranaike, gana las elecciones y se convierte en la primera mujer en ejercer la jefatura de gobierno de un país.

1961 El poeta soviético Y. Yestushenko obtiene el reconocimiento internacional por su poema «Babi Yar», acerca de la matanza nazi de judíos ucranianos en 1941.

1961 Tripulando la nave *Vostok*, el cosmonauta soviético Yuri A. Gagarin se convierte en el primer hombre en viajar al espacio.

1961 El compositor jamaiquino Bob Marley funda su primer grupo musical, con el que interpreta canciones en ritmo de calipso y soul. A finales de la década se hace cantante de reggae, mezcla de ritmos folclóricos jamaicanos, rock, *rhythm and blues* y *soul*.

1961 Se construye alrededor del Berlín occidental, sector de la ciudad enclavado en la República Democrática de Alemania (RDA), pero perteneciente a la República Federal de Alemania (RFA), el Muro de Berlín.

1961 Tropas de exiliados cubanos armados por Estados Unidos desembarcan en Bahía Cochinos en una tentativa de derrocar a Fidel Castro. La operación fracasa.

1961 Se forman revueltas populares contra el régimen pro estadounidense de Vietnam del Sur. Estado Unidos envía ayuda militar para contener la propagación del comunismo.

1962 Los Rolling Stones se presentan en el Marquee de Londres como la esperanza británica de imprimir un cambio radical a la vida a través del *rock and roll*.

1962 La novelista británica Doris Lessing, Nobel de Literatura 2007, publica su novela *El cuaderno dorado*. Otras obras: *Ben en el mundo* y *La buena vecina*.

1962 El escritor japonés Abe Kobo publica la novela *La mujer de la arena*, obra que refleja su interés por el aislamiento del individuo en la sociedad moderna.

1962 El escritor cubano Alejo Carpentier publica *El siglo de las luces*, obra centrada en la influencia de la Ilustración en el Nuevo Mundo.

1962 El novelista ruso A. Solzhenitsin, Nobel de Literatura 1970, publica *Un día en la vida de Iván Denísovich*, ficción autobiográfica sobre la vida en un campo de concentración soviético.

1962 El artista estadounidense Andy Warhol pinta el cuadro *Lata de sopa Campbell*, que lo convierte de inmediato en un icono de la cultura pop.

1962 El antropólogo francés C. Lévi-Strauss publica *El pensamiento salvaje*, en el que afirma que los humanos piensan de acuerdo con estructuras mentales innatas.

1962 Se inaugura el Concilio Vaticano Segundo (hasta 1965), con el objeto de renovar teológica y litúrgicamente la Iglesia católica.

1962 La inteligencia estadounidense descubre misiles soviéticos en Cuba. La «crisis de los misiles», que casi desencadena una guerra nuclear, se decanta con el desmantelamiento de los misiles y el compromiso estadounidense de no invadir Cuba.

1962 El presidente francés Charles de Gaulle declara la independencia de Argelia.

1963 Con la publicación de *Rayuela*, del argentino Julio Cortázar, se inicia el llamado *boom* de la narrativa latinoamericana. A su nombre se sumaron los de García Márquez, Vargas Llosa, Carlos Fuentes, Cabrera Infante, Roa Bastos y José Donoso, entre otros.

1963 Tripulando el *Vostok 6*, la cosmonauta soviética Valentina Tereshkova se convierte en la primera mujer que viaja al espacio.

1963 El dirigente negro estadounidense Martin Luther King, líder de la resistencia pasiva contra el racismo, pronuncia su legendario discurso *Yo tengo un sueño*, en Washington, al finalizar una marcha de protesta que movilizó a 250.000 personas.

1963 El 22 de noviembre es asesinado el presidente estadounidense John F. Kennedy.

1963 La situación en Vietnam del Sur se deteriora, poniendo la victoria al alcance de las guerrillas comunistas (Vietcong), pertrechadas por los chinos y los soviéticos.

1964 Aparece por primera vez en el semanario bonaerense *Primera Plana* el personaje Mafalda, del dibujante y humorista argentino Quino.

1964 El filósofo estadounidense H. Marcuse expone, en *El hombre unidimensional*, que los males sociales sólo son superables con la renuncia a la democracia liberal.

1964 Los matemáticos estadounidenses J. Kemeny y T. Kurtz desarrollan el Basic, un lenguaje de programación de alto nivel para computadoras.

1964 El físico estadounidense Murray Gell-Mann propone la existencia de los *quarks*, partes constitutivas de las partículas elementales del átomo.

1964 Estados Unidos lanza el *Mariner 4*, que obtiene las primeras imágenes de Marte.

1964 El estadounidense R. Lichtenstein, destacado representante del pop-art pinta *Now, mes petits pour la France*, que evidencia la enorme influencia del cómic en su obra.

1964 La diseñadora inglesa Mary Quant lanza la minifalda, prenda con la que cambió irreversiblemente las tendencias de la moda femenina.

1964 Se funda la Organización para la Liberación de Palestina (OLP), con el objetivo de defender los derechos de los palestinos desplazados por la creación del Estado de Israel en 1948.

1965 Con *Yesterday*, de The Beatles; *Mr. Tambourine Man*, de Bob Dylan y *I Can't Get Not (Satisfaction)* de los Rolling Stones, el rock se transforma en un fenómeno de masas.

1965 El presidente de Estados Unidos L. B. Johnson autoriza el bombardeo sistemático de Vietnam del Norte y el envío de tropas de combate al Sur que, sumadas a las fuerzas neozelandesas y australianas, alcanzarían alrededor de 400.000 soldados que deben enfrentar, en un terreno desconocido, a un enemigo especializado en las tácticas de la guerra de guerrillas, a las que respondió, muchas veces, con masacres.

1965 India y Pakistán se enfrentan militarmente, por primera vez, por el dominio de Cachemira, situada en el norte del subcontinente y de mayoría musulmana.

1966 El escritor estadounidense Truman Capote publica la novela *A sangre fría*, basada en los hechos reales que protagonizan dos psicópatas.

1966 El escritor egipcio N. Mahfuz, Nobel de Literatura 1988, publica *El callejón de los milagros*, donde describe magistralmente la vida marginal en la ciudad de El Cairo.

1966 Los estadounidenses William Masters y Virginia Johnson publican *Respuesta sexual humana*, donde describen la fisiología y la anatomía de la sexualidad humana.

1966 La feminista estadounidense Betty Friedan funda la Organización Nacional de Mujeres, que dirige sus esfuerzos a lograr la igualdad de derechos de las mujeres.

1966 Mao Zedong da inicio a la Revolución Cultural Proletaria China, con la ayuda de estudiantes universitarios conocidos como los «guardias rojos».

1966 Se fundan en Estados Unidos las «Panteras Negras», con el objeto de proteger a los negros de la violencia policial. Gradualmente fue adoptando posturas extremistas.

1967 El colombiano Gabriel García Márquez, Nobel de literatura 1982, publica *Cien años de soledad*, considerada una de las más importantes novelas en lengua española.

1967 El escritor cubano Guillermo Cabrera Infante publica *Tres tristes tigres*, un amplio retrato de la realidad cubana, en tono de divertimento.

1967 El sociólogo canadiense M. McLuhan publica *El medio es el mensaje*, donde cuestiona el papel transformador de los medios de comunicación en la sociedad.

1967 Un equipo de médicos dirigido por el surafricano Christian Barnard realiza el primer trasplante. El receptor, un hombre de 55 años, murió 18 días más tarde.

1967 Tiene lugar el «verano del amor» en Nueva York, una marcha por la paz y contra la guerra de Vietnam, con participación de unas 300.000 personas.

1967 El 8 de octubre es asesinado en Bolivia el mítico guerrillero argentino Ernesto Che Guevara, principal artífice de las guerras de guerrillas latinoamericanas.

1967 Temiendo una invasión árabe, Israel ataca a Egipto y desencadena la Guerra de los Seis Días, o tercera guerra árabe-israelí. Israel sale victorioso, ocupa el Sinaí, la franja de Gaza, Cisjordania y parte de los altos del Golán, pertenecientes a Siria.

1967 La región oriental de Nigeria proclama su independencia como República de Biafra, lo que precipitó una guerra civil que duró hasta 1970.

1968 Se conforma el grupo de rock británico Led Zeppelin, pionero del *heavy metal*.

1968 En el marco de la Segunda Conferencia Episcopal Latinoamericana de Medellín, surge la teología de la liberación, en respuesta a la preocupación por la creciente pobreza.

1968 En mayo se desencadena en París una huelga de estudiantes, a la que se suman protestantes contra la sociedad capitalista y el consumismo y sindicatos obreros. Tras reprimir dura e infructuosamente las manifestaciones, De Gaulle se ve forzado a hacer concesiones, proponiendo reformas educativas y un nuevo salario mínimo.

1968 Martin Luther King, líder del movimiento por los derechos civiles, es asesinado.

1968 Los tanques soviéticos entran a Praga, aplastando un intento de reforma conocido como el «socialismo con rostro humano».

1968 Son asesinados un gran número de estudiantes en la plaza de Tlatelolco en México durante el gobierno de Gustavo Díaz Ordaz.

1968 Tras un golpe de Estado, Omar Torrijos asume la presidencia de Panamá. Se alejó políticamente de Estados Unidos, liberalizó la banca y estableció relaciones con Cuba.

1969 El escritor peruano Mario Vargas Llosa, cuyas obras reflejan la realidad social peruana y latinoamericana, publica *Conversación en la Catedral*. Otras obras: *Los cachorros* (1967), *La guerra del fin del mundo* (1981) y *Elogio de la madrastra* (1988).

1969 La compañía japonesa Sony saca al mercado el primer sistema de grabación de vídeo doméstico, *Betamax*.

1969 Los astronautas estadounidenses Neil Armstrong, comandante de la misión Apolo 11, y Edwin E. Aldrin son las primera personas en pisar la Luna.

1969 Tiene lugar en Woodstock, Nueva York, el festival de música más famoso de la historia, que pregonaba la paz y el amor como forma de vida. Entre otros músicos participaron Janis Joplin, Jimmy Hendrix, Joan Baez, Crosby y Santana.

1969 El capitán del ejército libio Muammar al-Gaddafi destrona al rey Idris I en un cruento golpe de Estado y proclama la República Árabe Libia Popular y Socialista.

1970 El político socialista chileno Salvador Allende, líder de la coalición Unidad Popular, logra la victoria en las elecciones presidenciales.

1971 Se reúnen en Londres varias bandas como Sex Pistols, The Clash, The Damned, The Vibrators, entre otras, alrededor del término *punk rock* o rock basura.

1971 El muralista mexicano Alfaro Siqueiros culmina su obra *Marcha de la Humanidad* (4.600 metros cuadrados), que decora las paredes del Hotel de México.

1971 Comienza la construcción del centro Georges Pompidou en París, a cargo de los arquitectos Renzo Piano (italiano) y Richard Rogers (británico).

1971 Los soviéticos ponen en órbita la primera estación espacial *Salyut 1*.

1971 Hasta este año las mujeres suizas obtienen el derecho al voto.

1971 Con el apoyo de India, Pakistán oriental proclama su independencia como Bangladesh (nación de Bengala).

1972 Entra en uso el tomógrafo (TAC), un escáner que registra mediante rayos X imágenes corporales correspondientes a un plano predeterminado.

1972 El presidente estadounidense R. Nixon reconoce a China como nación soberana y realiza una visita de buena voluntad a Pekín.

1972 Un comando terrorista palestino secuestra y asesina a la delegación israelí que participaba en los Juegos Olímpicos de Múnich.

1973 El departamento de defensa estadounidense desarrolla un programa de transmisión de datos que más adelante se conocerá como la Internet.

1973 Se lanza la estación espacial estadounidense *Skylab*, que funcionará como un laboratorio en órbita terrestre.

1973 Sale al mercado la calculadora de bolsillo.

1973 Tras un recorrido de casi veinte meses, la sonda estadounidense *Pioneer 10* llega a Júpiter, continuando su viaje hacia el exterior del sistema solar.

1973 La Asociación Psiquiátrica de Estados Unidos elimina la homosexualidad de su lista de enfermedades mentales.

1973 El golpe de Estado del general Augusto Pinochet contra Salvador Allende da inicio a una dictadura en Chile que irá hasta 1989. Se disuelven los partidos políticos y se implanta una represión que causará miles de muertes, desapariciones y exilios.

1973 El cantante chileno Víctor Jara, figura preeminente de la música popular latinoamericana, muere tras ser detenido y torturado por el nuevo régimen.

1973 La Organización de Países Exportadores de Petróleo (OPEP) dobla los precios del petróleo, hecho que desencadenó una crisis energética mundial.

1973 Egipto y Siria, ante la negativa de Israel de devolver los territorios conquistados durante la Guerra de los Seis Días, lanzan un ataque y detonan así la cuarta guerra árabe-israelí (o Guerra del Yom Kipur). Tras la retirada estratégica de los árabes, la ONU ordena un alto el fuego, que es inmediatamente aceptado por Egipto, Siria e Israel.

1973 Ante la presión de la opinión pública, que ve con acierto que la guerra no se podrá ganar y que se ha expresado, principalmente mediante protestas populares, las tropas estadounidenses (que han sufrido 55.000 bajas) se retiran de Vietnam.

Augusto Roa Bastos

1973 ETA, que en 1966 se había lanzado a la lucha armada, inicia su actividad terrorista con un atentado que le cuesta la vida al almirante Carrero Blanco, presidente del gobierno y hombre de confianza de Franco.

1974 El escritor paraguayo Augusto Roa Bastos publica *Yo el Supremo*, novela sobre la dictadura de Rodríguez de Francia (1814-1840) en su país.

1974 Se descubre que el clorofluorocarbono, usado como agente frigorífico y propulsor en aerosoles, destruye la capa de ozono, que protege la vida de la radiación ultravioleta.

1974 Las escuchas ilegales en contra de los demócratas por parte de colaboradores del presidente R. Nixon, («caso Watergate»), terminan induciendo la renuncia del presidente de Estados Unidos.

Carlos Fuentes

1974 Mediante un incruento golpe de Estado, conocido como la Revolución de los claveles, termina el régimen dictatorial portugués, vigente desde 1932.

1975 García Márquez publica *El otoño del patriarca*, que vuelve sobre el tema de los dictadores latinoamericanos.

1975 El escritor mexicano Carlos Fuentes publica la novela *Terra Nostra*, en la que usa un lenguaje experimental. Otras obras: *La región más transparente* y *Gringo viejo*.

1975 El escritor nigeriano W. Soyinka, Nobel de Literatura 1986, escribe *La muerte y el caballero del rey*, que trata de la incomprensión de la realidad africana.

1975 Se lanza en Estados Unidos el primer computador personal, el *Altair 8800*, con 256 bytes de memoria de acceso aleatorio.

W. Soyinka

1975 Después de desarrollar una versión del Basic para el *Altair 8800*, los estadounidenses Bill Gates y Paul Allen fundan la corporación Microsoft.

1975 El artista estadounidense A. Calder realiza la escultura cinética *Tres tentáculos*.

1975 La muerte del dictador español Francisco Franco abre las puertas al reinado de Juan Carlos I y a la transición a la democracia.

1975 Los comunistas ocupan Saigón, la capital de Vietnam del Sur. La guerra de Vietnam concluye y deja más de dos millones de vietnamitas muertos. El año siguiente se instaurará la unificada República Socialista del Vietnam.

1975 Los jemeres rojos, bajo la dirección de Pol Pot, toman el poder en Camboya. Serán responsables de la muerte de tres millones de personas en campos de exterminio.

1975 La oposición por parte de algunas facciones cristianas a la presencia de refugiados palestinos en Líbano desencadena una guerra civil, que se extenderá hasta 1990.

De compras

1976 El escultor estadounidense Duane Hanson presenta sus esculturas *De compras* magistral muestra del movimiento hiperrealista.

1976 Muere el líder comunista y fundador de la nueva China, Mao Zedong.

1976 Una marcha pacífica de estudiantes negros en Johannesburgo termina en masacre cuando los oficiales blancos disparan contra ellos.

1976 Israel devuelve la península de Sinaí a Egipto.

1976 En Argentina los militares se toman el poder. Liderados por J. R. Videla, inician una guerra sucia contra la oposición, marcada por la violación de los derechos humanos y las desapariciones forzadas, que se contabilizan en diez mil.

1977 Amnistía Internacional informa que en 116 países se encarcela a personas por sus creencias u orígenes étnicos.

1977 Estados Unidos acepta traspasar gradual el canal a manos panameñas.

1978 Nace en Inglaterra el primer bebé probeta (concebido por fecundación *in vitro*).

Juan Pablo II

1978 El cardenal polaco Karol Wojtyla asume el papado con el nombre de Juan Pablo II. Su pontificado se caracterizará por una extraordinaria actividad, realizando innumerables viajes a lugares de todos los continentes.

1978 Con la mediación del presidente estadounidense Jimmy Carter se llevan a cabo en Camp David acuerdos de paz entre Israel y Egipto.

1979 El exiliado escritor checo Milan Kundera publica en Francia *El libro de la risa y el olvido*, una melancólica novela sobre la historia checoslovaca contemporánea.

1979 *The Wall*, del grupo británico Pink Floyd, se convierte en uno de los clásicos del rock, ocupando el tercer lugar de los discos más vendidos de todos los tiempos.

1979 La Organización Mundial de la Salud anuncia la desaparición de la viruela.

1979 Sale al mercado el disco compacto, consistente en un sistema de almacenamiento de información cuya superficie está recubierta de un material que refleja la luz.

1979 Se pone en marcha en Japón el primer sistema de uso general de la telefonía celular.

1979 El sha de Irán Reza Pahlevi deja el poder como consecuencia de la revolución islámica. Sube al poder el ayatolá Jomeini, quien instaura un régimen conservador.

1979 Moscú interviene en la guerra civil de Afganistán, provocando un golpe de Estado e imponiendo en el poder un gobierno de tendencia comunista.

1979 Los sandinistas toman el poder en Nicaragua tras derrocar al dictador Somoza. Entre otras medidas, restituyen los derechos fundamentales y nacionalizan la banca.

1979 Margaret Thatcher, del Partido Conservador, se convierte en la primera mujer en asumir la jefatura del gobierno en Gran Bretaña.

1980 El cantante y compositor británico John Lennon, uno de los integrantes del grupo The Beatles, es asesinado frente a su casa en Nueva York.

1980 Marguerite Yourcenar es la primera mujer en ingresar a la Academia Francesa. Es reconocida mundialmente por su novela *Memorias de Adriano* (1951).

1980 El semiólogo y novelista italiano Umberto Eco publica *El nombre de la rosa*.

1980 El desarrollo de la tecnología digital permite la popularización del uso del fax, un sistema de transmisión eléctrica de documentos e imágenes.

1980 La homosexualidad desaparece del Manual de clasificación de las enfermedades mentales de la Organización Mundial de la Salud.

1980 Tras las huelgas en Polonia contra los altos precios, nace el sindicato Solidaridad.

1980 Tras la invasión de Iraq a territorio de Irán, estalla la guerra irano-iraquí, que se extenderá hasta 1988. Una de sus causas fue la histórica animosidad árabe-persa.

1980 Se recrudece la guerra civil de El Salvador con el desbordamiento de la represión gubernamental y paramilitar a sus opositores izquierdistas.

1981 Primera misión del transbordador espacial estadounidense Columbia.

1981 Sale al mercado la primera computadora personal de IBM.

1981 Israel viola los acuerdos de Camp David al bombardear la sede de la OLP en Palestina y ocupar nuevamente los altos del Golán de Siria.

Marguerite Yourcenar

1981 El presidente estadounidense Ronald Reagan sufre un atentado en Washington. Este mismo año, el papa Juan Pablo II es abaleado en la plaza de San Pedro de Roma.

1982 El médico William de Vries, de la Universidad de Utah, trasplanta por primera vez un corazón artificial permanente a un ser humano.

1982 El concierto de solidaridad latinoamericana de Argentina, con motivo de la guerra de las Malvinas, desata en Latinoamérica un boom del rock en español.

1982 Aparece *Everybody*, primer sencillo de la cantante británica Madonna, que obtiene enorme éxito. Este mismo año, el estadounidense Michael Jackson lanza *Thriller*.

1982 Guerra entre Argentina e Inglaterra por la posesión de las Malvinas, que fueron reocupadas, en menos de tres meses, por los ingleses. La guerra dejó 712 muertos.

1982 Victoria electoral del Partido Socialista Obrero Español (PSOE); accede a la jefatura gubernamental Felipe González.

1982 Las israelíes invaden el sur del Líbano para acabar con las bases de la OLP.

1983 El oncólogo francés L. Montagnier identifica el retrovirus que produce el síndrome de inmunodeficiencia adquirida, sida.

William de Vries

1983 Aparece el ratón para computadoras, periférico que permite mover el cursor.

1983 Raúl Alfonsín gana las elecciones presidenciales en Argentina. Bajo su mandato, la nación vuelve a la democracia.

1984 El arquitecto japonés I. M. Pei presenta su polémico diseño de ampliación del Museo del Louvre en París.

1984 Se inaugura el gasoducto más largo del mundo; conduce gas a Francia desde los yacimientos de Siberia.

Michael Jackson y Madonna

1984 El hambre de África y los desastres naturales impulsan el histórico concierto *Live Aid*, que reunió a los principales músicos de pop rock del momento.

1984 Con el triunfo electoral de J. M. Sanguinetti finaliza la dictadura en Uruguay.

1985 Una avalancha del volcán nevado del Ruiz inunda la ciudad colombiana de Armero; mueren 22.000 personas.

J. M. Pei

1985 Un terremoto en Ciudad de México deja 7.000 víctimas.

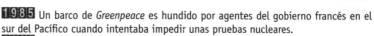

1985 Un barco de *Greenpeace* es hundido por agentes del gobierno francés en el sur del Pacífico cuando intentaba impedir unas pruebas nucleares.

1985 El grupo insurgente colombiano M-19 se toma el Palacio de Justicia y convierte en rehenes a los magistrados. Muchos rehenes, guerrilleros y civiles mueren durante la retoma del Palacio por parte del ejército.

1985 Tras 21 años, Brasil vuelve a democracia bajo el mandato de José Sarney.

1985 Asume el poder Mijail Gorbachov y comienza un periodo de reformas políticas, económicas y sociales en la Unión Soviética, conocido como Perestroika.

1986 El *Challenger*, transbordador espacial de la Nasa, estalla tras su lanzamiento; mueren sus siete tripulantes.

Challenger

1986 La Unión Soviética lanza la estación espacial *Mir*, diseñada para proporcionar largas permanencias a sus tripulantes.

1986 Explota la central nuclear de Chernóbil en Ucrania. Es el accidente nuclear más grave de la historia: 40.000 casos de cáncer y 6.500 víctimas mortales.

1987 El estadounidense Tom Wolfe publica *La hoguera de las vanidades*, la historia de un hombre de negocios cuyo entorno define la cultura estadounidense.

1987 Los palestinos de Cisjordania y Gaza inician la *intifada* («levantamiento» en árabe) con manifestaciones, disturbios y acciones violentas contra la ocupación israelí.

Mir

1988 El escritor indio S. Rushdie es condenado a muerte por el ayatolá Jomeini tras publicar su novela *Los versos satánicos*. Tiene que ser protegido por Scotland Yard.

1988 García Márquez publica *El amor en los tiempos del cólera*.

1988 Debido a sus campañas internacionales en defensa del bosque tropical, es asesinado el sindicalista y ecologista brasileño Chico Mendes.

1988 Se populariza el uso del fax o telefax.

1988 Benazir Bhutto se convierte en la primera mujer en ejercer la jefatura de gobierno de un país musulmán, tras ganar las elecciones en Pakistán.

1989 Con la idea de intercambiar información entre sus equipos, se desarrolla en el Consejo Europeo para la Investigación Nuclear, Suiza, la *World Wide Web*.

1989 Multitudinarias protestas pacíficas en pro de la democracia en la plaza de la Paz Celestial, en Pekín, terminan con la masacre de miles de estudiantes y trabajadores.

Benazir Bhutto

1989 Las multitudes desmantelan el Muro de Berlín después de haberse ordenado su apertura ante las protestas callejeras. Simboliza el fin del comunismo en Europa oriental.

1989 El proceso que pone fin a la hegemonía comunista en Checoslovaquia evoluciona con tal tranquilidad, que ha recibido el nombre de «Revolución de Terciopelo». El dramaturgo Václav Havel, líder de la oposición, es elegido presidente de la República.

1989 El demócrata cristiano Patricio Aylwin es elegido presidente en las primeras elecciones democráticas celebradas en Chile tras el golpe de Estado de 1973.

Caída Muro de Berlín

1989 Los estadounidenses invaden Panamá, derrocan y capturan al presidente Noriega (antiguo colaborador de la CIA) que, tras ser llevado a Estados Unidos, es condenado por narcotráfico a 40 años de prisión. Con 24.000 *marines*, fue la mayor acción militar estadounidense desde Vietnam.

1990 Se extiende por el mundo el rap, un estilo musical que narra la épica marginal urbana, con posturas radicales contra el orden establecido.

1990 El poeta y dramaturgo antillano Derek Walcott, Nobel de Literatura 1992, famoso por su brillante retrato de la cultura caribeña, publica su extenso poema *Omeros*.

1990 El artista colombiano Fernando Botero inicia una serie de exposiciones al aire libre de sus monumentales esculturas en las principales ciudades de Europa y América.

Nelson Mandela

1990 Se inicia el programa internacional Proyecto Genoma Humano, con el fin de obtener un conocimiento básico de la dotación genética humana completa.

1990 La Nasa y la Agencia Europea ponen en órbita el telescopio espacial *Hubble*.

1990 La RDA se disuelve para integrarse a la República Federal de Alemania, con lo que se concreta la creación de un único Estado alemán.

1990 Jean-Bertrand Aristide es elegido presidente de Haití en las primeras elecciones libres desde 1804.

1990 Con el propósito de regular las relaciones internacionales tras la Guerra Fría, Estados Unidos, la Unión Soviética y otras 30 naciones firman la Carta de París.

1990 Es liberado el líder negro Nelson Mandela, símbolo internacional de la lucha de los surafricanos contra el racismo, luego de sufrir casi tres décadas de prisión.

1990 El político peruano Alberto Fujimori gana la presidencia de la República; su principal contendor fue el escritor Mario Vargas Llosa.

Aung San Suu Kyi

1991 El artista estadounidense Christo descubre su escultura ambiental *Umbrellas*.

1991 Se crea el Mercado Común del Sur (Mercosur), bloque comercial que se propone promover el libre intercambio entre Argentina, Brasil, Paraguay, Uruguay y Venezuela.

1991 Aung San Suu Kyi, política birmana líder de la oposición no violenta a la dictadura de su país y en arresto domiciliario desde 1989, recibe el Nobel de la Paz.

》 **Afirmación de la identidad e independencia de los pueblos**
La era de los grandes descubrimientos y la globalización

1991 La invasión iraquí a Kuwait conduce a la resolución militar del conflicto mediante el ataque de una coalición internacional dirigida por Estados Unidos y autorizada por la ONU. Kuwait es liberado y el gobierno de Iraq debe afrontar sanciones económicas decretadas por la ONU, al no permitir la inspección en busca de armas químicas.

1991 Tras la desintegración de Yugoslavia, Eslovenia, Croacia y Macedonia se declaran independientes respecto a Serbia, que controlaba el antiguo ejército.

1991 Las reformas de Gorbachov provocan la disolución de la Unión Soviética y el nacimiento de la Comunidad de Estados Independientes, conformada por doce de las quince ex repúblicas soviéticas.

1991 Se disuelve el Pacto de Varsovia, la alianza militar que mantenían los países comunistas europeos.

1991 Se firma en Maastricht (Países Bajos) el tratado de la Unión Europea.

Toni Morrison

1992 En reconocimiento a su reivindicación de los derechos de los pueblos indígenas, la guatemalteca Rigoberta Menchú es galardonada con el Premio Nobel de la Paz.

1992 La Iglesia católica publica un nuevo catecismo que da orientaciones fundamentales para la fe.

1992 Canadá, México y Estados Unidos firman un tratado de libre comercio (Nafta), que establece la gradual supresión de las barreras al librecambio.

1992 El proceso de paz iniciado en El Salvador en 1989 culmina con el Acuerdo de Chapultepec, el cual le permite al FMLN convertirse en un partido político.

1992 Fujimori disuelve el Parlamento y suspende parte de la Constitución.

1992 Tras un plebiscito convocado por musulmanes y croatas, Bosnia Herzegovina declara su independencia, pero el boicoteo de la minoría serbia conduce a la guerra civil.

Tren de alta velocidad

1993 La escritora estadounidense Toni Morrison se convierte en la primera mujer negra en recibir el Nobel de Literatura. Alguna de sus obras son: *Ojos azules* (1970), *Jazz* (1992) y *Jugando en la oscuridad* (1992).

1993 Las autoridades colombianas dan de baja al narcotraficante Pablo Escobar.

1993 La Revolución de Terciopelo culmina con la creación de dos nuevos países: la República Checa y Eslovaquia.

1993 La OLP llega a un acuerdo con Israel, por el que este país concede un autogobierno limitado a los palestinos en la franja de Gaza y en Jericó y se crea la Autoridad Nacional de Palestina, como administradora de Cisjordania y de la franja de Gaza, donde viven alrededor de 2.200.000 palestinos.

1993 Entra en vigor el tratado de la Unión Europea, hecho que supone un gran proceso de integración europea, al contemplar el establecimiento de políticas exteriores y monetarias comunes en los países miembros.

Vacas locas

1994 Se crea la Organización Mundial del Comercio (OMC), con el objeto básico de facilitar la administración y el funcionamiento de los acuerdos comerciales multilaterales.

1994 Durante la represión rusa contra los independentistas de Chechenia (República Rusa del Cáucaso), entre este año y 1996, mueren más de 50.000 personas.

1994 Nelson Mandela es elegido presidente de Suráfrica. Fueron las primeras elecciones en las que los negros surafricanos pudieron votar.

1994 Se inaugura el túnel del canal de la Mancha, que une Inglaterra y Francia mediante un tren de alta velocidad.

Partido Popular

1994 Alzamiento campesino en Chiapas, México, liderado por el autodenominado Ejército Zapatista de Liberación Nacional y justificado en la exclusión de los campesinos mayas de los procesos de desarrollo.

1994 La muerte en un accidente del presidente de Ruanda provoca un rebrote de la centenaria violencia étnica que enfrenta a hutus y tutsis. Un millón de personas murieron, tutsis en su mayoría, y más de dos millones fueron desplazadas.

1994 El IRA declara un alto al fuego, al que se suman los dos principales grupos paramilitares unionistas de Irlanda del Norte.

1995 Con los Acuerdos de Dayton se pone fin a la guerra en la antigua Yugoslavia y se divide el territorio bosnio en la República Serbia y la Federación Bosnia, entidades no plenamente autónomas. Esta guerra dejó 200.000 muertos.

Björk

1996 Gabriel García Márquez publica *Noticia de un secuestro*, reportaje novelado sobre el narcoterrorismo colombiano.

1996 Se anuncia que la enfermedad de las «vacas locas» puede infectar a los humanos. Millones de vacunos y bovinos deben ser sacrificados antes de lograr su control.

1996 Las elecciones generales españolas dan el triunfo al conservador Partido Popular, poniendo fin a más de trece años de mandato socialista.

1996 Se interrumpen las negociaciones para la reunificación irlandesa, a raíz de nuevos actos terroristas del IRA.

1997 La cantante islandesa Björk presenta su álbum *Homogenic*, en el que rescata los sonidos más íntimos de su país.

1997 Se inaugura el Museo Guggenheim Bilbao, cuyo vanguardista diseño fue concebido por el arquitecto estadounidense Frank Gehry, gran representante del deconstructivismo.

Museo Guggenheim

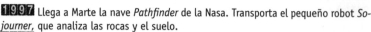

1997 Llega a Marte la nave *Pathfinder* de la Nasa. Transporta el pequeño robot *Sojourner*, que analiza las rocas y el suelo.

1997 Un grupo de científicos británicos clonan una oveja (Dolly), a partir del núcleo de una célula obtenida de una oveja adulta.

1997 La Conferencia de la ONU sobre el Cambio Climático se cierra con un acuerdo que compromete a 159 naciones a reducir la emisión de gases invernadero.

1997 El movimiento fundamentalista islámico de los talibanes logra el control armado de la mayor parte de Afganistán y establece un gobierno islamista radical.

1998 Termina la construcción de las Torres Petronas de Kuala Lumpur en Malasia, el edificio más alto del mundo. Su autor es el arquitecto argentino César Pelli.

1998 El Centro de Arte Reina Sofía le dedica una gran retrospectiva de dibujo y escultura al artista mexicano José Luis Cuevas, representante excelso del neofigurativismo.

1998 Se ponen en órbita los primeros módulos de la Estación Espacial Internacional, proyecto en el que participan Estados Unidos, Rusia, la Agencia Espacial Europea, Canadá y Japón.

1998 Se firma un acuerdo de paz entre católicos y protestantes de Irlanda del Norte, respaldado por los primeros ministros irlandés, Bertie Ahern, y británico, Tony Blair, y con la participación de Estados Unidos. Tanto en el Ulster como en Irlanda el convenio fue aprobado por la mayoría de la población.

1998 En Kosovo, región de la República Federal de Yugoslavia (actualmente Serbia), estalla la guerra entre el Ejército de Liberación de Kosovo, que defiende los intereses de la mayoritaria población albanesa, y el ejército gubernamental.

1998 El ex dictador chileno A. Pinochet deja la comandancia de las Fuerzas Armadas y asume como senador vitalicio. En octubre de este mismo año es detenido en Inglaterra, acusado de crímenes de lesa humanidad.

1999 El artista y escritor chino nacionalizado francés Gao Xingjian, Nobel de Literatura 2000, publica *El libro de un hombre solo*, donde expone el poder de los sistemas totalitarios sobre la vida del ser humano.

1999 El político y ex militar venezolano Hugo Chávez asume como presidente de Venezuela tras ganar las elecciones presidenciales de diciembre. Disuelve el Parlamento y convoca una asamblea constituyente.

1999 Ante el rechazo del presidente S. Milosevic a aceptar el plan de paz para Kosovo y ante la evidencia de los excesos en la represión a los separatistas, la Otan bombardea a Yugoslavia. Los bombardeos afectan a los civiles y generan un desplazamiento de más de un millón de albano-kosovares. En junio, la Otan toma el control de la región.

1999 Las tropas penetran nuevamente el territorio chechenio con el objeto de eliminar los grupos independentistas radicales. Aunque los rebeldes son derrotados, el conflicto se prolonga, avivado por atentados terroristas contra los rusos.

1999 Las instalaciones del canal de Panamá pasan definitivamente a manos panameñas.

2000 El escritor portugués José Saramago, Nobel de Literatura 1998, publica *La caverna*, una desapacible visión de la sociedad de consumo. Otras obras: *Alzado del suelo* (1980), *Memorial del convento* (1982), *Historia del cerco de Lisboa* (1989), *Ensayo sobre la ceguera* (1995) y *Ensayo sobre la lucidez* (2004).

2000 El arquitecto estadounidense Frank Gehry inaugura en Seattle un museo construido en honor a la música rock.

2000 El papa Juan Pablo II pide públicamente el perdón para la Iglesia católica por sus errores cometidos en el pasado.

2000 Tras año y medio de detención, A. Pinochet regresa a Chile. Pierde su inmunidad.

2000 Luego de 22 años de ocupación, los israelíes se retiran del sur de Líbano.

2000 El presidente peruano A. Fujimori es reelegido para un tercer mandato, pero este mismo año es destituido por «incapacidad moral para gobernar».

2000 La visita del líder israelí Ariel Sharon a la explanada de las mezquitas, en Jerusalén, desata una ola de violencia popular (segunda *intifada*).

2000 El presidente interino de Rusia, y ex primer ministro, Vladímir Putin, obtiene la victoria en las elecciones presidenciales.

2000 Un avión supersónico *Concorde* se accidenta al despegar de París. Mueren 113 personas y el hecho deriva en la cesación de operaciones de los aviones *Concorde*.

Siglo XXI El nuevo siglo, el primero, a la vez, de un nuevo milenio, se presenta como el inaugural de la era del conocimiento y la información, en la que la restricción o la libertad a su acceso marcará el dominio de los pueblos y sus gentes sobre sus propios destinos.

2001 La Unesco selecciona la *Novena Sinfonía* de Ludwig van Beethoveen como la primera obra musical patrimonio cultural de la humanidad.

2001 La escritora surafricana Nadine Gordimer, Nobel de Literatura 1991, cuya obra es una permanente reflexión sobre el *apartheid*, publica *El encuentro*, donde describe la vida una mujer blanca que vive con su esposo musulmán en el bantustán.

Pathfinder

La oveja Dolly

Torres Petronas

Gao Xingjian

José Saramago

Nadine Gordimer

2001 Produce una viva polémica en los medios literarios la publicación de la novela *La conexión Bulgary*, de la novelista y dramaturga inglesa Fay Weldon, ya que se trata de un encargo publicitario de una reconocida firma de joyería.

2001 El Proyecto Genoma Humano presenta la secuencia genética del ser humano.

2001 Una empresa estadounidense anuncia haber clonado embriones humanos con el fin de obtener células madre.

2001 El republicano George W. Bush asume como presidente de los Estados Unidos.

2001 El 11 de septiembre, militantes de la red terrorista Al-Qaeda secuestran cuatro aviones de pasajeros y estrellan dos de éstos contra las Torres Gemelas de Nueva York, uno contra el Departamento de Defensa estadounidense (Pentágono), en Virginia y el cuarto, que iba dirigido contra Congreso, cae sobre un campo abierto en Pensilvania. Los ataques causaron la muerte de cerca de 3.000 personas y un giro en los planteamientos contra el terrorismo. Según el líder de Al-Qaeda, Osama Ben Laden, los ataques fueron consecuencia de las actuaciones de Estados Unidos en los países árabes, que buscan saquear recursos, dividir a los Estados para desestabilizar el área y dirigir el destino político del mundo árabe. La respuesta de Estados Unidos a estos ataques fue la guerra de Afganistán, iniciada en octubre de este mismo año, ante la negativa del gobierno afgano, dominado por los talibanes, de entregar a Ben Laden, quien se halla refugiado en dicho país.

2002 El compositor griego Mikis Theodorakis estrena su ópera *Lisístrata*, en el Palacio de la Música de Atenas.

2002 La Orquesta para la Paz, que agrupa a más de cuarenta músicos árabes e israelíes, ofrece en París su primer concierto.

2002 El Instituto Nobel y el Club del Libro de Noruega dan a conocer los resultados de su encuesta a escritores de cincuenta y cuatro países para la selección de los cien mejores libros de la historia: el primer lugar lo ocupa *Don Quijote de la Mancha*. Otros libros en lengua española que aparecen en la lista: *Ficciones* de Jorge Luis Borges, *Pedro Páramo* de Juan Rulfo y *Cien años de soledad* y *El amor en los tiempos del cólera* de García Márquez.

2002 Cuarenta millones de infectados y setenta en peligro de morir en los próximos veinte años son las cifras con las que se cierra la XIV Conferencia Internacional sobre el sida en Barcelona.

2002 El euro se convierte en la única moneda legal en los Estados de la Unión Europea.

2002 Las remesas que los latinoamericanos empleados en otras áreas del mundo hacen este año a sus países de origen llegan a 32 mil millones de dólares, cifra que iguala a la de la inversión extranjera en la región.

2002 La Cumbre Mundial sobre Desarrollo Sostenible celebrada en Johanesburgo muestra que el efecto invernadero puede tener consecuencias catastróficas a largo plazo.

2002 Las elecciones parlamentarias llevadas a cabo en Bahrein, país islámico del golfo Pérsico, son las primeras en las que las mujeres pueden simultáneamente votar y ser elegidas.

2002 La Iglesia católica de Estados Unidos se ve enormemente afectada por la gran cantidad de denuncias en contra de sacerdotes pedófilos.

2002 El liberal disidente Álvaro Uribe gana las elecciones presidenciales de Colombia.

2002 El ex presidente de Yugoslavia, Slobodan Milosevic, se convierte en el primer jefe de Estado en ser juzgado por un tribunal internacional (Tribunal Internacional para la antigua Yugoslavia), acusado de genocidio y crímenes de lesa humanidad.

2002 Un golpe de Estado en Venezuela saca por tres días (del 11 al 14 de abril) del poder a su presidente Hugo Chávez.

2002 La ex colonia portuguesa de Timor Oriental, ocupada por Indonesia de 1975 a 1999, se convierte en un Estado independiente.

2002 La *intifada* palestina se agudiza con atentados suicidas en contra de Israel, cuyo gobierno decide confinar en su propio cuartel al líder de la OLP, Yaser Arafat.

2003 Se publica póstumamente el volumen de cuentos *El gaucho insufrible*, del escritor chileno Roberto Bolaño, uno de los más destacados autores de su generación.

2003 La oveja Dolly, el primer mamífero clonado en el mundo, es sacrificada tras serle diagnosticada una enfermedad pulmonar progresiva.

2003 La mayoría de los países, coordinados por la Organización Mundial de la Salud (OMS), acuerdan el primer tratado internacional antitabaco.

2003 Desde que se detectó en China el año anterior, la neumonía atípica se ha extendido a países de todas las áreas; entre los más afectados están la República Checa, Francia, Canadá y Filipinas.

2003 Belice, Guatemala y Honduras firman un acuerdo en el seno de la OEA para proporcionar a Guatemala un acceso al mar Caribe.

2003 Tras la firma del Estatuto de Roma se constituye el Tribunal Penal Internacional (con sede en La Haya), con jurisdicción universal, cuya misión fundamental

Fay Weldon

Mikis Theodorakis

Sida

El euro

Roberto Bolaño

Acuerdo anti tabaco

es enjuiciar y condenar delitos de relevancia internacional, como los de lesa humanidad y los genocidios.

2003 Se presenta al gobierno de Israel y a la Autoridad Palestina una hoja de ruta elaborada por Estados Unidos, la Unión Europea, Rusia y las Naciones Unidas.

2003 Israel inicia la construcción de un muro de seguridad de 600 kilómetros en la zona ocupada de Cisjordania, con el objeto de detener atacantes palestinos.

2003 Argumentando que Iraq posee armas de destrucción masiva y tiene vínculos con el grupo terrorista Al-Qaeda, y que es necesario derrocar el gobierno dictatorial de Saddam Hussein para establecer una democracia, una coalición liderada por Estados Unidos y el Reino Unido (sin la autorización de la ONU) invade el país y, efectivamente, derroca a Hussein. Tras la caída de Hussein, la coalición asume la reorganización del Ejército y la Policía y conforma un gobierno provisional que reestablecería el poder a un gobernante iraquí democráticamente elegido.

2003 El secesionista Ejército de Liberación Sudanés ataca puestos del Ejército y la Policía sudaneses, protestando por la pobreza en la que se hallan sus comunidades y por los ataques del ejército y del grupo paramilitar de origen árabe *Janjawid*, contra su población. El conflicto interétnico de Darfur (región del suroeste de Sudán, rica en petróleo) enfrenta desde mediados de la década de 1990 a la agrupación paramilitar de origen árabe *Janjawid*, fundada en 1995, y al Ejército de Liberación Sudanés (ELS), fundado en 1986 y compuesto por nativos negro-africanos.

2003 La República Federal de Yugoslavia es reemplazada por un nuevo Estado con el nombre de Serbia y Montenegro.

2004 Mediante una encuesta de arte realizada entre quinientos expertos, la obra *La fuente* (más conocida como *El urinario*), de Marcel Duchamp, es elegida como la obra de arte moderno más influyente.

2004 Un maremoto en el océano Índico causa la muerte de cerca de 300 mil personas. Los países más afectados son Tailandia e Indonesia.

2004 Ampliación de la Unión Europea a 25 países. Se integran la República Checa, Eslovaquia, Eslovenia, Estonia, la parte griega de Chipre, Hungría, Letonia, Lituania, Malta y Polonia.

2004 En el mes de marzo, Madrid es víctima de un ataque terrorista. Diez explosiones en cuatro trenes dejan 191 personas muertas y 1.700 heridas.

2005 El escritor estadounidense Michael Cunningham publica la novela *Días ejemplares*, en la que el poeta Walt Whitman desempeña un papel central y que se desarrolla en Nueva York en «tres tiempos»: siglo XIX, después del 11 de septiembre de 2001 y el futuro. Cunningham es muy conocido por su obra *Las horas* (1998), sobre la escritora británica Virginia Woolf.

2005 Un terremoto de 7.6 grados en la escala de Richter sacude Cachemira, Pakistán, India y Afganistán, dejando más de 30.000 muertos.

2005 El gobierno de Estados Unidos cierra oficialmente la búsqueda de armas de destrucción masiva en Iraq, sin ningún resultado positivo. Su supuesta existencia fue el principal motivo de la invasión y el estallido de la guerra.

2005 George W. Bush inicia su segundo mandato como presidente de Estados Unidos. Casi simultáneamente anuncia la construcción de extensas líneas de bardas en su frontera con México, para contener la inmigración ilegal.

2005 Muere el papa Juan Pablo II; ejerció el pontificado durante veintisiete años. El cardenal Joseph Ratzinger es elegido para sucederlo con el nombre de Benedicto XVI.

2005 El ex dictador Augusto Pinochet es detenido en su domicilio y procesado por fraude tributario, falsificación de material público y secuestro calificado.

2006 Con un martillo un hombre ataca una de las obras de arte más famosas del siglo XX en el museo Pompidou de París. Se trata del urinario llamado *La fuente*, obra creada en 1917 por el artista Marcel Duchamp. El reincidente atacante había orinado sobre la famosa obra cuando era exhibida en Nimes, sur de Francia, en 1993.

2006 En varios países latinoamericanos son elegidos nuevos gobiernos: en Nicaragua, el dirigente sandinista y ex presidente de la República Daniel Ortega; en Ecuador, el dirigente izquierdista Rafael Correa; Felipe Calderón asume como presidente de México en una sesión contestada por la oposición de izquierda; Álvaro Uribe es reelegido en la primera vuelta de las elecciones presidenciales en Colombia; el ex presidente peruano Alan García asume de nuevo; el dirigente socialista Evo Morales se convierte en el primer presidente indígena de su país (mayoritariamente indígena); y la socialista Michelle Bachelet es elegida presidenta de Chile.

2006 Tras dos años de juicio, un tribunal especial condena a muerte en la horca al ex presidente de Iraq Saddam Hussein, luego de ser declarado culpable de crimen contra la humanidad.

2006 Mediante plebiscito, Montenegro se proclama como Estado independiente. Desde 2003 conformaba con Serbia la Federación de Serbia y Montenegro.

2006 La demócrata estadounidense Nancy Pelosi se convierte en la primera mujer en presidir la Cámara de Representantes de Estados Unidos.

2007 La escritora británica Joanne Kathleen Rowling, autora de las exitosas novelas cuyo protagonista es un niño mago llamado Harry Potter publica el último libro de la serie: *Harry Potter y las reliquias de la muerte*.

2007 Hugo Chávez pierde el plebiscito que hubiera posibilitado su reelección indefinida para la presidencia de Venezuela.

2007 Cristina Fernández de Kirchner gana las elecciones presidenciales en Argentina. La nueva mandataria es esposa de su predecesor en el cargo, Néstor Kirchner.

2007 Muere en un atentado contra su vida la política pakistaní Benazir Bhutto, primera mujer en haber ocupado la jefatura de gobierno en un país musulmán.

2007 A finales de este año las tropas inglesas inician el retiro parcial del territorio iraquí. La presencia militar estadounidense se mantiene, bajo la bandera de la lucha contra el terrorismo.

2007 La ONU publica un censo según el cual el conflicto interétnico de Darfur ha causado, desde 2003, la muerte de 200.000 personas y el desplazamiento de dos millones. En el mismo informe inculpa directamente al gobierno sudanés como responsable de violaciones, asesinatos y secuestros.

Joanne K. Rowling

2008 Se cancela en Estados Unidos la publicación de la novela *La joya de Medina*, de la escritora Sherry Jones, por temor a que el libro incitara actos de violencia, al resultar ofensivo para algunos musulmanes. También debe ser retirada de las librerías de Serbia, único lugar donde se puso en venta. La novela cuenta la historia de Aisha, la esposa favorita de Mahoma, desde su compromiso hasta la muerte del profeta.

2008 Sale a la luz que la novela *La catira* (1955) del escritor español Camilo José Cela fue escrita por encargo del dictador venezolano Pérez Jiménez.

2008 El escritor y ensayista francés Jean-Marie Gustave Le Clézio recibe el Premio Nobel de Literatura. Autor muy vinculado a Hispanoamérica, entre sus obras están *Diego y Frida* (sobre los artistas mexicanos Frida Kalho y Diego Rivera), *Las profecías de Chilam Balam*, *El sueño mexicano* y *Ballaciner*, un ensayo acerca de la historia del cine.

Cristina Fernández

2008 En una subasta de la casa Sotheby's de Londres, el artista británico Damien Hirst impone una nueva marca de ventas dedicadas a un solo artista, superando los doscientos millones de dólares. Hirst ha logrado fama por sus «composiciones escultóricas» consistentes en animales sumergidos en formol.

2008 Los científicos franceses Francoise Barre-Sinousi y Luc Montagnier son galardonados con el Premio Nobel de Medicina, por la identificación, en 1983, del retrovirus que produce el sida. El premio es compartido con el científico alemán Harald zur Hausen, por su descubrimiento del virus de papiloma humano (VPH), causa el cáncer cervical.

2008 La sonda espacial estadounidense *Phoenix* llega a Marte e identifica en su superficie carbonato de calcio y arcilla, minerales que se forman únicamente con la presencia de agua líquida.

2008 Un terremoto que sacude las provincias chinas de Sichuan y Shaanxi causa la muerte a cerca de 70.000 personas.

Camilo José Cela

2008 Un ciclón causa la muerte a 100.000 personas a su paso por Myanmar (o Birmania) y deja sin hogar a un millón más.

2008 Kosovo se independiza unilateralmente de Serbia y, posteriormente, promulga su Constitución.

2008 Un protocolo suscrito por los ministros de exteriores de Rusia y China pone fin a la disputa fronteriza que han sostenido las dos naciones durante cuarenta años.

2008 Fidel Castro renuncia definitivamente a la presidencia del Consejo de Estado y la comandancia de las Fuerzas Militares de Cuba. En su reemplazo es elegido su hermano Raúl Castro.

2008 El ex obispo Fernando Lugo, del movimiento de izquierdas Alianza para el Cambio, gana las elecciones presidenciales en Paraguay.

2008 Irán afirma su derecho a la tecnología nuclear al rechazar un paquete de incentivos, por parte de los seis países más poderosos del mundo, a cambio de suspender su programa nuclear.

Le Clézio

2008 Son liberados, primero (y en dos ocasiones) por intermediación del presidente venezolano Hugo Chávez, y luego mediante una acción del Ejército colombiano, algunos de los secuestrados que la guerrilla de las Farc mantiene en su poder desde hace varios años.

2008 Los gobiernos de Taiwán y China acuerdan el inicio del tráfico aéreo entre los dos territorios, cuyas conexiones de transporte se mantenían inhabilitadas desde 1949.

2008 Ecuador aprueba mediante referendo su nueva Constitución.

2008 Los más fastuosos y coloridos Juegos Olímpicos de la historia se inauguran el 20 de agosto en China, país que no ha dejado pasar la oportunidad de demostrarle al mundo el altísimo nivel de desarrollo que ha alcanzado en todos los órdenes. Por su innovador estilo, el estadio en Beijing *Nido del pájaro*, encargado a los arquitectos suizos Jacques Herzog y Pierre De Meuron, se convierte en el símbolo de los Juegos Olímpicos.

2008 A medida que se acerca la fecha para la realización de las elecciones presidenciales en Estados Unidos, el candidato demócrata Barack Hussein Obama se perfila como el más seguro ganador de la contienda, en la que enfrenta al republicano John Mc-Cain. De ganar las elecciones de dicho país, Obama sería el primer afrodescendiente en llegar a la presidencia.

Fidel Castro

EL CONFLICTO ANGLO-IRLANDÉS II

En 1801 entró en vigencia el Acta de Unión, negociada por el primer ministro británico William Pitt, por la cual se unificaron Gran Bretaña e Irlanda en el Reino Unido de Gran Bretaña e Irlanda. Durante las primeras décadas del siglo XIX, el conflicto bajó notoriamente de intensidad. En 1829, la Cámara de los Comunes, presionada por la Asociación Católica (movimiento masivo irlandés fundado en 1823), aprobó una ley que permitió a los católicos acceder a todos los empleos, salvo la realeza y la regencia. Este clima relativamente optimista se va al traste con la «gran hambruna» (1845-1849), durante la cual casi un millón de personas murieron y cerca de dos millones debieron emigrar (principalmente a Estados Unidos). La presencia británica no significó para los irlandeses ninguna ventaja en estos difíciles momentos. Finalizando el siglo, los nacionalistas lograron la aprobación para instaurar una autonomía administrativa local, que finalmente no fue aplicada. El descontento consecuente condujo a la radicalización de los irlandeses, que apoyaron la creación en 1902 del Sinn Fein («nosotros solos»), partido nacionalista que abogaba por la unión e independencia de toda Irlanda.

Al terminar la Primera Guerra Mundial, se inicia la actividad del IRA (Ejército Republicano Irlandés), organización militar ilegal que buscaba el fin del dominio británico, apoyada en los objetivos políticos del Sinn Fein. Su actividad, no exenta de atrocidades, y la represión británica, de similar estilo, provocaron en la opinión pública inglesa y estadounidense tal estado de indignación que ambas partes debieron ceder con la firma del tratado anglo-irlandés (1921), que estableció el Estado Libre de Irlanda, aunque excluyó el Ulster, que se convirtió en una división política del Reino Unido conocida como Irlanda del Norte.

La secesión significó para la mayoría protestante del nuevo territorio británico de Irlanda del Norte la garantía para el mantenimiento de su religión y de su posición política dominante respecto a los católicos, lo que condujo rápidamente al estallido de la guerra civil. En 1949, la República de Irlanda abandonó la Commonwealth, culminando su proceso hacia la plena soberanía, mientras que en Irlanda del Norte se gestaba un movimiento en favor de los derechos civiles de los católicos. En la década de 1970, el IRA inició su actividad terrorista, al tiempo que se radicalizaban los enfrentamientos entre los católicos y los protestantes norirlandeses, alguno de los cuales conformaron organizaciones paramilitares extremistas. En 1985, el gobierno británico autorizó la creación de un consejo que otorgó a la República de Irlanda la tutela de la población católica de Irlanda del Norte, lo que provocó la radicalización de los protestantes. En la década de 1990, el IRA hizo dos altos al fuego (1994 y 1997) que finalmente condujeron a conversaciones de paz entre el Sinn Fein y los representantes del gobierno británico. En mayo de 1998, los irlandeses ratificaron mediante referendo el Acuerdo de Stormont, que selló la paz con la creación de una asamblea autónoma y el nombramiento de un Ejecutivo con representantes de católicos y protestantes, que finalmente se posesionó en diciembre de 2000. Desde el recrudecimiento del conflicto en la década de 1970 murieron por su causa cerca de cuatro mil personas.

GUERRA FRÍA
1945-1989

Conflicto político e ideológico que enfrentó a las dos potencias vencedoras de la Segunda Guerra Mundial, Estados Unidos y la Unión Soviética, y que se caracterizó por no ser una confrontación militarmente directa entre estos dos países, sino a través de luchas económicas, diplomáticas y tecnológicas. A partir de 1945 y hasta 1989 las dos potencias se batieron en una guerra que dividió al mundo en dos bloques de poder: occidental-capitalista y oriental-comunista, los cuales defendieron diferentes intereses políticos, económicos e ideológicos. Algunos de los procesos más importantes en el marco de la Guerra Fría fueron: una lucha armamentista de dimensiones colosales, debida a la agudización creciente del conflicto y a que estuvo marcada por la posibilidad del estallido de una confrontación atómica que, dado su enorme poder destructivo, amenazó siempre con la extinción de la vida en la Tierra; la Guerra de Corea, en 1950; la Guerra de Vietnam, en 1959; la Revolución Cubana, en 1959; la Crisis de los Misiles, en 1962, y el surgimiento de guerrillas comunistas en América Latina a lo largo de la década de 1960. El fin de la Guerra Fría estuvo marcado por un acuerdo de distensión firmado en 1985, entre Mijail Gorbachov, mandatario de la Unión Soviética y Ronald Reagan, presidente de Estados Unidos, con el que se comprometían a contener la pugna ideológica en el mundo.

Descolonización

La historiografía moderna da al término «descolonización» un significado que lo circunscribe a los procesos relativamente recientes (c.1945-c.1975) que dieron la libertad y la soberanía a aquellos territorios sobre los que las metrópolis europeas habían extendido o afianzado el control político, económico, militar y, muchas veces, cultural (más allá de sus límites naturales), en el periodo comprendido entre los años 1800 y 1945 (entre las guerras napoleónicas y el fin de la Segunda Guerra Mundial). Periodo que tuvo su mayor dinamismo entre 1880 y 1914, cuando las posibilidades de expansión de la «red colonial» fueron ya prácticamente nulas. Una característica común a todas las potencias coloniales fue que éstas se situaron por encima de las estructuras existentes, dejando a los líderes locales en sus puestos, con una autoridad reducida, al tiempo que los colonizadores intentaban extraer el máximo beneficio para su propio desarrollo económico. El Imperio británico era, con mucho, el más amplio y con mayor diversidad geográfica, aunque Francia, Bélgica, Alemania, Portugal, Estados Unidos y Japón también eran importantes potencias coloniales.

Así como la Primera Guerra Mundial marca el fin de la expansión colonialista, la Segunda Guerra Mundial marca el comienzo de la descolonización. El desarrollo del nacionalismo en las colonias, muchas veces mediante el arraigo de doctrinas anticapitalistas en sus líderes; el fin del equilibrio del poder en Europa, con la consecuente redistribución de sus fronteras internas; el declive militar y político de las metrópolis y el agotamiento de la justificación moral (el pensamiento liberal adjudicaba a la metrópolis una función civilizadora) contribuyeron a que los imperios coloniales fueran desmantelados casi en su totalidad en tres décadas.

El sistema de colonización occidental causó problemas y beneficios a las sociedades receptoras, pero, en general, derivó en una situación de atraso económico y de conflictos raciales y culturales. En muchos casos, la retirada de la potencia colonial generaba un vacío político al que seguía un proceso de lucha por el poder. En respuesta a esto, la recién creada Organización de las Naciones Unidas (ONU), desarrolló una estrategia que consistía en el despliegue de fuerzas de paz con dos fines principales: separar a los antagonistas, dándoles oportunidades de negociación, e impedir la extensión geográfica de los conflictos locales. En 1946 estableció un Comité para la Información de los Territorios No Autónomos, de carácter permanente, que fue fundamental en los procesos de descolonización e independencia de dichos territorios, al proporcionar una estructura organizada en la que se podía activar la oposición al colonialismo, y en la que las nuevas naciones podían encaminarse en pos de una causa común. En 1960, cuando el proceso de descolonización ya avanzaba en firme, la Asamblea General aprobó una declaración que, entre otras cosas, afirmaba que el colonialismo «constituye una negación de los derechos humanos fundamentales».

PROCESO DE DESCOLONIZACIÓN

NOMBRE	FECHA DE LA DESCOLONIZACIÓN

COLONIAS BELGAS

Burundi	1962
República del Congo	1960
Ruanda	1962

COLONIAS BRITÁNICAS

Antigua y Barbuda	1981
Bahamas	1973
Bahrein	1971
Barbados	1966
Belice	1981
Botsuana	1966
Brunei	1984
Camerún	1961
Chipre	1960
Dominica	1978
Egipto	1936
Emiratos Árabes Unidos	1971
Gambia	1965
Ghana Costa de Oro	1957
Granada (isla)	1974
Guyana	1966
Hong Kong	1997
India	1947
Iraq	1932
Islas Cook	1965
Islas Fiji	1970
Islas Salomón	1978
Israel	1948
Jamaica	1962
Jordania	1946
Kenia	1963
Kiribati	1979
Kuwait	1961
Lesoto	1966
Malawi	1964
Malaysia	1957
Maldivas	1965
Malta	1964
Mauricio	1968
Myanmar (Birmania)	1948
Nauru	1968
Nigeria	1960
Omán	1971
Pakistán	1947
Papúa-Nueva Guinea	1975
Qatar	1971
Saint Kitts y Nevis	1983
Samoa	1962
San Vicente y las Granadinas	1979
Santa Lucía	1979
Seychelles	1976
Sierra Leona	1961
Singapur	1965
Somalia	1960
Sri Lanka	1948
Suazilandia	1968
Sudán	1956
Suráfrica	1910
Tanzania	1961
Tonga	1970
Trinidad y Tobago	1962
Tuvalu	1978
Uganda	1962
Vanuatu	1980
Yemen	1967
Zambia	1964
Zimbabwe	1965

COLONIAS HOLANDESAS

Irian Jaya	1969
Indonesia	1949
Surinam	1975

COLONIAS FRANCESAS

Argelia	1962
Benín	1960
Burkina Faso	1960
Camboya	1953
Camerún	1960
Centroafricana, República	1960
Chad	1960
Comores	1975
Congo	1960
Costa de Marfil	1960
Gabón	1960
Guinea, República de	1958
Laos	1949
Líbano	1946
Madagascar	1960
Mali	1960
Marruecos	1956
Mauritania	1960
Níger	1960
Senegal	1960
Siria	1946
Togo	1960
Tunicia	1956
Vietnam	1954
Yibuti	1977

COLONIAS PORTUGUESAS

Timor Oriental	1975
Angola	1975
Cabo Verde	1975
Guinea-Bissau	1974
Mozambique	1975
Santo Tomé y Príncipe	1975

COLONIAS ESPAÑOLAS

Sahara Occidental	1976
Guinea Ecuatorial	1968
Marruecos	1956

COLONIA ESTADOUNIDENSE

Filipinas	1946

LA INTIFADA

Desde 1987 hasta la actualidad, el conflicto árabe-israelí ha adquirido una nueva forma, la *intifada*, o «guerra de las piedras», nombre con el que se conocen los levantamientos protagonizados por jóvenes palestinos en contra del ejército israelí en los territorios ocupados. La historiografía distingue dos intifadas: la primera, entre 1973 y 1993, originada por un accidente en el que un vehículo israelí mató a cuatro palestinos en Gaza. La respuesta palestina fue el enfrentamiento de una gran parte de la población de Gaza, armada de piedras, contra las armas del ejército israelí. La segunda intifada fue causada por la visita de Ariel Sharon, líder de la oposición israelí, a la Cúpula de la Roca y la Mezquita de Al-Aqsa, en septiembre de 2000. Dicha visita fue vista por los palestinos como una provocación, y en respuesta, apedrearon a una concentración de judíos en el Muro de las Lamentaciones; este ataque propició la intervención de la policía israelí. Los disturbios se generalizaron a lo largo de la Jerusalén árabe. Aunque algunos especialistas marcan el final de esta intifada en el año 2005, los ataques y provocaciones mutuos hacen ver que esta etapa aún continúa.

LA DÉCADA DE 1960

Esta década marcó profundamente la historia del siglo XX en todo el mundo. En lo político, el avance de la Guerra Fría se manifestó a través de acontecimientos como la implantación del comunismo en Cuba, a partir de 1960; la aprobación de la Alianza para el Progreso por la OEA, en 1961; la invasión a Bahía Cochinos, en el mismo año; la Crisis de los Misiles en Cuba, en 1962 y el surgimiento de guerrillas de inspiración comunista en varios países de América Latina. Los años sesenta fueron también de pronunciamientos estudiantiles: en mayo de 1968, estudiantes franceses de varias universidades e institutos iniciaron una huelga que terminó en enfrentamientos con la policía; en octubre del mismo año, estudiantes mexicanos de pensamiento crítico fueron asesinados. Por América del Sur, las manifestaciones estudiantiles en contra del statu quo y de la intervención norteamericana en la vida académica se hicieron visibles en países como Brasil, Argentina, Uruguay y Colombia. Todas estas manifestaciones de la juventud universitaria tuvieron explícito el sello de la guerra Oriente-Occidente. Al mismo tiempo, países como Ruanda, Burundi (en 1962), Singapur y Rhodesia del Sur (1965) lograron su independencia en esta década. En agosto de 1961 se levantó el Muro de Berlín, frontera que dividió por veintiocho años a Berlín occidental de Berlín oriental.

En el campo científico, también los sesenta fueron clave: el descubrimiento del primer fósil de Homo habilis, por el paleoantropólogo Louis Leakey, en agosto de 1960, fue un paso adelante en la investigación sobre el origen del hombre. En abril de 1961, Yuri Gagarin se convirtió en el primer hombre en viajar al espacio; y el 20 de julio de 1969, los astronautas estadounidenses Neil Armstrong y Edwin Aldrin fueron los primeros hombres en pisar la Luna.

A finales de la década, la aparición del hippismo marcó no sólo el terreno cultural, sino también el político y el social. Este movimiento contracultural, originado en San Francisco, California, y que se extendió por todo Occidente, se caracterizó por la anarquía sin violencia, el rechazo al materialismo de Occidente y la inquietud por el tema del medio ambiente.

En 1802, Napoleón Bonaparte **impulsa la** creación de una flota de globos **aerostáticos,** con el propósito de invadir Inglaterra por aire. El proyecto es archivado en **1804.**

La primera caja de ahorros es creada en **Escocia,** en 1810, por el reverendo **HENRY DUNCAN,** con el propósito de guardar el dinero de los obreros y pagarles dividendos por él.

En 1819, se inaugura en **Suiza** la primera fábrica de **chocolate** en tabletas en el mundo.

En 1829, **Chang y Eng** dos gemelos de Sian **UNIDOS** por e pecho, son exhibido de manera circense e **INGLATERRA** Así nació el término «siamé para referirse a este tipo de **gemelos.**

El primer sello de correos *(penique negro)* con el reverso adhesivo, se pone en circulación en Inglaterra en 1840. Tiene la imagen del **PERFIL** de la reina Victoria.

El estadounidense **GEORGE CRUM** inventa las populares papas (o patatas) **fritas** en 1853.

El nombre de la organización RACISTA **Ku-Klux-Klan,** fundada en 1866 en ESTADOS UNIDOS, corresponde a la onomatopeya del fusil al ser cargado y martillado.

En 1871 se dio a conoce **el primer reglamento** del fútbol, elaborado por la *Football Association* del **Reino Unido.**

El pintor impresionista francés Claude Monet pintó en 1872 *Impresión, amanecer,* que le dio nombre al movimiento IMPRESIONISTA.

En 1873, **Levi Strauss Jacob Devis** vendieron el primer par de *blue jeans.* La patente les es otorgada este mismo año.

En 1886, el boticario estadounidense CHARLES PEMBERTON patenta y pone a la venta una bebida tonificante, dulce y carbonatada, denominada *Coca-Cola.*

La célebre espía y bailarina holandesa **MATA HAR** es una de las primeras mujeres en usar una nueva prenda de **ropa interior** (el sostén) para sostener el busto sin corsé, en 188

El 1° de mayo de 1890, se celebra en casi todo el **mundo** y por primera vez, **EL DÍA INTERNACIONAL DEL TRABAJO.** La conmemoración fue propuesta el año anterior en el congreso de la II Internacional Socialista, realizada en París.

En 1914, el presidente de los **Estados Unidos, WOODROW WILSON,** designa el segundo **domingo de MAYO** como día oficial de la **M A D R E.**

La **Revolución Rusa** de Octubre tiene lugar en **noviembre** de 1917, según el calendario gregoriano, que no había sido aún **adoptado** por **Rusia.**

En 1921, la **diseñadora «Coco» Chanel** presenta su **perfume** *Chanel Nº 5,* el más vendido **de la Historia.**

Muere el escritor checo **Franz Kafka** en 1924. Ha dispuesto en su testamento que todos sus manuscritos **inéditos sean quemados,** voluntad que su albacea se negó a cumplir, salvándose así las novelas *El proceso* y *América.*

La NBC y la CBS dan inicio a la **TELEVISIÓN COMERCIAL** en 1941: empezaron a transmitir desde N u e v a Y o r k quince horas semanales de dibujos animados, noticias y deportes.

La obra de teatro *La ratonera* (basada en un relato de Agatha Christie) que se estrena en Londres en 1952, tiene el récord de permanencia en cartelera, con más de 20.000 representaciones hasta hoy.

Sale el primer número de la revista *Playboy* en 1953, con una fotografía de portada de Marilyn Monroe, gran mito erótico de su época.

Tras un informe científico estadounidense de 1964, se **OBLIGA POR LEY** a las tabacaleras a **incluir** en las cajetillas de **cigarrillos** la advertencia del **peligro** del **t a b a c o** para la salud.

En 1978, el cardenal polaco **KAROL WOJTYLA** se convierte en **JUAN PABLO II,** el primer papa no italiano desde 1523.

En 1980 es fundada la **CNN** (*Cable News Network*), primera emisora de televisión dedicada a emitir noticias durante las **24 horas del día.**

En el **2000,** EL VIRUS INFORMÁTICO *I love you* se propaga por las computadoras de millones de usuarios en todo el mundo. Infecta sobre todo los archivos de imagen y **sonido.**

SABÍA USTED QUE...

Las maravillas del mundo
MODERNO

Las nuevas maravillas del mundo, elegidas en una votación internacional por Internet y mensajes telefónicos de texto, fueron proclamadas en Lisboa en 2007 por la fundación suiza *New Open World Corpora-
tion*, que promovió la iniciativa. La votación se hizo sobre una lista de
veinte monumentos candidatos. Las nuevas maravillas son:

La gran pirámide de Gizeh en Egipto La mayor de las pirámides de Gizeh,
la del faraón Keops, es el único monumento de las Siete Maravillas del
Mundo Antiguo que sobrevive. Los organizadores le dieron un puesto ho-
norífico y lo declararon fuera de concurso. Mide 160 metros de altura sobre
una base cuadrada de 250 metros de lado.

La Gran Muralla china Construida en el siglo III a.C. por el emperador Qin,
el primero de la dinastía Ch'in (Qin), para detener las invasiones mongolas.
Tiene 6.700 kilómetros de longitud, una altura de entre 6 y 8 metros y, a intervalos, tiene torres de 12 metros. Fue reforzada por los emperadores de la
Dinastía Ming (siglos XIV y XV).

Petra Antigua capital del Imperio nabateo (siglo IV a.C.-siglo II d.C.), situada en la actual Jordania. Los nabateos dieron forma a su capital excavan-
do palacios, viviendas y tumbas en acantilados de piedra, convirtiéndola en
una fortaleza inexpugnable, a la que sólo se podía acceder a través de una
estrecha abertura natural.

El Cristo Redentor Imagen de Cristo con los brazos abiertos (38 metros de
altura), que se levanta sobre un cerro de piedra en la bahía de Río de Janei-
ro, Brasil. Se construyó por iniciativa de la Iglesia católica con ocasión cen-
tenario de la Independencia de Brasil en 1922, aunque sólo fue inaugurado
en 1931. El proyecto estuvo a cargo del ingeniero Heitor da Silva Costa.

Machu Picchu Ciudad incaica fortificada construida en el siglo XV y emplazada en los Andes peruanos a 2.350 metros de altitud, en el curso del río Urubamba. Comprende varios complejos urbanos, entre los que hay templos,
palacios, fuentes, escalinatas y altar del Sol.

Chichén Itzá Capital maya ubicada en México entre los años 750 y 1.200,
aunque su construcción se inició hacia el año 450. Su edificio más destacado es la pirámide dedicada al dios Kukulkán, que mide 25 metros de alto y
55,5 por cada uno de sus lados. También son edificios importantes el Templo de los Guerreros y el Observatorio.

Coliseo de Roma Ubicado en Italia, es un anfiteatro cuya construcción se
comenzó en el año 72 por orden del emperador Vespasiano y se inauguró
en el 80, bajo el mandato de su hijo Tito. Tiene 48 metros de altura, 188
de largo y 156 de ancho. Cada uno de los tres niveles tiene 80 arcos. Apar-
te de las luchas entre gladiadores y de éstos con fieras, también se representaban batallas navales.

Taj Mahal Mausoleo construido por Shah Jahan, emperador mogol de la India, en memoria de su esposa, entre los años 1631 y 1648. La tumba, de
más de 73 metros de altura, está decorada con inscripciones coránicas y relieves escultóricos y se alza sobre un podio cuadrado con un minarete en
cada esquina. Está flanqueada por una mezquita y, en el otro lado, por un
edificio sin otra función que la de equilibrar la composición.

La lista de los veinte monumentos candidatos incluye: la Acrópolis de Atenas; las estatuas de la Isla de Pascua; Stonehenge, en Gran Bretaña; la Torre Eiffel; la Alhambra de Granada; la estatua de la Libertad, en Nueva
York; la iglesia de Santa Sofía, en Turquía; el templo de Angkor, en Camboya; el templo Kiyomizu de Japón; el Kremlin, en Moscú; el castillo de Neu-
schwanstein, en Alemania; el edificio de la Ópera de Sydney y la antigua
ciudad tuareg de Tombuctú, en Mali.

PROD. *BIOGRAFÍA DEL CINE*

PROD.	SCENE	TAKE
ROLL	56+2314	5
14		

DIRECTOR *RICARDO SILVA ROMERO*

CAMERA 1

DATE 1895-2008

Mi lógica ha sido ésta: acaba de llegar a mi casa, de repente, una persona que no ha visto una sola película en la vida. Yo no sabría decir qué edad tiene, no tendría ni idea, pero sí podría asegurar (porque veo que tiene ocupaciones, porque veo que tiene vida) que no va a alcanzar ya a ver todas las producciones maravillosas que se han hecho en el mundo. Y como no he sido capaz de transmitirle la emoción que produce estar frente a un relato filmado, como sería lo mismo que nada ponerme a contarle la evolución de este arte que lleva 113 años (113 por lo menos) dándoles trabajo a los seis artes que ya estaban, le he dicho que se lleve las copias que tengo de los largometrajes que uno debería ver si estuviera interesado en vivir de nuevo la historia del cine. Porque, a fin de cuentas, ¿de qué me sirve tener esta colección gigante de videos, que he hecho desde que tengo uso de razón, si la gente que quiero no va a poder verlos cuando los necesite?

En fin. Le he dicho a esta persona que se lleve los videos que quiera. Y le he dado el orden en el que debería verlos si quiere ver lo que ha pasado en el cine, si quiere documentar la biografía de las películas, si aspira a disfrutarlos de verdad. No le he dado documentales, ya que hablamos de «documentar», porque tendría que ponerme al día en el tema. Le he advertido que cada año se producen miles de ficciones, como excusándome por todo lo que se va a perder por culpa mía. Y para equivocarme menos, para no reinventarme, del todo la biografía de las películas, le he hecho una serie de llamadas de auxilio a mi amigo Alejandro Martín Maldonado. Y él, como siempre, me ha salvado de que se me pasen algunas de esas historias (me las ha prestado para que las preste) que sé que debería tener en mi biblioteca pero que suelo dejar de lado para repetirme las que me veía cuando estaba en el colegio.

PRIMERO: VER CINE

Primero entrego **La ventana indiscreta** (*Rear Window*, 1954) del inglés Alfred Hitchcock, quizás la mejor película que me he visto en la vida, porque verla es descubrir, desde el comienzo, que «somos una raza de mirones», que la esencia del cine es el suspenso y que las palabras son un adorno (que puede ser, como en este relato, un adorno maravilloso) colgado en el lenguaje cinematográfico: la historia del fotógrafo L. B. Jefferies (James Stewart), condenado a espiar el edificio de enfrente desde una silla de ruedas, dispuesto a averiguar, durante ese verano irrespirable, quién fue el asesino de aquella señora que nunca más volvió, sigue explicándonos de qué hablamos cuando hablamos de cine.

Sigue, en esa primera torre de largometrajes, **La rosa púrpura del Cairo** (*The Purple Rose of Cairo*, 1985) del norteamericano Woody Allen: la triste Cecilia (Mia Farrow), otra mesera frustrada en la era de la depresión estadounidense, es correspondida en su amor por el cándido personaje de la película que va a ver siempre que sale del trabajo. Es correspondida, digo, porque el personaje, un ingenuo explorador llamado Tom Baxter (Jeff Daniels), se sale de la pantalla para decirle que quiere estar con ella. Y entonces, tras una serie de giros inesperados, nos damos cuenta de lo dura que es la realidad, de lo poco glamoroso que es lo que nos pasa, de todas «las ventajas que tiene ser imaginario». El cine nos recibirá, como a Cecilia, aunque la vida nos dé la espalda todo el tiempo: para recordar eso hay que ver esta comedia.

Después viene **Peeping Tom** (1960) del británico Michael Powell en este prólogo a la historia del cine. Powell dirigió con el guionista Emeric Pressburger, en los años cuarenta, joyas como *A vida o muerte* (*A Matter of Life and Death*, 1946), *Narciso negro* (*Black Narcissus*, 1946) y *Las zapatillas rojas* (*The Red Shoes*, 1947), pero fue en la bellísima *Peeping Tom*, el relato de un psicópata que filma a sus víctimas, cuando definió lo que puede hacerle el cine a las mentes trastornadas: alimentarles la falsa idea de que estar en todas partes es viable, animarlas a invadir cualquier lugar que se quiera invadir y concederles que es posible ser dueño de los demás porque los demás no existen del todo.

Notas al pie. Primera: el cine no tiene la culpa, no, pero el mundo está lleno de mentes trastornadas. Segunda: las siguientes cuatro torres de DVD resumen, en cuatro momentos, lo que ha sucedido en la vida del cine.

SEGUNDO: LAS REGLAS DEL JUEGO (1895-1940)

Se puede ver **El gran robo del tren** (*The Great Train Robbery*, 1903) del estadounidense Edwin S. Porter, la historia de un asalto llevado a cabo por la banda de Butch Cassidy, si se quiere ver la primera película de ficción (también la primera película del Oeste) que se filmó en la historia del cine: el final, en el que un pistolero le dispara al público que ha visto el cortometraje, sigue produciendo el mismo efecto que produjo en su estreno. Pero si se busca en dónde empezó la magia, si se quiere saber cuándo se entendió que la cámara no sólo servía para guardar recuerdos o documentar experimentos, se debe ver, en alguna de las ediciones restauradas de **El viaje a la luna** (*Le voyage dans la lune*, 1904) del francés Georges Méliès, la escena famosa en la que los viajeros de la novela de Julio Verne aterrizan en el ojo del satélite. La épica **El nacimiento de una nación** (*The Birth of a Nation*, 1915) del norteamericano D. W. Griffith, la película muda más taquillera de todos los tiempos, será útil para caer en cuenta de cómo el tosco cine del principio se convirtió pronto en el sofisticado cine mudo.

Lo importante, después de ver estas tres obras, es notar que las tramas, las ideas y los recursos técnicos estuvieron allí desde el principio. Y recordar que hubo un tiempo en el que el cine no estaba. Y que por eso, cuando llegó al mundo, a la gente le pareció mágico, aterrador e imposible que las imágenes sobre aquella pantalla se movieran.

Lo mejor del cine mudo sigue siendo **El niño** (*The Kid*, 1921) del inglés Charles Chaplin. Chaplin, actor, guionista y director del primer Hollywood, dejó otras maravillas, sobretodo *Día de pago* (*Pay Day*, 1922), *Luces de la ciudad* (*City Lights*, 1927) y *Tiempos modernos* (*Modern Times*, 1935), pero en *El niño*, un mediometraje sobre un vagabundo (el propio Chaplin) que recupera la humanidad desde el día en que se encuentra a un bebé abandonado en una acera, consigue las mejores interpretaciones, la historia más triste, las imágenes más contundentes de su carrera. Las películas ya habían entendido, para ese momento, que lo mejor a la hora de narrar era acudir a las estructuras dramáticas: mejor dicho, sabían a esas alturas que los protagonistas de los relatos cinematográficos, como los de los relatos teatrales, tratan de alcanzar, durante tres actos, algo inalcanzable que puede devolverles el sentido a sus vidas. Y Chaplin hacía las películas más humanas (es decir, las más dramáticas) de todas.

El cine mudo tiene otro humorista genial, otro actor absolutamente controlado, que podía dirigir relatos mientras los estaba actuando: su nombre es Buster Keaton. Y en **El maquinista de la general** (*The General*, 1927) de Clyde Bruckman y Keaton está la prueba que estamos buscando de semejante talento. Keaton es un cineasta elegante, preciso e ingenioso. Y un actor contenido, que controla hasta el más mínimo gesto, que no tendría rival si en este tipo de cosas pudiera establecerse alguna competencia. Verlo en algunas de sus mejores películas, en maravillas como *El espantapájaros* (*The Scarecrow*, 1920) o *Sherlock Jr.* (1924), es entender que al cine en verdad le sobran las palabras. Otros comediantes engrandecerían el género (habría que citar al genial Harold Lloyd para ser justos) pero cuesta hablar de ellos después de Keaton.

El cine mudo se inventó, decíamos, las reglas del juego: precisó los temas, los lenguajes, las búsquedas del cine. En la Alemania de la primera posguerra, en donde los cineastas ya sentían los pasos pesados del nazismo, se exploraron las posibilidades de las cámaras (y el lado monstruoso del hombre) más que en cualquier otra parte del mundo. Woody Allen parodió en la estupenda *Sombras y niebla* (*Shadows and Fog*, 1991), sesenta años después, las obras que han sido agrupadas bajo el nombre de «expresionismo alemán»: ver las mejores, *M* (1931) de Fritz Lang, **El gabinete del doctor Caligari** (*Das Kabinett des Doktor Caligari*, 1920) de Robert Wiene, **Nosferatu** (*Nosferatu, eine Symphonie des Grauens*, 1922) y **El último hombre** (*Der letzte Mann*, 1924) de F. W. Murnau, es enfrentarse a pesadillas cargadas de significados, a fantasías que en verdad son críticas sociales, a puestas en escena brillantes que resuelven las pesadillas que cuentan con sombras, escenografías simbólicas e interpretaciones teatrales.

El expresionismo alemán se tomó el cine del mundo. F. W. Murnau filmó su tercera obra maestra, **Amanecer** (*Sunrise: a Song of Two Humans*, 1927), en los poderosos estudios de Hollywood. Y la gigantesca **Metropolis** (1927) de Fritz Lang, un profético drama de ciencia ficción que también es una historia de amor, se anticipó a las imágenes sobrecogedoras, a las escenografías faraónicas y a las inteligentes críticas sociales que se perfeccionarían en tres geniales miradas a un futuro que en verdad es el presente: *Blade Runner* (1982) de Ridley Scott, *Brazil* (1984) de Terry Gilliam e *Inteligencia artificial* (A. I. Artificial Intelligence, 2001) de Steven Spielberg. Dos cineastas de al lado, los austriacos Eric von Stroheim y G. W. Pabst, contribuirían a poblar la mitología del cine con las ambiciosas *Avaricia* (*Greed*, 1924) y *La caja de Pandora* (*Die büsche der Pandora*, 1929).

Las vanguardias trataron de apropiarse del nuevo arte (el futurismo, en especial, hizo lo que pudo para lanzar una cinematografía) pero la única escuela que llegó a algo fue el surrealismo. **La edad de oro** (*L'Âge d'or*, 1930) del aragonés Luis Buñuel, escrita por el director junto con el pintor Salvador Dalí, fue la primera película que les produjo rabia a los públicos fascistas: una maravilla, plagada de imágenes sugerentes, de la que ha sobrevivido un perversísimo sentido del humor. Pero no habría que olvidar, por las mismas razones, por la genialidad de las imágenes, por la risa incómoda que siguen produciendo, clásicos de Buñuel como *El perro andaluz* (*Un chien andalou*, 1929), *Ese oscuro objeto del deseo* (*Cet obscur objet du decir*, 1977) o *El discreto encanto de la burguesía* (*Le charme discret de la bourgeoisie*, 1972).

Europa seguirá produciendo obras maravillosas en los siguientes años. En Francia, el sitio a donde Buñuel pudo llegar cada vez que quiso, será filmada la biografía **Napoléon** (*Napoléon*, 1927) del parisiense Abel Gance: cuatro horas mudas bien editadas, bien actuadas, bien filmadas, que han sido restauradas hasta el cansancio por los cinéfilos (Francis Ford Coppola produjo una reedición a comienzos de los ochenta) que saben que jamás ocurrirá otra película como ésa. Y si *Napoléon* alcanza la estatura de mito, si logra, a punta de imágenes, rozar lo sublime, **La pasión de Juana de Arco** (*La Passion de Jeanne d'Arc*, 1928) del danés C. T. Dreyer, siempre vigente, siempre a la altura, en términos técnicos, de los largometrajes que se producen hoy en día, traduce las emociones religiosas, que antes se volvían catedrales, al lenguaje naciente del cine.

Y si en Estados Unidos se buscaba el drama, si en Alemania se perseguía la expresión, en la Unión Soviética se perfeccionaba la esencia del lenguaje cinematográfico. Quien ve **El acorazado Potemkin** (*Bronenosets Potyomkin*, 1925) de Sergei Einsestein

o *El hombre con la cámara* (*Chelovek s kino-apparatom*, 1929) de Dziga Vertov, ve, sobre todo, la invención de la gramática del lenguaje cinematográfico. La primera, que cuenta la sublevación de la tripulación de un barco de guerra en los «opresivos tiempos zaristas», es una lección de cine. La segunda, que explora todo lo que puede hacerse con una cámara mientras sigue las vidas de los trabajadores rusos e inventa mil trucos visuales que se continuarán usando hasta el siguiente siglo, se empeña en hallar un lenguaje cinematográfico que se separe de la literatura. Y lo consigue.

Entonces llegará el sonido. Los grandes estudios de Hollywood, Paramount, Warner, Metro Goldwyn-Mayer, poco a poco se convertirán en pequeños imperios. Y todo lo aprendido, los movimientos de cámara, los trucos de edición, las sombras de la imagen, tendrá que ser aprendido de nuevo. *Cantando bajo la lluvia* (*Singing in the Rain*, 1952) del estadounidense Stanley Donen, que narra el romance entre un actor taquillero del cine mudo (Gene Kelly) y una principiante de Hollywood (Debbie Reynolds), no sólo documentará la llegada del sonido a la industria norteamericana (que fue, desde el comienzo, un imperio levantado en el desierto) sino que probará que los grandes géneros del cine estadounidense (los gángsters, los vaqueros, los musicales) serán siempre relevantes. Antes estarán las grandes coreografías de Bubsy Berkeley. Después vendrán genialidades como *Un americano en París* (*An American in Paris*, 1951) de Vincent Minelli, *West Side Story* (1961) de Robert Wise, *My Fair Lady* (1964) de George Cukor y la parodia *Todos dicen te quiero* (*Everyone Says I Love You*, 1996) de Woody Allen. Pero *Cantando bajo la lluvia* será siempre insuperable.

Y llegará a la historia del cine cuando esté ya lleno de obras maestras. Y no sólo del cine mudo.

Freaks (1932) de Tod Browning contará una terrible historia de amor no correspondido protagonizada por seres deformes de la vida real: el enano Hans, dueño de un circo habitado por monstruos de carne y hueso, se enamorará perdidamente de una cruel mujer que quiere quedarse con su dinero. *Freaks* hará imposible que otras producciones sobre hombres elefantes sean tan dolorosas pero les abrirá paso a algunas maravillas sobre la trampa de la belleza y el patetismo de los monstruos de feria: *King Kong* (1933) de Merian C. Cooper, *La bella y la bestia* (*La belle et la bête*, 1946) de Jean Cocteau y *La novia de Frankenstein* (*The Bride of Frankenstein*, 1935) de James Whale conducirán a la exploración de la desgracia de *El hombre elefante* (*The Elephant Man*) a manos de un cineasta que insistirá en separar al lenguaje cinematográfico de los demás lenguajes artísticos: el norteamericano David Lynch.

Blancanieves y los siete enanos (*Snow White and the Seven Dwarfs*, 1937) del norteamericano Walt Disney, que convirtió los cuentos de hadas en lugares habitables, llevará al clímax un género, el cine animado para niños, que se venía intentando desde 1906. *Pinocchio* (1939), *Fantasía* (1940) y *Canción del sur* (1946), del mismo Disney, fundarían un nuevo continente en el mundo de las películas. El cine animado tardaría unos sesenta años en reinventarse. Pero obras como el cortometraje *Ruka* (1965) del checoslovaco Jirí Trnka o *El extraño mundo de Jack* (*The Night Before Christmas*) del estadounidense Henry Selick, sumadas a los trabajos de otros californianos como Winsor McCay, Max Fleischer, Walter Lanz, Tex Avery y Chuck Jones (y gracias a los cientos de cortos que produjo el imperio de Disney), lo llevarían con la frente en alto durante casi todo el siglo veinte.

Mientras eso sucedía, mientras las bestias, las mascotas y los dibujos animados resultaban más humanas que los hombres, el mediometraje *Cero en conducta* (*Zéro de conduite: Jeunes diables au collage*, 1933) del francés Jean Vigo llama a la desobediencia. Y le abre la puerta, con su salón de clases convertido en un campo de batalla, a gritos de libertad estudiantil como *Suban el volumen* (*Pump Up the Volume*, 1990) de Allan Moyle, *If...* (1968) de Lindsay Anderson o *The Breakfast Club* (1985) de John Hughes. Lo cierto es que la Segunda Guerra Mundial se acerca. Y que la decepción que produce el hombre de tanto en tanto protagonizará las nuevas películas que aparezcan en las carteleras.

La gran ilusión (*La grande illusion*, 1937) del francés Jean Renoir narra la conmovedora amistad entre tres prisioneros de guerra que sólo piensan en escapar, que insiste en la humanidad que Chaplin le dejó al cine desde *El niño* y advierte, como si se esperara lo que viene, que incluso en esas circunstancias inhumanas puede el hombre seguir siendo hombre. *El mago de Oz* (*The Wizard of Oz*, 1938) del norteamericano Victor Flemming, mientras tanto, inaugura el cine de carretera, las películas de viaje que David Lynch explorará en *La historia sencilla* (*The Straight Story*, 1999) o *Corazón salvaje* (*Wild at Heart*, 1990), pero, sobre todo, pone en boca de su protagonista, Dorothy, una niña que quiere huir de su aburrida granja en Kansas en busca de aventuras, una frase que se repetirá de aquí al final de la historia: «no hay lugar como la casa».

Dos obras confirmarán a dónde (a qué grados de sofisticación) ha llegado el cine de Estados Unidos cuarenta años después del comienzo. *Lo que el viento se llevó* (*Gone With the Wind*, 1938) de Victor Flemming, en verdad obra del productor David O. Selznick, llevará al extremo las propuestas épicas de D. W. Griffith en *Intolerancia* (*Intolerance*, 1916) y de Cecil B. DeMille en *Los diez mandamientos* (1923): una mujer inagotable, Scarlett O'Hara (Vivian Leigh), sobrevive a los tiempos de la guerra civil estadounidense gracias a su espíritu, su peligrosa terquedad y el amor que no sabe que siente por un hombre al que menosprecia enfrente de los otros. *La diligencia* (*Stagecoach*, 1939) de John Ford, que convertirá al cine de vaqueros en un género del que se puede partir para revelar una visión del mundo, se asoma también a una era en la que la justicia era la venganza.

Y en la búsqueda de humanidad, trabajo en el que el cine comienza a empeñarse como si se tratara, más bien, de arqueología, aparece *Las reglas del juego* (*La règle du jeu*, 1939) de Jean Renoir: el cineasta norteamericano Robert Altman, espíritu rebelde que le dará ánimo a la industria de Hollywood cuando más lo necesite, hará una carrera en el intento de filmar *Las reglas del juego*, su película favorita entre todas, pero sólo hasta 2001, cuando ponga en escena *Gosford Park*, podrá sentirse en paz. La obra de Renoir es un retrato de la superficialidad, de las inseguridades, de las intimidades patéticas de un grupo de burgueses que, en las puertas de la segunda guerra, en un alejado castillo francés, han decidido jugar el juego de las clases sociales, con las consecuencias que ello trae.

¿Y si, como en las películas de Renoir, se ve que lo humano podría abrirse paso, pero la estupidez, lo mismo humano, lo detiene? El resultado es el absurdo. Y en Estados Unidos se creará una tradición de comedias satíricas, ilógicas, veloces, que pondrán en evidencia lo torpes que podemos ser cuando nos reunimos en sociedad. *Luna nueva* (*His Girl Friday*, 1940) de Howard Hawks, una comedia romántica entre periodistas que sucede en un solo día, y que será filmada muchas veces más pues parte de una obra de teatro, es la cumbre del género. Pero quien alcance a ver *La fiera de mi niña* (*Bringing Up Baby*, 1938) de Hawks, *Sopa de ganso* (*Duck Soup*, 1931) de Leo McCarey e *Historias de Filadelfia* (*The Philadelphia Story*, 1940) de George Cukor puede dudarlo por un rato.

TERCERO: LO QUE QUEDA DEL MUNDO (1941-1959)
El mundo está en guerra. Y lo más bajo, el subsuelo del hombre, se encuentra a la vista como una mano perdida en una partida de cartas. Es la cara desencantada de Humphrey Bogart, en las décadas doradas de Hollywood, la que nos educa en un planeta en el que nadie volverá a confiar del todo en los gobiernos, un planeta dividido porque sí, porque en parte se resiste a un sistema —el capitalismo— que nos recuerda que los animales tenemos que someternos a la ley del más fuerte. Bogart interpretará al hastiado dueño de un club nocturno en Marruecos, Rick Blaine, que descubre, en plena segunda guerra, en el reencuentro con el amor de su vida (Ingrid Bergman), que el cinismo es la máscara de los hombres sentimentales. La película es *Casablanca* (1942) de Michael Curtiz. Y encabezará la lista de obras maravillosas protagonizadas por Bogart: *El halcón maltés* (*The Maltese Falcon*, 1943), *El tesoro de la Sierra Madre* (*The Treasure of Sierra Madre*, 1948) y *La reina africana* (*The African Queen*, 1951), las tres de John Huston, competirán de cerca por semejante honor.

La decepción producirá, también, sátiras combativas: *Ser o no ser* (*To Be or Not to Be*, 1942) del alemán agringado Ernst Lubitsch, autor de comedias tan inteligentes como *Problemas en el paraíso* (*Trouble in Paradise*, 1932), *Ninotchka* (1939), y *El cielo puede esperar* (*Heaven Can Wait*, 1943), se reirá de los nazis de la manera más elegante que podría uno imaginarse: siguiendo las peripecias de un pequeño teatro en Polonia que se atreve a usar el talento de su elenco para conspirar contra los invasores hitlerianos. *Ser o no ser* es, pues, el punto más alto de un género, la sátira política, que ha dado por lo menos otras tres maravillas: *El gran dictador* (*The Great Dictator*, 1940) de Charles Chaplin, *Cortina de humo* (*Wag the Dog*, 1997) de Barry Levinson y *Bullworth* (1998) de Warren Beatty. Y una más que presentará, por completo, a uno de los más extraños autores de la historia del cine.

Notorious (1946) de Alfred Hitchcock es una proeza cinematográfica, sí, nadie duda, que demuestra, en medio de su sabiduría narrativa, que Cary Grant es una de las verdaderas estrellas de la historia del cine y que pocas actrices logran encarnar la com-

plejidad de ciertas mujeres como lo logra Ingrid Bergman, pero también resume ese miedo a sentir que quedó en el planeta ante las ruinas que dejó la guerra. Hitchcock, quizás el más grande director que ha tenido el último arte en llegar al mundo, filmó más obras maestras de este estilo, relatos cargados de humor, de suspenso, de personajes agobiados por su genialidad, pero acá, en *Notorious*, refinó su estilo al máximo. ¿O lo hizo en *Alarma en el expreso* (*The Lady Vanishes*, 1938), *La sombra de una duda* (*Shadow of a Doubt*, 1943), *Extraños en un tren* (*Strangers on a Train*, 1951) o *Con la muerte en los talones* (*North by Northwest*, 1959)?

Pero no sólo en las obras de Hitchcock se ve lo que queda del mundo. *El tercer hombre* (*The Third Man*, 1949) del londinense Carol Reed, una historia de espías en la Viena arrasada por la guerra, deja en claro que cada quien está solo desde este momento. Y *A la hora señalada* (*High Noon*, 1952) del vienés Fred Zinemman, un relato de vaqueros filmado en tiempos en los que Estados Unidos, paranoico por los avances comunistas en el planeta, emprendía una nueva cacería de brujas (esta vez puso en una lista negra a todos los que parecieran comunistas), consigue hacer un alegato contra los hombres que le dan la espalda a sus amigos en eras oscuras mientras cuenta una de las más efectivas historias sobre el Lejano Oeste. *White Heat* (1949) del estadounidense Raoul Walsh, que seguía a un criminal aterrador en un asalto lleno de giros, había hecho, unos años antes, algo parecido dentro del género de los gángsters.

Los géneros ya habían llegado a donde tenían que llegar: a servirles a los narradores que tenían algo que decir.

¿Se podía hacer algo por una humanidad que empezaba a dar señales del Apocalipsis? Vivir una vida pequeña de pueblo, sin tantas teorías en la cabeza, rodeada por la gente que uno quiere. *Qué bello es vivir* (*It's a Wonderful Life*, 1946) del americanísimo Frank Capra, un clásico cinematográfico de navidad de la altura del clásico literario de Charles Dickens, le da a un hombre bueno llamado George Bailey (James Stewart cambiado por la guerra) la oportunidad de vivir muchas vidas en una sola nochebuena para caer en cuenta de que no hay vida como la propia vida: «¡quiero vivir de nuevo!», grita al final. Capra, el director, ya había filmado producciones igual de lúcidas: *Sucedió una noche* (*It Happened One Night*, 1934), *Mr. Deeds* (*Mr. Deeds Goes to Town*, 1936) y *Caballero sin espada* (*Mr. Smith Goes to Washington*, 1939), pero *Qué bello es vivir* es su obra maestra.

Los pequeños hombres de ese entonces encontrarían dos héroes más: el buen hijo de *Marty* (1955) de Delbert Mann, que es un personaje mítico (interpretado Ernest Borgnine) a estas alturas de la historia de las ficciones, el tipo bueno que pone siempre por encima lo que quieren los demás, y el banquero apocado convertido en ladrón de bancos de la maravillosa *The Lavender Hill Mob* (1951) del inglés Charles Crichton, que se convirtió en un arquetipo (encarnado por Alec Guiness) de esos ladrones cinematográficos mitad geniales, mitad torpes, que protagonizarían ese subgénero de las comedias que es el de los robos: *The Ladykillers* (1955) de Alexander Mackendrick, *Tarde de perros* (*Dog Day Afternoon*, 1975) de Sidney Lumet, *Cambio rápido* (*Quick Change*, 1990) de Howard Franklin y Bill Murray, *La pantera rosa* (*The Pink Panther*) de Blake Edwards y *Charada* (*Charade*) de Stanley Donen son los mejores ejemplos.

La Segunda Guerra Mundial terminó. Y el cine se empeñó en ponerse en el lugar de los otros desde finales de los años cuarenta. Lo había hecho desde el principio, claro, pero ahora buscaba ser realista. Quería decir, de paso, que una vida ordinaria, de esas que enfrentan la rutina como una carrera de resistencia, era también un relato extraordinario: que no había personajes secundarios. Y fue entonces cuando se habló del «neorrealismo italiano». Por esos años fueron estrenadas una serie de estupendas películas que buscaban devolverle la dignidad perdida a la gente de la posguerra. Vinieron *Obsesión* (*Ossessione*, 1943) de Luchino Visconti, *Roma, ciudad abierta* (*Roma, città aperta*, 1945) de Roberto Rossellini, *El lustrabotas* (*Sciuscià*, 1946), *Ladrón de bicicletas* (*Ladri di biciclette*, 1948) y *Umberto D.* (1952) de Vittorio de Sica. Y al final, para cerrar una era dorada del cine, apareció *La Strada* (1954) de Federico Fellini.

Quizás la mejor sea *Ladrón de bicicletas*, de De Sica, que resume, en la historia de un hombre que va con su pequeño hijo en busca de la bicicleta que necesita para sobrevivir, la compasión que es el centro del neorrealismo. *La Strada*, de Fellini, la enrevesada aventura romántica entre el hombre fuerte de un circo y una joven tratada como esclava (Giulietta Masina), que recuerda a otra bella historia circense titulada *Los infantes del paraíso* (*Les enfants du paradise*, 1945) por el cineasta francés Marcel Carné, anuncia una era en la que el cine aceptará que el autor de una película es el director.

Se habla de neorrealismo en Italia. Pero lo cierto es que esa preocupación por las vidas mínimas, por el decoro de cada persona, era compartida por cineastas de todo el planeta. La valentía de aquellos largometrajes italianos ha animado la existencia de un grupo de películas latinoamericanas que van desde *María Candelaria* (1944) del mexicano Emilio Fernández hasta *Rodrigo D: no futuro* (1988) del colombiano Víctor Gaviria. La mejor de todas, *Los olvidados* (1950), de un Luis Buñuel extraviado para bien en los estudios cinematográficos de México, mostró cómo puede perder el espíritu un ser humano que no ha tenido la suerte de saber que sí lo tiene: si sólo hubiera tiempo para ver una sola producción de este lado del mundo, habría que ver este relato bien filmado, bien interpretado, que se asoma a lo que les sucede a quienes no tienen voz.

El mundo de Apu (*Apu Sansar*, 1959) de Satyajit Ray, cierre de una trilogía cinematográfica contada a partir de una novela realista llamada *Aparajito*, hará lo propio en ese vasto territorio sin explorar que es el cine indio. Seguirá al protagonista, un aspirante a escritor que se ha quedado sin trabajo, en el giro más extraño de su vida: cuando un amigo de la infancia le pida que se convierta en el esposo de su prometida.

Japón será el escenario de un realismo poético que reivindicará al hombre al tiempo que llevará más y más allá las virtudes (la piedad, la paciencia, la sabiduría) que puede tener una cámara de cine: *Vivir* (*Ikiru*, 1952) de Akira Kurosawa, *La historia de Tokio* (*Tôkyô monogatari*, 1953) de Yasujiro Ozu y *Cuentos de la luna pálida de agosto* (*Ugetsu monogatari*, 1953) de Kenji Mizoguchi cuentan vidas que se hacen concientes de la muerte (un burócrata va a morir en la primera, un par de abuelos visitan a unos nietos que no tienen tiempo para ellos en la segunda y un par de campesinos ambiciosos del siglo XVI tratan de acceder a la fortuna de un señor feudal en la tercera) de una manera a la que sólo puede llegar quien ha visto pasar la guerra frente a sus ojos.

La decepción que ha producido el hombre, que ha usado su razón para destruir todo lo destruible, abre y cierra este periodo de la historia del cine. Tanto los cineastas franceses como los norteamericanos, los autores que mejor han aprovechado el llamado «cine negro» (el estilizado género policiaco originado en los cuarenta, anclado en la estética del expresionismo, que no consigue creer en la integridad del ser humano), se dejaron llevar por un grupo de relatos protagonizados por cobardes, inescrupulosos, traidores, mezquinos, envidiosos, dementes, resentidos. Ya *Perdición* (*Double Indemnity*, 1944) de Billy Wilder, *Los asesinos* (*The Killers*, 1946) de Robert Siodmark, *El cartero siempre llama dos veces* (*The Postman Always Ring Twice*, 1946) de Tay Garnett, *La dama de Shanghai* (*The Lady from Shanghai*, 1947) de Orson Welles o *Extraños en un tren* (1951) de Alfred Hitchcock, entre muchas otras, habían fundado ese tipo de relatos.

Se podían utilizar de punto de partida, como las películas de vaqueros, para revelar la dura realidad que se veía. *Todo sobre Eva* (*All About Eve*, 1950) del estadounidense Joseph Mankiewitz no es, propiamente, cine negro, pero su estructura elegante, sus tres miradas diferentes (tres miradas descarnadas) sobre esa actriz ambiciosa que en un principio parece una mujer ingenua que sólo quiere aprender en el mundo del teatro, demuestra un nuevo valor para enfrentarse personajes que harán lo que sea para conseguir lo que quieren.

Los salarios del miedo (*Le salaire de la peur*, 1953) y *Les Diaboliques* (1955) del francés Henri-Georges Clouzot ponen en riesgo a un par de hombres sin nada que perder (llevan un cargamento de nitroglicerina que puede estallar en cualquier momento) y a un par de mujeres que han ido perdiendo la cabeza a fuerza de dirigir un colegio al lado de un hombre que las maltrata. Es *Ascensor al cadalso* (*Ascenseur pour l'échafaud*, 1958) de Louis Malle, sin embargo, con su crimen pasional, con su jazz sofisticado, con su fotografía expresionista, la película francesa que mejor capta aquella atmósfera norteamericana, que llegará a la cumbre gracias a obras profundamente personales, filmadas con brillantez irrepetible, como *La noche del cazador* (*Night of the Hunter*, 1955) de Charles Laughton, *Sed de mal* (*Touch of Evil*, 1958) de Orson Welles y *Anatomía de un asesinato* (*Anatomy of a Murder*, 1959) de Otto Preminger.

Sí, Robert Mitchum será, en la primera, un horrible ángel vengador en busca de un botín perdido; Orson Welles, en la segunda, encarnará a un policía gordo capaz de todo con tal de cubrir sus pecados; y James Stewart, en la tercera, personificará a

un abogado hastiado que trata de defender a un hombre en el que no cree del todo. Pero los héroes también darán la cara en ese mundo sin leyes tan parecido al mundo del Oeste para probar que la justicia sí es posible. El trabajador Terry Malloy (Marlon Brando) se enfrentará a la comunidad como un Cristo en la comprometida *Nido de ratas* (*On the Waterfront*, 1954) de Elia Kazan. El jardinero Ron Kirby (Rock Hudson) combate las convenciones sociales del amor en la delicada *Todo lo que el cielo permite* (*All That Heaven Allows*, 1955) de Douglas Sirk. El octavo jurado de un juicio por asesinato (Henry Fonda) trata de probar la inocencia del acusado en *Doce hombres en pugna* (*12 Angry Men*, 1957) de Sidney Lumet. Y Atticus Finch (Gregory Peck) defenderá lo indefendible en la emblemática *Matar a un ruiseñor* (*To Kill a Mockingbird*, 1962) de Robert Mulligan,

Y, en medio de semejante clima de desesperación, jamás se perderán la ligereza, el humor y la vulgaridad, en el sentido maravilloso de la palabra. La extravagante *Una eva y dos adanes* (*Some Like It Hot*, 1959) del austriaco americanizado Billy Wilder (dijo Hitchcock: «las dos palabras más importantes en el mundo del cine son Billy Wilder») capitalizará ese nuevo planeta, ese planeta deshecho por cuenta del dinero, para contar una aventura shakesperiana de identidades confundidas, amores enrevesados y líos para morirse de la risa por culpa de aquella actriz icónica llamada Marilyn Monroe. Y la encantadora *Mi tío* (*Mon oncle*, 1958) de Jacques Tati, continuación de *Las vacaciones del señor Hulot* (*Les vacances de monsieur Hulot*, 1953) y precursora de *Play Time* (1967), creará un torpe personaje, más bien ido de la realidad, más bien ajeno a las mezquindades de los demás, que merecería un lugar en las antologías del cine mudo.

Nadie tan valiente en esta era del cine, sin embargo, como el cineasta sueco Ingmar Bergman: sus textos literarios, sus imágenes impecables, sus magníficos actores de piedra poblarán un universo paralelo que siempre nos recordará que fracasamos en el esfuerzo de cumplir las reglas. *El séptimo sello* (*Det sjunde inseglet*, 1957), una alegoría medieval que no le teme a las imágenes de museo para mostrar la relación malsana del hombre con su propia muerte, llegaría el mismo año que esa otra mirada a la fragilidad de la vida que se llamó *Fresas salvajes* (*Smultronstället*, 1957) por cuenta de la nostalgia a la que se aferra aquel viejo profesor que hace un último viaje antes de dejar este planeta al que no le queda mucho más que las películas.

CUARTO: TOROS SALVAJES (1954-1981)

La televisión duerme los sentidos, aplaca los ánimos, soborna las críticas a la sociedad. Será, siempre, un medio maravilloso. Y llegará, pronto, a la altura de las películas. Pero es, por lo pronto, una aparición que amenaza con alejar a la gente de las salas de cine. Así que lo mejor es responder a la pregunta «¿qué se puede hacer en el cine que no se pueda hacer en la televisión?», con una serie de largometrajes gigantescos que sólo tendrían sentido en la pantalla grande. De *Los siete samuráis* (*Shichinin no samurai*, 1954) de Akira Kurosawa, un western medieval japonés (en el cine todo es posible) en el que una banda de samuráis defiende a una aldea indefensa de un grupo de abusadores, le vendrá al cine de Hollywood, angustiado por el poder de los televisores, la inspiración necesaria para filmar las más épicas películas de vaqueros.

La aventura *Siete hombres y un destino* (*The Magnificent Seven*, 1960) de John Sturges llevará la historia de los samuráis de Kurosawa, uno de los primeros maestros del cine en reconocer la influencia del cine gringo en su obra, al Lejano Oeste norteamericano. Pero las películas de vaqueros, tras relatos estupendos como *El viento* (*The Wind*, 1928) de Victor Sjöström, *Shane* (1953) de George Stevens y *Winchester '73* de Anthony Mann, alcanzarán sus mejores personajes, sus mejores imágenes, sus más dolorosas conclusiones en *Centauros del desierto* (*The Searchers*, 1956) de John Ford: desde ese momento, el western se convertirá en el género que dará cuenta de las cosas del mundo con mayor precisión.

Al este del edén (*East of Eden*, 1955) de Elia Kazan, la narración gigantesca de un pequeño drama entre hermanos, presentará a los espectadores actuaciones realistas, planos inmensos, diálogos memorables. *Ben-Hur* (1959) de William Wyler, la saga de un príncipe judío que se venga, paso por paso, del amigo romano que lo traicionó, presentará lo nunca antes presentado (secuencias de acción de diez minutos, escenarios monumentales) hasta quedar convertida en la gran película religiosa de la historia del cine. Muchos, desde el boloñés Pier Paolo Passolini hasta el norteamericano Martin Scorsese, desde el inglés Roland Joffé hasta el romano Roberto Rossellini, se atreverán a filmar la vocación religiosa, pero será esta aventura la que mejor probará que Dios está en todas las escenas.

Sin embargo, comparada con la trilogía de narraciones épicas filmada por el británico David Lean, comparada con *El puente sobre el río Kwai* (*The Bridge Over the River Kwai*, 1957), **Lawrence de Arabia** (*Lawrence of Arabia*, 1962) y *Doctor Zhivago* (1965), tendría que dar un paso atrás como quien reconoce que pertenece a otra liga. Lean, un maestro del ritmo cinematográfico, capaz de planear las secuencias más ambiciosas con una claridad que se echa de menos en las grandes producciones de ahora (no sobraría ver su versión de 1948 de *Oliver Twist* o su drama romántico de 1945 *Brief Encounter*), dejó en *Lawrence de Arabia*, el retrato magnífico del endemoniado militar T. E. Lawrence, las pruebas que hemos estado buscando del absurdo en los campos de batalla, de la imposibilidad de ponerse en el lugar de los otros en tiempos de guerra.

La rabiosa sátira **Doctor Insólito** (*Dr. Strangelove, or How I Learned to Stop Worrying and Love the Bomb*, 1964) del neoyorquino Stanley Kubrick, una obra sabiamente filmada plagada de detalles para la memoria, lo resolverá todo de manera menos amable. Y, dos décadas después del final de la Segunda Guerra, caerá en cuenta de que el mundo se encuentra en manos de los más tontos hombres de negocios estadounidenses así como estuvo en manos del gran dictador que Chaplin retrató a comienzos de los cuarenta. **Psicosis** (*Psycho*, 1960) de Alfred Hitchcock, primera gran producción sobre psicópatas, toda una burla a las normas del drama, recordará, de paso, que la vida puede ser otra en cualquier momento. El musical **Mary Poppins** (1964) de Robert Stevenson, la más brillante de las producciones no animadas de Walt Disney, satirizará, a punta de canciones de primer orden interpretadas por una niñera mágica que repara familias (Julie Andrews), el amor por un poder monetario que esclaviza, aún, a todas las sociedades de la tierra.

Y que, como convierte al hombre en una cosa más entre todas las cosas, puede transformarse en el gran obstáculo para enamorarse de otro. **El apartamento** (*The Apartment*, 1961), la obra más grande de Billy Wilder, sigue a un tipito llamado C. C. Baxter (Jack Lemmon), un escalador sin escrúpulos que les presta su apartamento a sus superiores en horas en las que tendrían que estar con sus esposas, mientras intenta quitarle la amante (Shirley MacLaine) al jefe de la compañía (Fred MacMurray) sin que nadie se dé cuenta. Se trata, tal vez, de la mejor comedia romántica que se pueda conseguir. Aunque *La tienda de la esquina* (*The Shop Around the Corner*, 1940) de Ernst Lubitsch, historia de amor entre dos vendedores archienemigos de una pequeña tienda de barrio, podría disputarle aquel honor.

Para este momento de la historia del cine es evidente que los grandes cineastas del mundo, desde Tokio hasta La Habana, adoran el buen cine norteamericano: les gustaría haber sido realizadores gringos. Y que los directores estadounidenses están enamorados de la idea de convertirse en cineastas del Viejo Mundo. Este diálogo de Estados Unidos con el resto del mundo será fundamental en la historia del cine. Sobrevivirá a la llamada Guerra Fría entre los norteamericanos y los soviéticos. Y será, en el fondo, el origen de las más grandes películas de la historia.

Europa comienza a despertarse de la Segunda Guerra, y empieza, de paso, a comprender la Guerra Fría, con el estreno de **Cenizas y diamantes** (*Popiół i diament*, 1958) del polaco Andrzej Wajda: el largometraje se trata, a fin de cuentas, del último día de confrontación de un soldado de la Resistencia que no se siente cómodo con la misión de asesinar a un antiguo compañero de tropa. En Francia, durante los primeros años de la nueva década, el inquietante drama romántico *El año pasado en Marienbad* (*L' année dernière à Marienbad*, 1961) de Alain Resnais y la pesadilla de ciencia ficción *La Jetée* (1962) de Chris Marker serán dos campanadas más que señalan una nueva era protagonizada por cinéfilos convertidos en cineastas: la llamada «nueva ola francesa», encabezada por los críticos François Truffaut, Jean Luc Godard, Claude Chabrol, Eric Rohmer y Jacques Rivette, dejará clara para siempre la figura del director como autor de la película.

Los 400 golpes (*Les quatre cents coups*, 1959) y **Jules y Jim** (*Jules et Jim*, 1962) de Francois Truffaut, respectivamente una dolorosa historia de iniciación y un triángulo amoroso en tiempos civilizados, recordarán a los realizadores del mundo las infinitas posibilidades del lenguaje cinematográfico. La controversial **Sin aliento** (*À bout de souffle*, 1960) de Jean Luc Godard, filmada con insolencia a partir de un relato de Truffaut sobre un ladrón en fuga, presentará a los espectadores un director inagotable que jamás le temerá a saltarse las reglas del juego. **Pickpocket** (1959) de Robert

Bresson, amigo cercano de los hombres de la nueva corriente, carga de una religiosidad como la de Dostoievski a la historia realista de un carterista que trata de sobreponerse a la muerte de su madre. **El samurái** (*Le samouraï*, 1967) de Jean Pierre Melville, que cuenta los peores días de un asesino que ha perdido su toque, marcará con razón a los cineastas de Estados Unidos. Y los **Seis cuentos morales** (*Six contes moraux*, 1962 a 1972) de Eric Rohmer, en especial *La rodilla de clara* (*Le genou de Claire*, 1970), inaugurarán una forma de reírse de lo aparatosas que pueden ser las relaciones personales.

Los universitarios, que convertirán a estos directores en estrellas, empezarán a sentir que han derrocado el imperio de los viejos. Y sucederá en todos los países del mundo.

El italiano Michelangelo Antonioni se atreverá a filmar la extraña **Blow Up** (1966), a partir de un conocido cuento de Julio Cortázar, porque no es sólo una compleja historia policiaca sino un alegato sobre la deshumanización del hombre: Antonioni llegará a esas imágenes geniales, pequeñas pinturas en movimiento, tras filmar una trilogía maravillosa, compuesta por *La aventura* (*L' aventura*, 1960), *La noche* (La notte, 1961) y *El eclipse* (*L' eclisse*, 1962), sobre el final de las más turbulentas relaciones de pareja. Otro italiano, Bernardo Bertolucci, tratará de poner nerviosos a los dueños de la moral: **El conformista** (*Il conformista*, 1970) se quejará, por medio de una trama estupenda, de la robotización a la que conduce el fascismo, y *El último tango en París* (*Ultimo tango a Parigi*, 1972) se servirá del duelo, a punta de encuentros sexuales, de un hombre que se tropieza en la vida con una mujer de la que ni siquiera conoce su nombre, para hablar de una nueva era que no le teme a las falsas autoridades.

En los mismos años sesenta aparecerá otro director italiano, el más brillante de todos, que podría ser, si se tratara de ello, el único a la altura de Hitchcock, Welles y Kubrick en términos de planeación de secuencias. Su nombre fue Sergio Leone. Y se dedicó a filmar, durante casi toda su carrera, películas del Oeste, hechas en su país, que los críticos llamaron «spaghetti westerns» de manera despectiva, pero que son, en honor a la verdad, los más efectivos, los más elegantes, que se hayan filmado jamás. **Érase una vez en el Oeste** (*C'era una volta il West*, 1969), una historia de venganza, redondeará los hallazgos de Leone en sus tres obras anteriores: una trilogía extraordinaria sobre un hombre sin nombre (Clint Eastwood) compuesta por los largometrajes *El bueno, el malo y el feo* (*Il buono, il brutto, il cattivo*, 1966), *Por unos dólares más* (*Per qualche dollaro in più*, 1965) y *Por un puñado de dólares* (*Per un pugno di dollari*, 1964).

Los westerns de Leone cambiarán el género, lo ensuciarán para bien, hasta volverse un referente para los propios norteamericanos.

Las salas de cine serán ocupadas, en esos años, por narradores que han hallado lo que en literatura se llama «una voz única». **Kwaidan** (*Kaidan*, 1964) del japonés Masaki Kobayashi retrata, por medio de una cámara que parece regresar a los días del expresionismo, a cuatro solitarios en el borde de sus nervios. **El espíritu de la colmena** (1973), del español Víctor Erice, sigue el trauma de una pequeña niña llamada Ana desde el día en que ve la aterradora *Frankenstein* (1931) de James Whale hasta el momento en que se tropieza con una guerra que no entiende del todo. **Aguirre, la ira de Dios** (*Aguirre, der Zorn Gottes*, 1972) de Werner Herzog es la más irrepetible de las irrepetibles obras de esos años: muestra cómo el conquistador Lope de Aguirre (Klaus Kinski) pierde la cabeza, como cualquier director de cine, en su empeño de ser Dios.

De Alemania vendrá otra voz inconfundible, Rainer Werner Fassbinder, que dejará una nueva serie de imágenes para la enciclopedia de imágenes del planeta: entre sus desgarradores dramas humanos cabría citar *Las amargas lágrimas de Petra von Kant* (*Die bitteren Tränen der Petra von Kant*, 1972), *El miedo se traga las almas* (*Angst essen Seele auf*, 1974) y *El matrimonio de María Brown* (*Die ehe der Maria Braun*, 1979). Los llamados «jóvenes furiosos» de Inglaterra, que producirán maravillas como *This Sporting Life* (1963) de Lindsay Anderson, *Tom Jones* (1963) de Tony Richardson y *A Hard Day's Night* (1964) de Richard Lester, contribuirán a reforzar el mensaje contundente de esos años: cada quien es libre de narrar lo que quiera: sólo en el arte se es responsable de la calidad de la obra, en donde nadie puede someter a nadie.

El ruso Andrei Tarkovsky será, quizás, la «voz única» que más resistirá el paso del tiempo. Bastará con ver *Andrei Rubliev* (*Andrey Rublyov*, 1969), **El espejo** (*Zerkalo*, 1975) y *Stalker* (1979), tres películas maravillosas, pausadas, fascinantes, de tres géneros diferentes, para entender el genio de Tarkovsky: puede hablarse de cine poético en paz, sin sentirse pretencioso, cuando se habla de su cine. Porque en su cabeza era claro que el cine era arte como un tríptico del Bosco o una sinfonía de Mahler. Y que el artista era artista porque era éste un mundo enfermo al que había que sanar a punta de ficciones. La historia de *El espejo*, en verdad los recuerdos de un cuarentón que se encuentra a un paso de morir, sintetiza la obra de un artista que pasó por el mundo tratando de armar ese rompecabezas que no tiene las piezas completas.

Latinoamérica reaccionaría, de la misma manera, a la libertad por la que se luchaba en las ciudades universitarias del planeta. Los «nuevos cines» de estos países serían encabezados por gente como el brasileño Glauber Rocha, el cubano Tomás Gutiérrez Alea y el argentino Fernando Solanas. *Dios o el diablo en la tierra del sol* (*Deus e o Diabo na Terra do Sol*, 1964), de Rocha, la historia de un asesino a sueldo que ve cómo su mejor amigo se convierte en un pandillero peligroso, es una especie de película del Oeste brasileña que resulta insuperable a la hora de representar los lugares sin ley latinoamericanos. *Memorias del subdesarrollo* (1968) de Gutiérrez Alea, por su parte, deja que, en medio de sus dilemas emocionales, un escritor llamado Sergio haga un primer balance de la Cuba gobernada por Fidel Castro.

Estados Unidos no va a quedarse atrás. Los gritos de independencia de los cineastas de otras partes del mundo, desde la nueva ola francesa hasta los jóvenes iracundos británicos, transformarán el cine norteamericano para siempre. Una generación de cineastas cinéfilos, conocedores de las películas gringas desde la primera hasta la última, fanáticos todos de las obras de Bergman, de Fellini, de Truffaut, de Kurosawa, de Buñuel, fundarán sin ponerse de acuerdo lo que se llamará, en unos años, «el nuevo Hollywood». Seguirán de cerca los trabajos desadornados e independientes (independientes, se entiende, de los grandes estudios) que hará el realizador John Cassavettes: *Una mujer bajo la influencia* (*A Woman Under the Influence*, 1974), que le pierde el miedo a la locura dentro de las familias de clase media, será particularmente popular entre estos nuevos directores. Que también se educarán (muchos conseguirán su primer trabajo gracias a él) bajo el imperio del productor de los bajos presupuestos: Roger Corman.

Cuentos de terror (*Tales of Terror*, 1962), dirigida por el propio Corman, ha llegado a estos días como una graciosa versión de serie B de los cuentos de Edgar Allan Poe. Y si de serie B estamos hablando, habrá que decir que la terrorífica *El regreso de los muertos vivientes* (*Night of the Living Dead*, 1968) de George Romero, que trata de lo que anuncia su título, se convertirá muy pronto en un clásico de culto lleno de imágenes icónicas.

El punto de giro en la historia del cine norteamericano llegará con las rebeldes *Busco mi destino* (*Easy Rider*, 1967) de Dennis Hopper, *Bonnie and Clyde* (1967) de Arthur Penn y *El graduado* (*The Graduate*, 1967) de Mike Nichols. No sólo se atreverán a desafiar las censuras y a tratar como adultos a los espectadores de su país, sino que serán verdaderos éxitos de taquilla que no tendrán que recuperar esos gigantescos presupuestos de Hollywood. La primera, una película de carretera en tiempos de rebeldía, droga y decepción frente a la inútil guerra en Vietnam, se ha ido desvaneciendo un poco con el tiempo. Las otras dos, en cambio, la una el retrato de dos hampones míticos que detestan el sistema (Warren Beatty y Faye Dunaway) y la otra la aventura de iniciación de un torpe recién graduado (Dustin Hoffman) que insiste en la frase «quiero ser diferente», han superado los años como si acabaran de ser estrenadas.

La década de los setenta producirá muchas de las mejores películas estadounidenses de todos los tiempos. Los años que vendrán serán el esfuerzo por conservar ese espíritu independiente, valiente, curiosamente exitoso en términos comerciales, que estará en el centro de comedias transgresoras como *La fiesta inolvidable* (*The Party*, 1968) de Blake Edwards, *Harold and Maude* (1971) de Hal Ashby o *Luna de papel* (*Paper Moon*, 1973) de Peter Bogdanovich; que estará en el fondo de relatos de horror como *El bebé de Rosemary* (*Rosemary's Baby*, 1968) de Roman Polanski, *El exorcista* (*The Exorcist*, 1973) de William Friedkin y *El resplandor* (*The Shining*, 1980) de Stanley Kubrick; que dará origen a clásicos desconcertantes como el western *La pandilla salvaje* (*The Wild Bunch*, 1968) de Sam Peckinpah, el drama *Días de cielo* (*Days of Heaven*, 1978) de Terrence Mallick y la sátira de iniciación *American Graffiti* (1973) de George Lucas.

El nuevo Hollywood producirá, pues, decenas de largometrajes indispensables. *2001: odisea en el espacio* (*2001: A Space Odyssey*, 1968) de Stanley Kubrick, una fría pero brillante mirada a un futuro dominado por las máquinas, hará imposible hacer una película de ciencia ficción sin rendirle cierto homenaje a sus imágenes. Las taquille-

ras **El padrino I, II** y **III** (*The Godfather*, 1972, 1974 y 1990) de Francis Ford Coppola, saga de la familia Corleone desde aquella villa en Sicilia hasta las escaleritas de un teatro en donde se cierra la tragedia, será la obra cinematográfica más bellamente fotografiada, musicalizada e interpretada de la que se tenga noticia, la obra más lúcida a la hora de pintar la corrupción de este mundo en el que el dinero ha convertido en mafia todo lo que ha tocado. Aunque, si se trata de hablar de un planeta en donde las multinacionales han reemplazado a las naciones, probablemente no se consiga un trabajo tan bien hecho como **Network** (1975) de Sidney Lumet.

El actor Jack Nicholson, con sus cejas arqueadas en busca de cierta ironía, será fundamental para la década. En **Atrapado sin salida** (*One Flew Over the Cuckoo's Nest*, 1975), que el cineasta checo Milos Forman entendió como un alegato contra las dictaduras, interpreta a un hombre atrapado en un hospital psiquiátrico (como sucedía en *Shock Corridors*, de 1963, de Samuel Fuller) que trata a los pacientes como criminales. En **Chinatown** (1975), que el cineasta polaco Roman Polanski comprendió como una visita a los horrores que se dan en cada hombre más que como una revisión del cine negro, encarna a un angustiado detective atrapado en una trama política que en el fondo es un drama de familia.

Quizás sea el cineasta neoyorquino Woody Allen, que hizo una carrera en la comedia en vivo, fue una figura de las letras cómicas norteamericanas y escribió libretos graciosos para los grandes comediantes del país antes de volverse el autor de más de 40 largometrajes, quizás sea Woody Allen, decíamos, el más consistente de los directores en la historia del cine. **Annie Hall** (1977), la obra que lo convirtió en una estrella dentro de los realizadores del planeta, es la comedia romántica más original que se consigue en los alquileres de video. Pero es probable que quien haya visto *Manhattan* (1979), *Hannah y sus hermanas* (*Hannah and her Sisters*, 1986) y *Crímenes y delitos menores* (*Crimes and Misdemeanors*, 1989), obras maestras del drama con sentido del humor, tenga la tentación de volver a ver, primero, alguna de éstas. El modesto Allen asegura que no ha visto su influencia inmensa por ninguna parte en el cine de hoy. Será suficiente ver *Harry y Sally* (*When Harry met Sally*, 1988) de Rob Reiner, sin embargo, para entender que en Allen empieza, como en los principales maestros de la cinematografía, una forma de ver los detalles de la vida humana.

Los cineastas del «nuevo Hollywood», una verdadera hermandad como no se veía desde los primeros días de la nueva ola francesa, también cambiaron (sin querer, claro, porque la idea que tenían era no pertenecer a ella) la industria cinematográfica estadounidense. La extraordinaria trilogía de **La guerra de las galaxias** (*Star Wars*, 1977, 1980, 1983) de George Lucas, el viaje del héroe mítico trasladado al universo de la ciencia ficción de serie B, se trasformó, en pocos días, en la producción más taquillera de todos los tiempos. Le quitó el lugar a la aventura de suspenso **Tiburón** (*Jaws*, 1975), de Steven Spielberg, que les había dado a los espectadores un par de nuevos traumas, había conseguido registrar la vida suburbana que se va a la espera de algún milagro y había puesto a los estudios a pensar que «estos nuevos dementes» podían hacerles ganar mucho dinero.

Lucas y Spielberg, que convertirían a Harrison Ford en Indiana Jones, el más grande de los héroes del cine norteamericano, en la fantasmal obra de aventuras **Cazadores del arca perdida** (*Raiders of the Lost Ark*, 1981) de Steven Spielberg, son los autores del presente de la cinematografía norteamericana. Su triunfo no infantilizó, como se ha dicho, el cine comercial del planeta. Pero sí le dio permiso a toda una industria para jugar, muchas veces sin el talento para hacerlo, con las convenciones de los relatos del pasado. La trilogía de *El señor de los anillos* (*Lord of the Rings*, 2001, 2002, 2003), de Peter Jackson, será el último eslabón de una cadena en la que lo más sorprendente es el virtuoso manejo de la cámara.

Dos obras maestras insólitas cierran esta era de cineastas enloquecidos por sus propios talentos. La primera es esa mirada a la guerra de Vietnam estructurada a partir de la novela *El corazón de las tinieblas* de Joseph Conrad, titulada **Apocalipsis ahora** (*Apocalypse Now*, 1979) y dirigida por el napoleónico Francis Ford Coppola: sólo en los trabajos de Herzog se hallará una energía similar a la que se siente en las secuencias más arriesgadas de esta pesadilla. *Apocalipsis ahora* será, desde su estreno, una buena manera de entrar a ese género, el cine de guerra, que ha dado radiografías del soldado olvidado tan dolorosas, tan necesarias como *Patton* de Franklin J. Schaffner, *Full Metal Jacket* (1987) de Stanley Kubrick, *La delgada línea roja* (*The Thin Red Line*, 1997) de Terence Malick, *Rescatando al soldado Ryan* (*Saving Private Ryan*, 1997) de Steven Spielberg, *Sin novedad en el frente* (*All Quiet in the Western Front*, 1930) de Lewis Milestone y *La caída* (*Der Untergang*, 2004) del alemán Oliver Hirschbiegel.

La segunda gran obra del periodo es **Toro salvaje** (*Raging Bull*, 1980) de Martin Scorsese. Scorsese, el hombre que más sabe de cine en este planeta, el heredero del secreto de Alfred Hitchcock, había hecho dos películas estupendas, que podrían entrar en este recuento, unos años antes: *Malas calles* (*Mean Streets*, 1973) y *Taxi Driver* (1976). Es *Toro salvaje*, sin embargo, protagonizada como aquellas dos por el genial Robert de Niro, en donde se ve con mayor precisión su visión religiosa de un mundo que en verdad es el infierno, su virtuosismo narrativo (las cámaras se mueven como si supieran la manera como será editado el relato) y su cinefilia puesta al servicio de historias de personajes autodestructivos que nadie más podría comprender: la biografía del boxeador Jake La Motta, su propio enemigo dentro y fuera del cuadrilátero, es la sobrecogedora suma de imágenes a la que el cine esperaba llegar desde los días del cine mudo.

QUINTO: ÉRASE UNA VEZ EN AMÉRICA (1982-2007)

Yo no sólo estaba vivo sino que era un niño grande cuando aparecieron las películas que vienen. Así que puedo decir que ver **E.T. el extraterrestre** (*E.T. the Extra-Terrestrial*, 1982) de Steven Spielberg, por ejemplo, fue, ha sido y será para mí una experiencia de vida comparable a una primera comunión o a un grado o a un primer trabajo: la historia de ese hijo de padres divorciados que establece una comunicación verdadera con un extraterrestre, porque no hay en el mundo una sola persona que logre comprenderlo, sigue siendo una de las más sorprendentes que se haya contando do en el cine: ¿cómo hizo Spielberg, ese creador de mitos nuevos, para conmovernos tanto con una situación con la que en teoría no podríamos relacionarnos?, ¿cuál es el secreto de esa pequeñísima obra que uno tendería a recordar como una super-producción?

Podemos decir, acaso, que desde ese momento de éxito (E.T. se transformó, entonces, en la película más taquillera de la historia), Spielberg se convirtió en dos personas: el director serio, autor en el sentido en que lo eran los cineastas de las nuevas olas del mundo, que contaba siempre la historia de un hombre que le huye a la vida para no envejecer jamás, y el productor poderoso, la marca registrada, que reemplazó a Walt Disney como sello de garantía y le abrió paso a fantasías como la ejemplar **Volver al futuro** (*Back to the Future*, 1985) de Robert Zemeckis o la malvada **Gremlins** (1984) de Joe Dante: ha habido muchas más, por supuesto, muchas producciones de Spielberg han entrado al imaginario de todos los países del mundo, pero esas dos, que a punta de fantasía salvan a un par de jóvenes de caer en la rutina suburbana de la América profunda, que critican con cariño las taras norteamericanas, siguen, hasta hoy, a la cabeza.

Los ochenta en el cine de Hollywood, protagonizados por el poder de Spielberg y conducidos por las ideas de Jerry Bruckheimer, dieron origen a una serie de comedias aleccionadoras de buen corazón, en la tradición del cuento de navidad de Dickens, que no negociarán con el público ni un poco de su inteligencia.

En **Tootsie** (1982) de Sydney Pollack, el actor Michael Dorsey (Dustin Hoffman) se convertirá en Dorothy Michaels (Dustin Hoffman), en una mujer, mejor dicho, porque no hay trabajo en Nueva York para los intérpretes masculinos, sin imaginar que aprenderá que a un buen actor le sirve ser una buena persona. En **De mendigo a millonario** (*Trading Places*, 1984) de John Landis, se regresará a los tiempos de Lubitsch, Wilder y Sturges para contar la aventura de un par de hombres que intercambian vidas de un día a otro para aprender que no hay que confiar en ninguna aristocracia. Y en **Mejor solo que mal acompañado** (*Planes, Trains & Automobiles*, 1987) de John Hughes, director emblemático de esos años ochenta que trataban de invitar al público a que encogiera los hombros ante el desastre, un viaje les enseñará a dos tipos opuestos que es mejor estar mal acompañado que solo.

Tendremos que esperar hasta **Atrapado en el tiempo** (*Groundhog Day*, 1992) de Harold Ramis, el relato fantástico de un hombre que debe vivir el mismo día hasta que lo viva como una persona decente, para encontrar una comedia de esa altura.

Zelig (1983) de Woody Allen, tal vez la más brillante fábula del cineasta neoyorquino, será la comedia norteamericana más inteligente desde su estreno hasta hoy. No sólo su trama, que sigue a un hombre llamado Leonard Zelig (Woody Allen) siempre que se convierte en las personas con las que está (si está con un lavandero chino se transforma, físicamente, en otro lavandero chino) con el objeto de encajar todas las veces en el mundo, sino su estilo, que es el de tratar de convencernos de que estamos ante un documental sobre un hombre que en efecto existió, consolidaron todo un género humorístico (el falso documental) que ha producido obras tan valiosas como *This Is*

Spinal Tap (1984) de Rob Reiner, *Maridos y esposas* (*Husbands and Wives*, 1993) del propio Allen o *Motivo para morir* (*To Die For*, 1995) de Gus Van Sant.

Si el infierno, en tiempos profanos, no es un lugar asfixiante sino aquello de lo que carecemos, entonces en los años ochenta se produjeron algunas de las mejores películas de la historia sobre el infierno: **Amadeus** (1984) de Milos Forman, la genialidad del vulgar Mozart desde el triste punto de vista del delicado Antonio Salieri, fue un clásico desde el momento en que fue estrenada; **Después de las horas** (*After Hours*, 1985) de Martin Scorsese, la peor noche de la vida de un burócrata que sólo quería vivir un poco, revivirá el talento de los expresionistas a la hora de poner pesadillas en escena; **Terciopelo azul** (*Blue Velvet*, 1986) de David Lynch, del mismo David Lynch que se ha negado siempre a caer en las convenciones de los demás, nos conduce por el mal sueño de un joven que descubre que el horror espera en lo más cotidiano.

Tres trabajos emocionantes nos pondrán en contacto, una vez más, con ese héroe norteamericano que jamás cede en sus convicciones: el detective Elliot Ness, que arriesgará su vida contra el psicopático mafioso del licor Al Capone, dice «voy a tomarme un trago» cuando se entera de que será legalizado al final de **Los intocables** (*The Untouchables*, 1987) de Brian de Palma; el policía inquebrantable John McClane, un vaquero extraviado en un edificio de hoy, se negará a entregarles el poder a los terroristas que se han tomado los escenarios de **Duro de matar** (*Die Hard*, 1988) de John McTiernan; la entrañable familia sin apellido, que huye de pueblo en pueblo, desde siempre, por haber atentado contra el capitalismo norteamericano, vivirá sus convicciones en **Running on Empty** (1988) de Sidney Lumet hasta darse cuenta de que «sus convicciones» en verdad son el amor que se tienen.

Las mejores películas de los últimos veinticinco años son miradas muy particulares sobre un mundo que tendemos a ver a través de las gafas (la política, la cultura, las costumbres) de Estados Unidos. Los mejores directores «extranjeros», que Hollywood respeta como a vasijas antiguas de museo pero que jamás entiende del todo, le encontrarán a la experiencia humana los pliegues perdidos en las películas comerciales producidas por la industria norteamericana: nos harán ver lo que habremos dejado de ver. Y los mejores directores estadounidenses, que Hollywood convierte en merecedores de premios con la esperanza de que encuentren su público en alguna parte, se atreverán a todo, a ser extravagantes, a ser únicos, a decir «así de rara es esta experiencia», para no permitirles a los espectadores de su país que vivan según la máxima que asegura que el cliente siempre tiene la razón.

Vamos, primero, con los largometrajes «extranjeros». Citemos, en una lista que nos deje sin aire, esas que nos hacen ver cosas del mundo que no habíamos visto antes: *El dinero* (*L'argent*, 1983) de Robert Bresson, con sus elipsis, su edición tensa y sus primeros planos, nos obliga a seguir una cuenta de 500 francos que irá de mano en mano hasta conducir a la tragedia; **Fanny y Alexander** (*Fanny och Alexander*, 1984) de Ingmar Bergman, retrato de una familia teatral desde el punto de vista de dos niños que han perdido a su padre, nos demuestra que «es un mundo duro para los seres pequeños»; **El cocinero, el ladrón, su mujer y su amante** (*The Cook, the Thief, His Wife & Her Lover*, 1989) del británico Peter Greenaway, una pintura que se mueve y describe sin ambivalencias las mezquindades de los cuatro personajes del título, nos llama a ver el mundo tan grotesco como es; **Mujeres al borde de un ataque de nervios** (1988) del español Pedro Almodóvar, comedia disparatada sobre el despecho de una madrileña histérica, nos muestra la vida con sus injusticias, sus ridiculeces, sus reveses de fortuna que al final producen risa, como un decorado lleno de detalles chillones; **Tres colores** (*Trois couleurs*, 1993) del polaco Krzysztof Kieslowski, una trilogía inspirada en los simbólicos colores de la bandera francesa, nos pone a pensar en cada biografía como el tiempo que le queda a quien nace para alcanzar la redención; **Chunking Express** (*Chung Hing sam lam*, 1994) de Won Kar-Wai, una de las tantas historias del maestro hongkonés que logran registrar el espacio que queda si se va el amor, se asoma a las vidas arruinadas de dos policías para mostrarnos que sólo nos quedan ciertos primeros planos (los recuerdos que de pronto nos vienen a la cabeza) en esa vida larga que se parece tanto a los locales oxidados que se dejan morir día por día; **El sabor de la cereza** (*Ta'm e guilass*, 1997) del iraní Abbas Kiarostami (Jean Luc Godard dijo «el cine comienza con D. W. Griffith y termina con Abbas Kiarosami») acompaña a un hombre que se va a suicidar en un revelador último día con el que no contaba para decirnos que para llegar a la muerte hay que habérsela ganado; **Yi-Yi** (2000) de Edward Yang nos prueba que *Fanny y Alexander* puede suceder en China, que el mundo no se reduce, como en el cine comercial, a una anécdota rabiosa, sino que puede acercarse a las rutinas heroicas de una serie de familias que se enfrentan al infierno del futuro; **El viaje de Chihiro** (*Sen to Chihiro no kamikakushi*, 2001) del japonés Hayao Miyazaki, la obra maestra del último genio del cine anima- do, nos advierte los peligros de la mente gracias al extravío de un niña en un mun- do de pesadilla que no sabíamos que se parecía tanto al nuestro; **La ciénaga** (2001) de la argentina Lucrecia Martel nos lleva a Salta, en la época más miserable del año, para decirnos que la experiencia humana es mucho más larga, mucho más lenta, de lo que podamos imaginarnos.

Es **Dogville** (2003) de Lars von Trier, sin embargo, el hallazgo más grande de todos. Ya se había acercado Von Trier, en las estupendas *Contra viento y marea* (*Breaking the Waves*, 1996) y *Bailarina en la oscuridad* (*Dancer in the Dark*, 2000), a filmar una iró- nica fábula ejemplar que nos probara que la lógica norteamericana (la resignación de santos que raya en la tontería, la idea de esa justicia que es una venganza) se ha- bía tomado las cabezas del planeta, pero fue acá, en *Dogville*, la menos condescen- diente con el público, que prescinde de las locaciones realistas para probarnos que ya hemos vuelto, como en tiempos del cine mudo, a una era en la que no necesita- mos verosimilitudes para creernos lo que les pasa a las personas en la pantalla, fue en *Dogville* que el cineasta danés, coautor de ese manifiesto en broma titulado Dog- ma 95, dejó en claro sus ideas sobre el arte cinematográfico, sobre la ficción, sobre la tragedia de Estados Unidos.

Revisemos ahora las producciones hechas con la colaboración, en contra o a pesar de Hollywood en las últimas dos décadas. La verdad es que los estudios les han permiti- do a los grandes directores de los sesenta, los setenta y los ochenta (se les han esca- pado, quizás, porque pocos ejecutivos del cine tienen alma de mecenas) filmar pelícu- las insólitas como éstas: **El joven manos de tijera** (*Edward Scissorhands*, 1990) de Tim Burton no sólo trae de vuelta el expresionismo, el horror clásico y el cine de Tati, sino que nos dice que el mundo crea monstruos en donde sólo hay personas que no quie- ren ser como las otras; **Buenos muchachos** (*Goodfellas*, 1990), de Martin Scorsese, que después filmará maravillas de la altura de *La edad de la inocencia* (*The Age of In- nocence*, 1993) o *Los infiltrados* (*The Departed*, 2006), nos lleva a sospechar que se vi- ve una era decadente cuando la vida de la legalidad parece una tontería; **JFK** (1991) de Oliver Stone, que lleva a la cumbre el maravilloso cine político que enaltecieron *Z* (1969) del griego Constantin Costa-Gavras y *Todos los hombres del presidente* (*All the President's Men*, 1976) del norteamericano Alan J. Pakula, nos demuestra, mientras documenta las aberraciones que rodearon el asesinato del presidente de Estados Uni- dos, que no tenemos ni idea de lo que en verdad pasa en esas tras esas escenas en las que deciden todo por nosotros; **El silencio de los inocentes** (*Silence of the Lambs*, 1991) de Jonathan Demme, precursora de *Seven* (1995) y *Zodiaco* (*Zodiac*, 2007) de David Fincher, pone su trama impecable, sus actuaciones exactas y su cinematografía mi- nuciosa al servicio de una historia que nos prueba que jamás podremos someter a una persona; **Short Cuts** (1992) de Robert Altman, una adaptación de los cuentos de Ray- mond Carver, que es la más grande película coral que se haya filmado, nos demostra- rá que la vida suburbana es miserable por cuenta de la naturaleza del hombre (no hay ningún otro enemigo) sin saber que le abrirá la puerta a todo un género que irá ad- quiriendo innecesarios tintes misántropos en obras como *Felicidad* (*Happiness*, 1998) de Todd Solondz o *Magnolia* (1999) de Paul Thomas Anderson.

Tres clásicos instantáneos, en tres géneros norteamericanos fundamentales, lograrán humanizar a esas víctimas que mueren de golpe en los tiroteos que el cine ha des- humanizado desde *El gran robo del tren*. **Imperdonables** (*Unforgiven*, 1992) de Clint Eastwood, un western que le da el lugar del héroe a un hijo de puta que ha envejeci- do sin saber si lo que siente es culpa, ve morir al villano del relato con una compa- sión que pocos directores alcanzan; **La lista de Schindler** (*Schindler's List*, 1993) de Steven Spielberg, que hará que cada muerte duela en la extraordinaria *Munich* (2005), reconstruirá, en un blanco y negro desprovisto de trucos, a un ritmo que sólo encuen- tra comparación en el cine de David Lean, la vida del nazi que salvó a más de mil ju- díos («quien salva a una persona —dirán—, salva al mundo entero») sin saber que estaba haciendo una cosa buena; **Fuego contra fuego** (*Heat*, 1995) de Michael Mann, un thriller cargado de mafiosos, filmado con destreza y editado con suma inteligen- cia, que sienta en la misma mesa a Al Pacino y Robert de Niro, describirá el estado de una sociedad decadente que trata de explicarse por qué antes estaban tan seguros de que robar no era un acto de bien.

El cine animado entrará en un nueva era, por fin, gracias a **Toy Story** (1995) de Jo- hn Lasseter. La empresa que se atreverá a producirla, Pixar, apoyada en un principio por George Lucas, más tarde respaldada por la Walt Disney, conseguirá convertir la

historias de niños en personalísimas historias para todos (vendrán *Monsters Inc.*, *Los increíbles* y *Ratatouille*) por cuenta de una sofisticada animación que se apoya en los grandes avances de los programas de computadores. La animación digital impulsará la producción de decenas de producciones para niños (los estudios DreamWorks, Fox y Paramount crearán divisiones especiales para cine infantil) pero la calidad alcanzada por los realizadores de Pixar, sólo comparable en originalidad a la que el propio Disney logró en los años cuarenta, cincuenta y sesenta del siglo anterior, marcará toda una era de la historia de la cinematografía.

El verdadero cine para adultos, que es, por supuesto, el que no deja en paz a los espectadores, no cesará. Una nueva generación de directores independientes de todos los países, animada por la generosidad del festival de Sundance, las ambiciones del imperio exorbitado de Miramax y la integridad artística de los cineastas del nuevo Hollywood, salvará del tedio al cine del mundo. **Haz lo correcto** (*Do the Right Thing*, 1989) de Spike Lee, el día más caluroso en un barrio neoyorquino cargado de prejuicios, dirá la última palabra en un tema, el racismo, que habrá sido discutido en obras tan decorosas como *Adivina quién viene a cenar* (*Guess Who's Coming to Dinner*, 1967) de Stanley Kramer y *En el calor de la noche* (*In the Heat of the Night*, 1967) de Norman Jewison. **Sexo, mentiras y video** (*Sex, Lies and Videotape*, 1990) de Steven Soderbergh, un relato frío que nos pone al día en las inseguridades de los hombres comunes y corrientes, consolidará un movimiento de cineastas norteamericanos (Spike Lee, Jim Jarmusch, John Sayles, los hermanos Coen) que desde los ochenta se resisten a contar lo que los otros cuentan.

Y que, como son verdaderas enciclopedias de cine, se dedican a filmar estupendas parodias que no atraen al espectador por sus personajes (que se saben caricaturas atrapadas en algo que es sólo una película) sino por su habilidad a la hora de encadenar las secuencias irreverentes e ingeniosas que se les ocurren. El thriller fragmentado, descreído, satírico **Pulp Fiction** (1994) de Quentin Tarantino, el primer gran director que conoció el cine en video, sigue siendo imbatible en este terreno: el del cine que se siente orgulloso de ser cine. Podrían citarse obras paródicas de varios directores del mundo que se trasforman de película en película, podría hablarse de *El perfecto asesino* (*Léon*, 1994) de Luc Besson, *Romeo + Juliet* (1996) de Baz Luhrmann, *Election* (1999) de Alexander Payne, *Amélie* (*Le fabuelux destin d'Amélie Poulain*, 2001) de Jean-Pierre Jeunet, *Héroe* (2002) de Zhang Yimou o *Brokeback Mountain* (2005) de Ang Lee, pero habría que tener claro que es Tarantino el que ha llegado primero a ese continente.

Los noventa de la industria del cine estadounidense terminarán con tres obras fascinantes que exploran las perversiones en las sociedades que no le dan tiempo a nadie para nada. Acaso la más inesperada sea **Crash** (1996), de David Cronenberg, que se infiltra en una secta de personajes hastiados que sólo se sienten vivos cuando sufren accidentes de tránsito. Tal vez la mejor filmada sea **Fargo** (1996), de los hermanos Ethan y Joel Coen, autores de clásicos menores como *Miller's Crossing* (1990), *Barton Fink* (1991) y *Sin lugar para los débiles* (*No Country for Old Men*, 2007), que, como todas las obras de los dos autores, descubre el absurdo que es el centro de la América profunda. Quizás la menos fácil de tragar sea **El club de la pelea** (*Fight Club*, 1999), de David Fincher, que tiene mucho de trampa, mucho de trama falsa sobre un hombre que no da más en este mundo doblegado por lo empresarial, pero que es una proeza cinematográfica hecha por el primer gran director que comenzó su carrera en el mundo de los video clips musicales.

Y entonces vendrá la nueva década. Y, cuando se esté seguro de que ya nada puede ser nuevo, aparecerá un grupo de películas únicas que resultan mejores cada vez que uno las piensa: **La hora 25** (*The 25th Hour*, 2002) de Spike Lee, sobre el última día de libertad de un traficante de drogas, es la obra más lúcida que se ha filmado sobre la vida después de los atentados del 11 de septiembre de 2001; **Elefante** (*Elephant*, 2003) de Gus van Sant, ese desconcertante talento que ha dirigido extrañezas como *Drugstore Cowboy*, *En busca del destino* o la versión 1998 de *Psicosis*, revela las mentes en blanco de esos jóvenes que un día pueden asesinar a todos los compañeros de colegio que se les pasen por delante; **Perdidos en Tokio** (*Lost in Translation*, 2003) de Sofia Coppola, uno más de los retratos de mujeres solas que ha logrado la directora, tiene una sensibilidad inimitable; un retrato familiar a medio camino entre el cómic y la cinefilia, **Los excéntricos Tenenbaum** (*The Royal Tenenbaums*, 2001), de Wes Anderson, autor de una obra maravillosa que se llama *Tres son multitud* (*Rushmore*, 1998), es la mejor película de la voz más original de estos últimos años; y **Eterno resplandor de una mente sin recuerdos** (*Eternal Sunshine for the Spotless Mind*,

2004) de Michel Gondry, escrito por el mismo Charlie Kaufman que escribió ¿Quieres ser John Malkovich? (Being John Malkovich, 1999) de Spike Jonze, es una de las pocas películas ingeniosas de esta década en las que el ingenio es, en efecto, la mejor forma de narrar la historia que se debe narrar.

Dos obras resumen los últimos veinticinco años de la historia del cine. La primera es **Érase una vez en América** (Once Upon a Time in America, 1984) de Sergio Leone. La frase «Érase una vez en América» es, para empezar, la frase que podría servirles de título a casi todas las películas buenas de esta época. Su música, sus actuaciones, su montaje son un milagro. Cada uno de sus planos es una decisión personal: una mirada única sobre las cosas —por ejemplo: la dictadura del dinero, la ignorancia peligrosa, la violencia gratuita— que el mundo no nos deja ver. Y su trama de gángsters de principios del siglo XX, planeada por el mismo cineasta italiano que se valió del cine del Oeste para hablarnos de un mundo en el que cada quien tenía que arreglárselas por su lado, podría resumir las tramas de tantas obras de estos días: un hombre apodado Noodles (Robert de Niro) descubre, cuando en su vida ya sólo le queda la nostalgia, que lo único que no puede quitarle nadie es un momento de su juventud en el que sonrió porque su cara estaba en paz.

La segunda es **The Truman Show** (1998) del australiano Peter Weir, que hace diez años nos describió el mundo como lo tenemos ahora, y que probablemente sea la obra más importante que se haya filmado en la pasada década. Un hombre bondadoso llamado Truman Burbank (Jim Carrey), porque es la única persona real en un estudio en Burbank, California, se da cuenta un día de que un canal de televisión ha transmitido su vida desde el día en que nació, todos los días, durante 24 horas. Su vida ha sido, pues, un show de televisión: la ciudad en la que vive, en la isla de Seaheaven, es en verdad un estudio de grabación; todo lo que le ha sucedido, todo lo que es, es el resultado de un libreto redactado por un grupo de creativos; las personas que lo rodean, su madre, su esposa, sus amigos, son actores contratados tiempo completo.

Y Weir, autor de Testigo en peligro (Witness, 1985), La costa mosquito (The Mosquito Coast, 1986) y Capitán de mar y guerra (Master and Commander, 2003), hace lo que puede para devolverle la realidad, usa las cámaras que se pueden usar, estimula las actuaciones más brillantes que se pueden conseguir, recuerda, de paso, que desde finales del siglo XIX hasta comienzos del XXI, la cámara ha mostrado todo lo que puede verse en el mundo (desde lo más íntimo hasta lo más escatológico, desde lo más atroz hasta lo más bello), en esta película que es un hallazgo como uno de esos que se exhiben en las salas de los museos, que nos invitan a pensar que no todo lo que ha hecho el hombre debe conducir al desencanto.

SEXTO: HACER CINE
Acaba de volver a mi casa, de golpe, aquella persona que no había visto una sola película en su vida. Las últimas palabras del párrafo anterior han sido, de hecho, sus palabras. Ha devuelto los largometrajes que se había llevado de mi colección. Y me ha dicho que se ha dado cuenta de que la vida sería cualquier cosa, como un árbol a un lado, como un río común y corriente, si no hubiera llegado el cine al mundo. Yo estoy de acuerdo. Y, como sé que ver largometrajes es una enfermedad, una adicción, le digo que sólo le queda (para enterarse bien de qué ha hecho este arte durante todo este tiempo) ver cine sobre el cine, ver largometrajes que cuenten cómo se hace un largometraje. En literatura lo llaman ars poetica: un poema sobre el poema. Acá, decíamos, podemos llamarlo cine sobre el cine.

La primera que viene a la cabeza es **8½** (1963) de Federico Fellini, que no es, del todo, una obra satisfactoria. O no lo es, al menos, la primera vez que uno la ve. Después, cuando ya uno ha aceptado que el cine es otro de los amores de su vida, el blanco y negro de las imágenes, las actuaciones desmedidas del elenco y esa trama que se muerde la cola (la película que se está filmando en 8½ es la película que uno está viendo: 8½), empieza a darse cuenta de que está ante un gran logro: uno de esos raros ejemplos en los que un largometraje consigue deshacerse de la estructura dramática y mantener a punta de imágenes maravillosas el interés (y, con suerte, la emoción) de las personas que se han atrevido a sentarse allí enfrente.

Tres realizaciones dramáticas, con un delicioso sentido del humor, presentan las tres miradas más claras a las tras escenas de las grandes producciones: **Sunset Boulevard** (1950) de Billy Wilder, un guión perfecto filmado de manera impecable, es una historia de amor espinosa, el retrato de un par de personajes autodestructivos y una mirada a los monstruos que produce la cámara de cine; **La noche americana** (La nuit américaine, 1973) de Francois Truffaut, que sigue desde el principio la locura temporal

que se vive durante el rodaje de cualquier relato fílmico, se atreve a sugerirnos que el cine es mucho mejor que la vida; *The Bad and the Beautiful* (1952) de Vincent Minelli no sólo nos responde la pregunta más frecuente de los espectadores que comienzan a transformarse en cinéfilos, «¿qué hace un productor?», sino que nos demuestra que, como en cualquier página de la historia de la humanidad, en cualquier página de la historia del cine podrán hallarse personajes que son capaces de dar la vida por sus extrañas convicciones.

Se ha dicho, desde hace ya cuarenta años, que *El ciudadano Kane* (*Citizen Kane*, 1941) de Orson Welles es la película más importante, la principal, de la historia del cine. Preferí, por eso, dejarla para el final. Porque sus hermosos hallazgos, los recursos dramáticos, la energía que no decae, la manera de filmar, de interpretar y de editar la historia, se aprecian mucho más cuando ya se ha recorrido una buena parte de la fila de las mejores películas que se han hecho. La biografía de ese magnate de los tramposos medios de comunicación que, como el héroe de *Érase una vez en América*, mira una última vez hacia atrás para descubrir el último día en que fue una persona sin máscaras, es maravillosa por lo que cuenta, por supuesto, pero sobre todo por cómo lo cuenta, cómo vuelve aterrador, ridículo, descorazonador a un hombre que no pasaba de ser un hombre.

Probablemente no haya en la historia del cine una prueba tan contundente del talento de un cineasta como *El ciudadano Kane*. Pero yo cerraría este viaje con **Vértigo** (*Vertigo*, 1958), de Alfred Hitchcock, porque nadie como Hitchcock ha entendido el lenguaje cinematográfico; porque narra la angustia de un hombre (James Stewart) que ha perdido a la mujer de su vida por cuenta del miedo; y porque todas sus secuencias captan ese gesto que humaniza al animal que somos: el de jugarse todo por las ficciones, por creer que tenemos una identidad, una capacidad para darle vida a las vidas ajenas, una oportunidad para construir un mundo (un amor, una familia, una obra) dentro del mundo, antes de ceder a la sospecha de que las cosas no van a ninguna parte.

Y las nominadas a mejor película histórica son... *por Diana Uribe*

Título	Título original	Director	País	Guionista	Año
Adiós a Lenin	Good Bye, Lenin!	Wolfgang Becker	Alemania	Wolfgang Becker/Bernd Lichtenberg	2003
Alejandro Magno	Alexander	Oliver Stone	Estados Unidos	Oliver Stone	2004
Alemania, año cero	Germania, anno cero	Roberto Rossellini	Italia	Roberto Rossellini/Carlo Lizanni	1948
América	America	David W. Griffith	Estados Unidos	John L.E.,/Pell	1924
Apocalipsis ahora	Apocalypse Now	Francis Ford Coppola	Estados Unidos	Francis Ford Coppola/John Milius (basado en una novela de Joseph Conrad)	1979
Beau Geste	Beau Geste	William Wellman	Estados Unidos	Robert Carson (basado en una novela de P. C. Wren)	1939
Bienvenido al paraíso	Come See the Paradise	Alan Parker	Estados Unidos	Alan Parker	1990
¡Bienvenido, Mister Marshall!	¡Bienvenido, Mister Marshall!	Luis García Berlanga	España	Luis Berlanga/Juan Antonio Bardem	1952
Caballero sin espada	Mr. Smith Goes to Washington	Frank Capra	Estados Unidos	Sidney Buchman	1939
Calle Mayor	Calle Mayor	Juan Antonio Bardem	España	Juan Antonio Bardem	1956
Danton	Danton	Andrzej Wajda	Francia/Polonia	Andrzej Wajda/Jean-Claude Carrière/ Agnieszka Holland/Jacek Gasiorowski	1982
De ratones y hombres	Of Mice and Men	Gary Sinise	Estados Unidos	Horton Foote (basado en una novela de John Steinbeck)	1992
Diarios de motocicleta	Diarios de motocicleta	Walter Salles	Argentina	José Rivera	2003
Doctor Zhivago	Doctor Zhivago	David Lean	Estados Unidos	Robert Bolt (basado en una novela de Boris Pasternak)	1965
El acorazado Potemkin	Bronenosets Potyomkin	Serguéi Mijaílovich	URSS	Serguéi Mijaílovich	1925
El delito Matteotti	Il delitto Matteotti	Florestano Vancini	Italia	Florestano Vancini	1973
El día más largo	The Longest Day	Andrew Marton	Estados Unidos	Cornelius Ryan	1962

195

Y las nominadas a mejor película histórica son...

Título	Título original	Director	Guionista	País	Año
El emperador del Norte	Emperor of the North	Robert Aldrich	Christopher Knop	Estados Unidos	1973
El espíritu de la colmena	El espíritu de la colmena	Víctor Erice	Víctor Erice y Ángel Fernández Santos	España	197
El gatopardo	Il Gattopardo	Luchino Visconti	Suso Cecchi	Italia/Francia	1963
El gran desfile	The Big Parade	King Vidor	Harry Behn	Estados Unidos	192
El gran dictador	The Great Dictator	Charles Chaplin	Charles Chaplin	Estados Unidos	1940
El gran Gatsby	The Great Gatsby	Jack Clayton	Francis Ford Copola (basado en la novela de F. S. Fitzgerald)	Estados Unidos	1974
El hombre de hierro	Czlowiek z zelaza	Andrzej Wajda	Aleksander Scibor-Rylski	Polonia	198
El hombre de mármol	Czlowiek z marmure	Andrzej Wajda	Aleksander Scibor-Rylski	Polonia	1977
El hombre del brazo de oro	The Man Whit a Golden Arm	Otto Preminger	Walter Newman y Lewis Meltzer (basado en una novela de Nelson Algren)	Estados Unidos	195
El limpiabotas	Sciusciá	Vittorio de Sica	Cesare Zavattini	Italia	194
El nacimiento de una nación	The Birth of a Nation	David W. Griffith	David W. Griffith y Frank E. Woods (basado en una novela de Thomas F. Dixon Jr.)	Estados Unidos	1915
El pan nuestro de cada día	Our Daily Bread	King Vidor	Elizabeth Hill, Joseph L. Mankiewicz	Estados Unidos	1934
El proceso de Verona	Il processo di Verona	Carlo Lizzani	Sergio Amidei	Italia/Francia	1962
El puente	Die Brücke	Bernhard Wicki	Bernhard Wicki y Michael Mansfeld	Alemania	1959
El puente sobre el río Kwai	The Bridge on the River Kwai	David Lean	Michael Wilson/Carl Foreman (basado en una novela de Pierre Boulle)	Reino Unido	195
El sargento York	Sergeant York	Howard Hawks	Abem Finkel	Estados Unidos	194
El telón de acero	The Iron Courtain	William Wellman	Milton Krims	Estados Unidos	1948
El tercer hombre	The Third Man	Carol Reed	Graham Greene	Reino Unido	194

Título	Título original	Director	Guionista	País	Año
El triunfo de la voluntad	Triumph des Willens	Leni Riefenstahl	Leni Riefenstahl/Walter Ruttmann	Alemania	1935
El último	Der Letzte Mann	Friedrich Murnau	Carl Mayer	Alemania	1924
El verdugo	El verdugo	Luis García Berlanga	Luis García Berlanga/Rafael Azcona	España	1963
Elizabeth: la edad de oro	Elizabeth: The Golden Age	Shekhar Kapur	Michael Hirst, William Nicholson	Reino Unido	2007
Enamorada	Enamorada	Emilio Fernández	Íñigo de Martino	México	1946
Encrucijada de odios	Crossfire	Edward Dmytryk	John Paxton (basado en una novela de Richard Brooks)	Estados Unidos	1947
Enrique V	Henry V	Kenneth Branagh	Kenneth Branagh (basado en una obra de W. Shakespeare)	Reino Unido	1989
Esta tierra es mía	This Land Is Mine	Jean Renoir	Jean Renoir/Dudley Nichols	Estados Unidos	1943
Éxodo	Exodus	Otto Preminger	Dalton Trumbo (basado en una novela de Leon Uris)	Estados Unidos	1960
Forrest Gump	Forrest Gump	Robert Zemeckis	Eric Roth (basado en una novela de Winston Groom)	Estados Unidos	1994
Gallipoli	Gallipoli	Peter Weir	David Williamson	Australia	1981
Gandhi	Gandhi	Richard Attenborough	John Briley	Reino Unido	1982
Gringo viejo	Old Gringo	Luis Puenzo	Luis Puenzo (basado en una novela de Carlos Fuentes)	Estados Unidos	1989
Grita libertad	Cry Freedom	Richard Attenborough	John Briley	Reino Unido	1987
Historia de dos ciudades	A Tale of Two Cities	Jack Conway	W. P. Lipscomb/S. N. Behrman (basado en una novela de Charles Dickens)	Estados Unidos/Francia	1935

Y las nominadas a mejor película histórica son...

Título	Título original	Director	Guionista	País	Año
JFK (Caso abierto)	JFK	Oliver Stone	Oliver Stone	Estados Unidos	1991
			(basado en una novela de Jim Garrison)		
Juan Nadie	Meet John Doe	Frank Capra	Robert Riskin	Estados Unidos	1941
Kolya	Kolya	Jan Svěrák	Zdenek Sverák	República Checa	1996
La batalla de Argel	La battaglia di Algeri	Gillo Pontecorvo	Gillo Pontecorvo/Franco Solinas	Italia/Argelia	1965
La caída	Der Untergang	Oliver Hirschbiegel	Bernd Eichinger	Alemania	2004
			(basado en una novela de Joaquim Fest)		
La calle	Street Scene	King Vidor	Elmer Rice	Estados Unidos	1931
La casa Rusia	The Russia House	Fred Schepisi	Tom Stoppard	Estados Unidos	1990
			(basado en una novela de John Le Carré)		
La caza	La caza	Carlos Saura	Carlos Saura/Angelino Fons	España	1965
La gran ilusión	La grande illusion	Jean Renoir	Jean Renoir/Charles Spaak	Francia	1937
La guerra de Charlie Wilson	Charlie Wilson's War	Mike Nichols	Aaron Sorkin	Estados Unidos	2007
			(basado en un libro de George Crile)		
La guerra del opio	Yapien zhanzheng	Xie Gin	Xie Gin	Hong Kong	1998
La ley del silencio	On the Waterfront	Elia Kazan	Budd Schulberg	Estados Unidos	195
La línea general/Lo viejo y lo nuevo	Generalnaia Linia/Staroie i Novoie	Serguéi Mijaílovich/Grigori Aleksandrov	Serguéi Mijaílovich/Grigori Aleksandrov	URSS	1929
La madre	Mat	Vsevolod Pudovkin	Nathan Zarkhi	URSS	1926
			(basado en una novela de Maxim Gorky)		
La Marsellesa	Le Marseillaise	Jean Renoir	Jean Renoir/Carl Koch	Francia	1938
La reina de África	The African Queen	John Huston	James Agee	Estados Unidos	1951
			(basado en una novela de C. S. Forester)		

Y las nominadas a mejor película histórica son...

Título	Título original	Director	Guionista	País	Año
La reina Margot	La Reine Margot	Patrice Chéreau	Danièle Thompson	Francia	1994
La venganza	La venganza	Juan Antonio Bardem	Juan Antonio Bardem	España	1957
Ladrón de bicicletas	Ladri di biciclette	Vittorio de Sica	Cesare Zavattini	Italia	1948
Las uvas de la ira	The Grapes of Wrath	John Ford	Nunnaly Johnson (basado en una novela de John Steinbeck)	Estados Unidos	1940
Lawrence of Arabia	Lawrence of Arabia	David Lean	Robert Bolt/Michael Wilson	Estados Unidos	1962
Leones por corderos	Lions for Lambs	Robert Redford	Matthew Michael Carnahan	Estados Unidos	2007
Límite de seguridad	Fail-Safe	Sidney Lumet	Walter Bernstein (basado en una novela de Eugene Burdick)	Estados Unidos	1964
Lo que el viento se llevó	Gone With the Wind	Victor Fleming	Sidney Howard (basado en una novela de Margaret Mitchell)	Estados Unidos	1939
Los 400 golpes	Les quatre cents coups	François Truffaut	François Truffaut/Marcel Moussy	Francia	1959
Los gritos del silencio	The Killing Fields	Roland Joffé	Bruce Robinson	Reino Unido	1984
Los inconquistables	Unconquered	Cecil B. DeMille	Charles Bennet	Estados Unidos	1947
Los mejores años de nuestra vida	The Best Years of Our Lives	William Wyler	Robert E. Sherwood	Estados Unidos	1946
Los santos inocentes	Los santos inocentes	Mario Camus	Mario Camus/Antonio Larreta/Manuel Matji (basado en una novela de Miguel Delibes)	España	1984
Los siete samuráis	Sichinin no samurai	Akira Kurosawa	Akira Kurosawa/Shinobu Hashimoto	Japón	1954
Los sueños de Akira Kurosawa	Akira Kurosawa's Dream	Akira Kurosawa	Akira Kurosawa	Japón	1989
Metrópolis	Metropolis	Fritz Lang	Thea von Harbou	Alemania	1927
Milou en primavera	Milou en Mai	Louis Malle	Louise Malle/Jean-Claude Carrière	Francia	1990

Y las nominadas a mejor película histórica son...

Título	Título original	Director	Guionista	País	Año
Muerte de un ciclista	Muerte de un ciclista	Juan Antonio Bardem	Juan Antonio Bardem	España/Italia	1955
Napoleón	Napoleon	Abel Gance	Abel Gance	Francia	1927
Nicolás y Alejandra	Nicholas and Alexandra	Franklin Schaffner	James Goldman/Edward Bond (basada en un libro de Robert K. Massie)	Estados Unidos	1971
Octubre	Oktyabr	Serguéi Mijáilovich	Serguéi Mijáilovich/Grigori Aleksandrov (basado en una novela de John Reed)	URSS	1927
Patton	Patton	Franklin Schaffner	Francis Ford Copola/Edmund H. North	Estados Unidos	1970
Platoon	Platoon	Oliver Stone	Oliver Stone	Estados Unidos	1986
Por quién doblan las campanas	For Whom the Bell Tolls	Sam Wood	Dudley Nichols (basado en una novela de Ernest Hemingway)	Estados Unidos	1943
Primera plana	The Front Page	Billy Wilder	Billy Wilder	Estados Unidos	1974
Raza	Raza	José Luis Sáenz	José Luis Sáenz/Antonio Román (basado en una novela de Francisco Franco)	España	1942
Rebelde sin causa	Rebel Without a Cause	Nicholas Ray	Stewart Stern	Estados Unidos	1955
Reed: México insurgente	Reed: México insurgente	Paul Leduc	Paul Leduc/Emilio Carballido/Juan Tovar (basado en el libro de John Reed)	México	1973
Retablo de la Guerra Civil española	Retablo de la Guerra Civil española	Basilio Martín Patino	Basilio Martín Patino	España	1980
Retorno al pasado	Out of the Past	Jacques Tourneur	Daniel Mainwaring	Estados Unidos	1947
Revolución	Revolution	Hugh Hudson	Robert Dillon	Estados Unidos	1985
Roma, ciudad abierta	Roma, città aperta	Roberto Rossellini	Sergio Amidey	Italia	1945
Sangre, sudor y lágrimas	In Which We Serve	David Lean/Nöel Coward	Nöel Coward	Reino Unido	1942

Y las nominadas a mejor película histórica son...

Título	Título original	Director	Guionista	País	Año
Senderos de gloria	Paths of Glory	Stanley Kubrick	Stanley Kubrick/Calder Willingham (basado en una novela de Humphrey Cobb)	Estados Unidos	1957
Senso	Senso	Luchino Visconti	Luchino Visconti/Paul Bowles/T. Williams (basado en una novela de Camillo Boito)	Italia	1954
Ser o no ser	To Be or Not to Be	Ernst Lubitsch	Justus Mayer	Estados Unidos	1942
Sierra de Teruel/Espoir	Sierra de Teruel/Espoir	André Malraux	André Malraux	Francia/España	1938
Sin novedad en el frente	All Quiet on the Western Front	Lewis Milestone	George Abbott/Del Andrews (basado en una novela de Erich Maria Remarque)	Estados Unidos	1930
Soñadores	The Dreamers	Bernardo Bertolucci	Gilbert Adair	Reino Unido	2003
Stalingrado	Stalingrad	Joseph Vilsmaier	Joseph Vilsmaier/Johannes Heide	Alemania	1992
Surcos	Surcos	José Antonio Nieves	José Antonio Nieves	España	1951
¿Teléfono rojo? Volamos hacia Moscú/ Doctor Insólito	Dr. Strangelove, or How I Learned to Stop Worrying and Love the Bomb	Stanley Kubrick	Stanley Kubrick/Terry Southern/Peter George (basado en una novela de Peter George)	Reino Unido	1963
Tiempos de gloria	Glory	Edward Zwick	Kevin Jarre	Estados Unidos	1989
Tiempos modernos	Modern Times	Charles Chaplin	Charles Chaplin	Estados Unidos	1936
Tierra y libertad	Land and Freedom	Ken Loach	Jim Allen	Reino Unido/Alemania/España	1994
Tora! Tora! Tora!	¡Tora! ¡Tora! ¡Tora!	Richard Fleischer/Kenji Fukasuka	Larry Forrester/Hideo Oguni	Estados Unidos	1970
Una mujer de París	A Woman of Paris	Charles Chaplin	Charles Chaplin	Estados Unidos	1923
Uno, dos, tres	One, Two, Three	Billy Wilder	Billy Wilder	Estados Unidos	1961
Viva l'Italia	Viva l'Italia	Roberto Rossellini	Sergio Amidei	Italia	1960
¡Viva Villa!	¡Viva Villa!	Jack Conway	Ben Hecht	México/Estados Unidos	

Y las nominadas a mejor película histórica son...

Título	Título original	Director	Guionista	País	Año
¡Viva Zapata!	¡Viva Zapata!	Elia Kazan	John Steinbeck (basado en una novela de Edgcumb Pichon)	México/Estados Unidos	1952
¡Vivir!	Huozhe/To Live	Zhang Yimou	Yu Hua	China	1994
Walkout	Walkout	Edward James Olmos	Marcus DeLeon/Ernie Contreras	Estados Unidos	2006
...Y el mundo marcha	The Crowd	King Vidor	King Vidor	Estados Unidos	1928
Yo soy la revolución	¿Quién sabe?:	Damiano Damiani	Salvatore Laurani	Italia	1967
Zoot Suit	Zoot Suit	Luis Valdez	Luis Valdez	Estados Unidos	1981
55 días en Pekín	55 Days at Peking	Nicholas Ray	Philip Yordan y Bernard Gordon	Estados Unidos	1963

Aunque no todas las películas nominadas son rigurosamente históricas, el cine es la mejor manera de retroceder vívidamente en el tiempo y de reinterpretar los hechos. En cada una de ellas encontrarás retazos de acontecimientos, lugares y personajes que han marcado el curso de la humanidad.

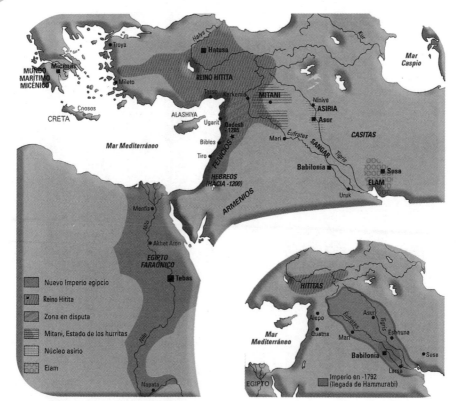

~ Egipto y el Oriente antiguo

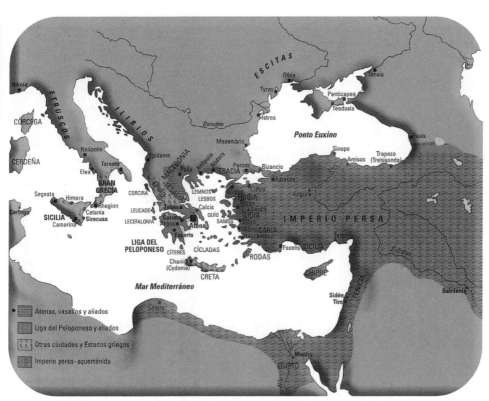

~ Atenas y el mundo griego en el siglo V a.C.

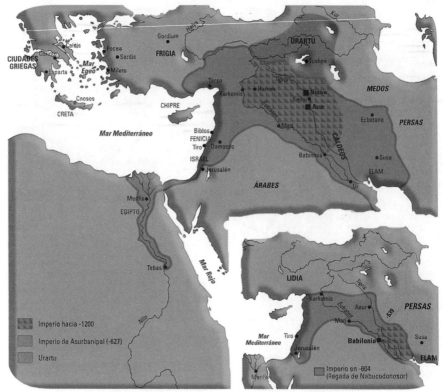

~ El Imperio asirio en su apogeo hacia 625 a.C.

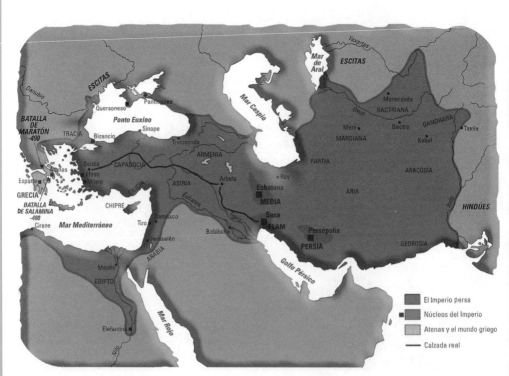

~ El Imperio persa-aqueménida hacia 500 a.C.

MAPAS

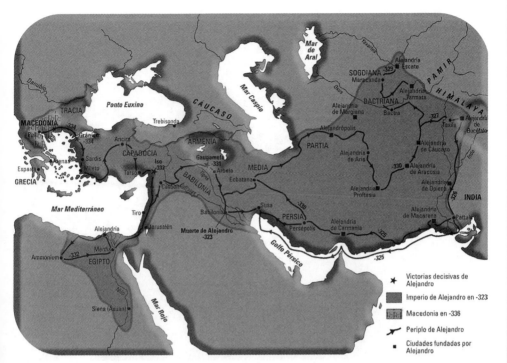

~ El Imperio alejandrino a la muerte de Alejandro

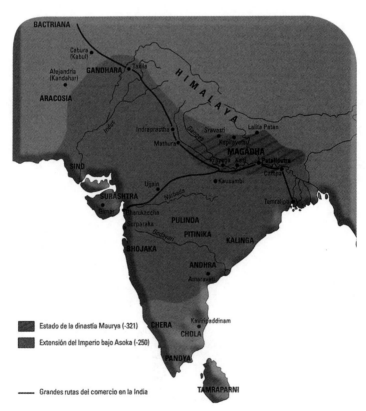

~ El Imperio maurya de Asoka en el 250 a.C.

MAPAS

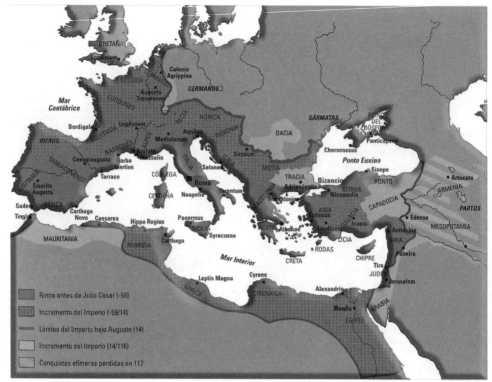

~ Crecimiento del Imperio romano

Roma antes de Julio César (-59)

Incremento del Imperio (-59/14)

Límites del Imperio bajo Augusto (14)

Incremento del Imperio (14/116)

Conquistas efímeras perdidas en 117

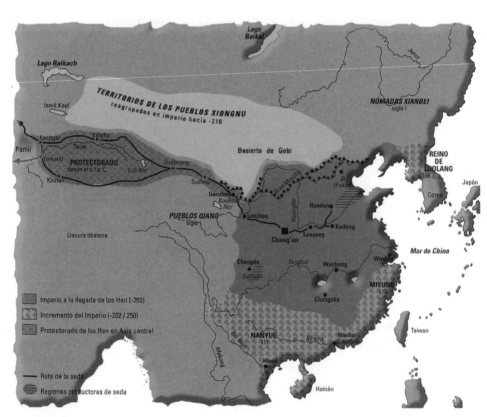

~ La China de los Han

Imperio a la llegada de los Han (-202)

Incremento del Imperio (-202 / 250)

Protectorado de los Han en Asia central

Ruta de la seda

Regiones productoras de seda

MAPAS

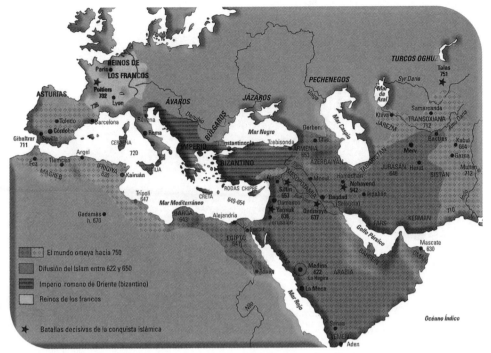

~ La expansión del Islam y el Imperio omeya hacia 750

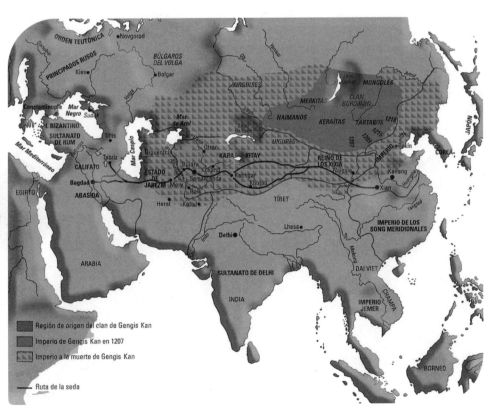

~ Gengis Kan y la expansión de los mongoles de 1207 a 1227

MAPAS

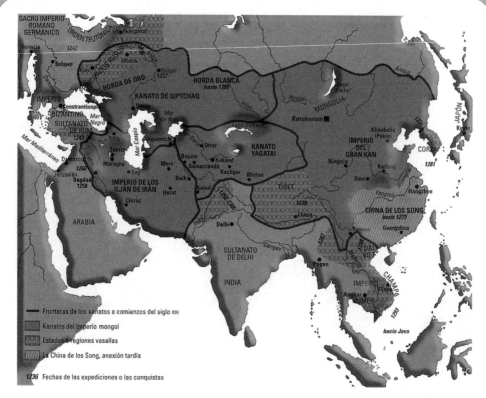

~ El Imperio mongol en el siglo XIII

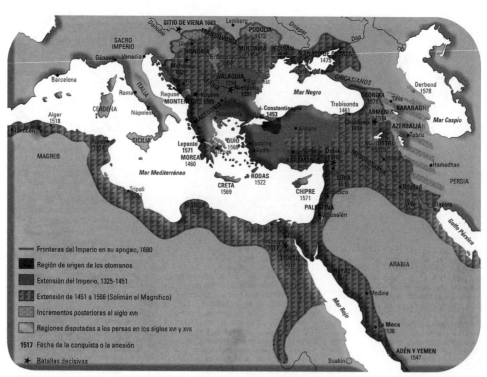

~ Crecimiento del Imperio otomano del siglo XIV al XVII

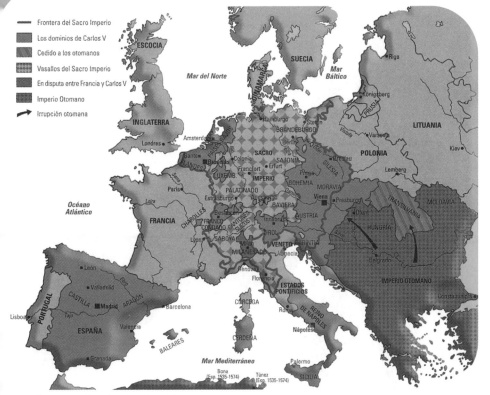

El Imperio de Carlos V en su apogeo

Frontera del Sacro Imperio
Los dominios de Carlos V
Cedido a los otomanos
Vasallos del Sacro Imperio
En disputa entre Francia y Carlos V
Imperio Otomano
Irrupción otomana

ESCOCIA
Mar del Norte
SUECIA
Mar Báltico
Riga
DINAMARCA
Königsberg
PRUSIA
LITUANIA
INGLATERRA
Amsterdam
Londres
Hamburgo
Stettin
BRANDEBURGO
Vístula
Varsovia
Kiev
Gante
PAÍSES BAJOS
Colonia
SACRO
SAJONIA
SILESIA
POLONIA
Bruselas
Francfort
Erfurt
Praga
Lemberg
LANDES
LUXEMB.
IMPERIO
BOHEMIA
MORAVIA
Océano
Atlántico
París
PALATINADO
Augsburgo
Danubio
Viena
Presburgo
TRANSILVANIA
MOLDAVIA
Estrasburgo
BAVIERA
Ofen
Sena
Besançon
AUSTRIA
CARINTIA
HUNGRÍA
FRANCIA
Loira
CHAROLLES
FRANCO
CONDADO
CANTONES
SUIZOS
INNSBRUCK
TIROL
Save
Lyon
SABOYA
MILÁN
VENETO
Belgrado
IMPERIO OTOMANO
MILANESADO
Génova
Venecia
León
Florencia
Constantinopla
Valladolid
CASTILLA
ARAGÓN
ESTADOS
PONTIFICIOS
Madrid
Barcelona
CÓRCEGA
REINO
DE NÁPOLES
Lisboa
PORTUGAL
Tajo
Roma
ESPAÑA
Valencia
CERDEÑA
Nápoles
BALEARES
Granada
Mar Mediterráneo
Bona
(Esp. 1535-1574)
Túnez
(Esp. 1535-1574)
Palermo
SICILIA

~ El Imperio de Carlos V en su apogeo

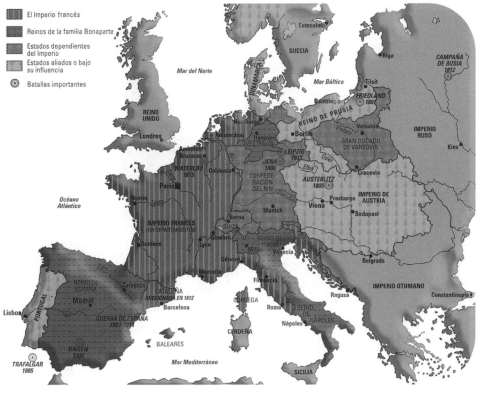

El Imperio francés
Reinos de la familia Bonaparte
Estados dependientes del Imperio
Estados aliados o bajo su influencia
Batallas importantes

Estocolmo
CAMPAÑA
DE RUSIA
1812
SUECIA
Mar del Norte
Mar Báltico
Riga
Tilsit
DINAMARCA
FRIEDLAND
1807
REINO
UNIDO
Hamburgo
REINO DE PRUSIA
Varsovia
IMPERIO
RUSO
Londres
Amsterdam
Hanover
Berlín
Vístula
GRAN DUCADO
DE VARSOVIA
Kiev
Bruselas
WESTFALIA
LEIPZIG
1813
Oder
WATERLOO
1815
Coblenza
JENA
1806
CONFEDE-
RACIÓN
DEL RIN
Cracovia
AUSTERLITZ
1805
Océano
Atlántico
París
Nantes
Loira
Berna
SUIZA
Múnich
Danubio
Presburgo
IMPERIO DE
AUSTRIA
Viena
Budapest
IMPERIO FRANCÉS
(130 DEPARTAMENTOS)
Ginebra
Lyon
REINO DE
ITALIA
Burdeos
Génova
Milán
Venecia
Marsella
Florencia
Belgrado
REINO
DE
ESPAÑA
Zaragoza
Ebro
CATALUÑA
ANEXIONADA EN 1812
Barcelona
CÓRCEGA
Roma
REINO
DE
NÁPOLES
IMPERIO OTOMANO
Constantinopla
Madrid
Ragusa
Lisboa
PORTUGAL
Tajo
GUERRA DE ESPAÑA
1807-1814
Nápoles
BAILÉN
1808
BALEARES
CERDEÑA
TRAFALGAR
1805
Mar Mediterráneo
SICILIA

~ El Imperio napoleónico en su apogeo hacia 1812

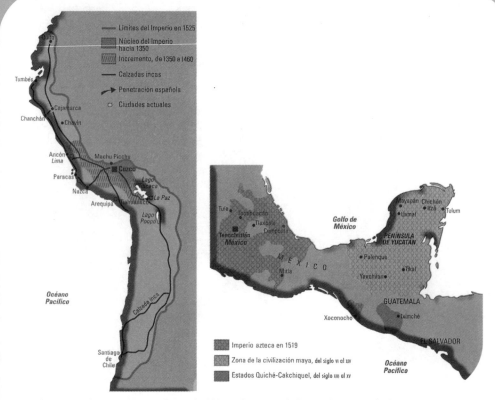

~ El Imperio azteca y las civilizaciones del antiguo México
~ El Imperio inca

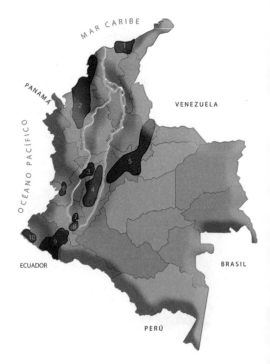

Cultura	Territorio
1. Tairona	Sierra Nevada de Sta. Marta
2. Sinú	Llanuras tropicales del Caribe
3. Quimbaya	Viejo Caldas
4. Pijao	Tolima y Huila
5. Muiscas	Altiplano cundiboyacense
6. Calima	Norte del Valle del Cauca
7. Tierradentro	Vertientes de los ríos Páez, Negro y La Plata
8. San Agustín	Cuenca del río Magdalena
9. Pastos y quillacingas	Departamento de Nariño
10. Tumaco	Zona de Nariño bañada por el Pacífico

~ Colombia aborigen

MAPAS

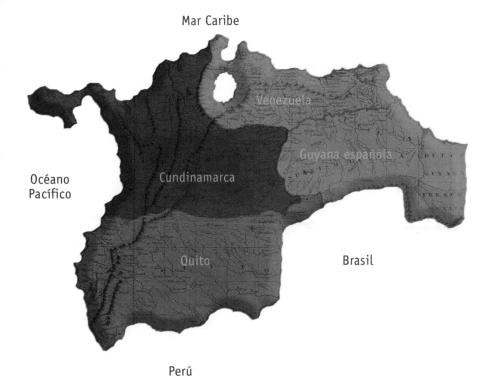

Mar Caribe

Venezuela

Océano
Pacífico

Cundinamarca

Guyana española

Quito

Brasil

Perú

~ La Gran Colombia

Santa Marta

Panamá

Cartagena

3

2

Medellín

5

4

Bucaramanga

Tunja

6

OCÉANO

PACÍFICO

Bogotá

7

RÍO ORINOCO

Popayán

1. Panamá
2. Bolívar
3. Magdalena
4. Antioquia
5. Santander
6. Boyacá
7. Cundinamarca
8. Cauca

8

RÍO AMAZONAS

~ La Nueva Granada

MAPAS

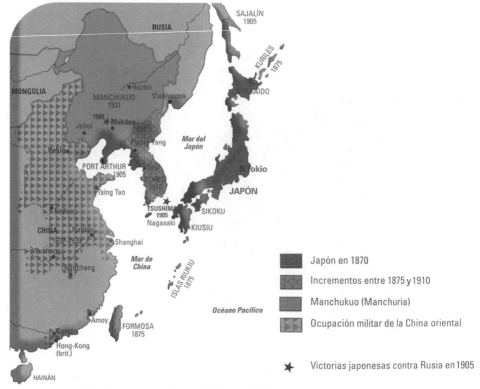

~ **La expansión japonesa de 1875 a 1939**

Japón en 1870

Incrementos entre 1875 y 1910

Manchukuo (Manchuria)

Ocupación militar de la China oriental

★ Victorias japonesas contra Rusia en 1905

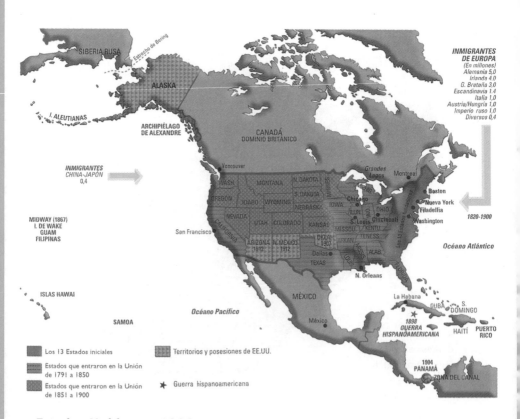

Los 13 Estados iniciales

Estados que entraron en la Unión de 1791 a 1850

Estados que entraron en la Unión de 1851 a 1900

Territorios y posesiones de EE.UU.

★ Guerra hispanoamericana

~ **Estados Unidos en 1900**

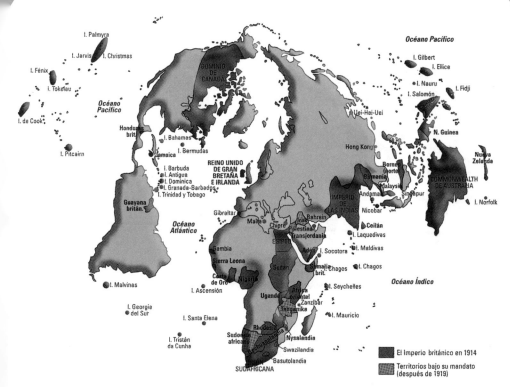

I. Palmyra
I. Jarvis I. Christmas
I. Fénix
I. Tokelau

Océano Pacífico

DOMINIO DE CANADÁ

Océano Pacífico

I. Gilbert
I. Ellice
I. Nauru
I. Salomón
I. Fidji

Uei-Hai-Uei

N. Guinea

I. de Cook

I. Pitcairn

Honduras brit.
I. Bahamas
Jamaica
I. Bermudas
I. Barbuda
I. Antigua
I. Dominica
I. Granada-Barbados
I. Trinidad y Tobago

REINO UNIDO DE GRAN BRETAÑA E IRLANDA

Hong Kong

Borneo (norte)
Birmania
Malasia
Singapur

Nueva Zelanda

COMMONWEALTH DE AUSTRALIA

I. Norfolk

Guayana britán.

Océano Atlántico

Gibraltar
Malta
Chipre
Irak
Palestina
Transjordania
EGIPTO

Bahrein

IMPERIO DE LAS INDIAS

Andaman
Nicobar
Ceitán

I. Laquedivas
I. Maldivas

Gambia
Sierra Leona
Costa de Oro Nigeria
Sudán
Adén
Somalie brit.
I. Socotora
Chagos
I. Chagos

Océano Índico

I. Malvinas
I. Ascensión
I. Georgia del Sur
I. Santa Elena

Uganda
Zanzíbar
Tanganika

Rhodesia
Sudoeste africano
Bechuanalandia
Nysalandia
Swazilandia
Basutolandia
SUDAFRICANA

Africa oriental

I. Seychelles
I. Mauricio

I. Tristán da Cunha

El Imperio británico en 1914
Territorios bajo su mandato (después de 1919)

~ El Imperio británico en su apogeo hacia 1920

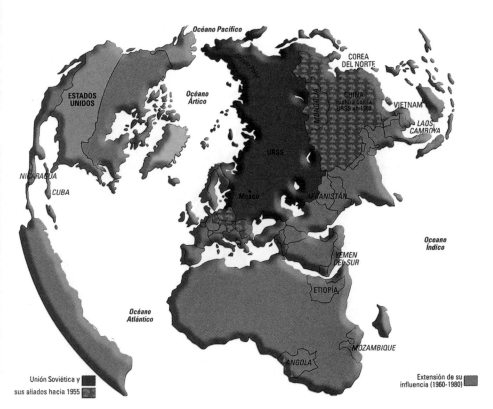

Océano Pacífico

COREA DEL NORTE

ESTADOS UNIDOS

Océano Ártico

Círculo Polar

MONGOLIA

CHINA
Ruptura con la URSS en 1959

VIETNAM

LAOS, CAMBOYA

NICARAGUA
CUBA

URSS

Moscú

AFGANISTÁN

YEMEN DEL SUR

Océano Índico

ETIOPÍA

Océano Atlántico

MOZAMBIQUE

ANGOLA

Unión Soviética y sus aliados hacia 1955

Extensión de su influencia (1960-1980)

~ El Imperio soviético en su apogeo de 1955 a 1980

MAPAS

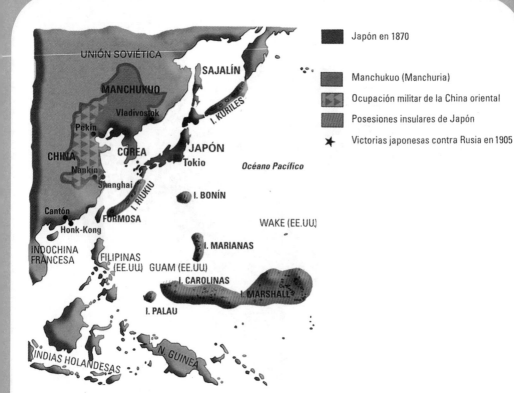

~ El Imperio nipón en 1939

Japón en 1870

Manchukuo (Manchuria)

Ocupación militar de la China oriental

Posesiones insulares de Japón

★ **Victorias japonesas contra Rusia en 1905**

UNIÓN SOVIÉTICA

SAJALÍN

MANCHUKUO

Vladivostok

I. KURILES

Pekín

CHINA

COREA

JAPÓN

Tokio

Océano Pacífico

Nankín

Shanghai

I. RIUKIU

I. BONÍN

Cantón

WAKE (EE.UU.)

Honk-Kong

FORMOSA

INDOCHINA
FRANCESA

FILIPINAS
(EE.UU.)

I. MARIANAS

GUAM (EE.UU.)

I. CAROLINAS

I. MARSHALL

I. PALAU

INDIAS HOLANDESAS

N. GUINEA

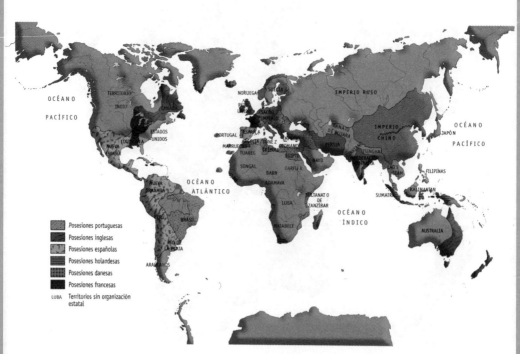

~ Colonialismo en el siglo XIX

OCÉANO
PACÍFICO

TERRITORIO
INDIO

CANADÁ

NORUEGA

SUECIA

IMPERIO RUSO

OCÉANO
PACÍFICO

PORTUGAL

ESPAÑA

SACRO
IMPERIO

KANATO
DE BUJARA

IMPERIO
CHINO

JAPÓN

ESTADOS
UNIDOS

LUISIANA

MARRUECOS

ARGELIA

TÚNEZ

IMPERIO
OTOMANO

PERSIA

TSINGHAI

OCÉANO
PACÍFICO

NUEVA
ESPAÑA

TUAREG

EGIPTO

CONFEDERACIÓN

LAO S

SIAM

FILIPINAS

SONGAI

MAYO

OCÉANO
ATLÁNTICO

BARN

DARFU R

SUMATRA

KALIMANTAN

NUEVA
GRANADA

ADAMAVA

PERÚ

BRASIL

LUBA

SULTANAT O
DE
ZANZÍBAR

OCÉANO
ÍNDICO

RÍO DE
LA PLATA

MATABELE

AUSTRALIA

ARAUCANOS

Posesiones portuguesas

Posesiones inglesas

Posesiones españolas

Posesiones holandesas

Posesiones danesas

Posesiones francesas

LUBA Territorios sin organización
estatal

MAPAS

Imperios centrales en 1914

Países alineados con los imperios centrales durante la guerra

Triple Entente en 1914

Países alineados con la Triple Entente durante la guerra

— Líneas del frente

Territorios conquistados por los imperios centrales

····· Bloqueo naval a Alemania (1916)

Zona de guerra submarina

Principales batallas

····· Línea de la Paz de Brest-Litovsk

→ Cuerpo expedicionario de Estados Unidos (1917

→ Ofensivas victoriosas de los aliados (1918)

~ **Primera Guerra Mundial**

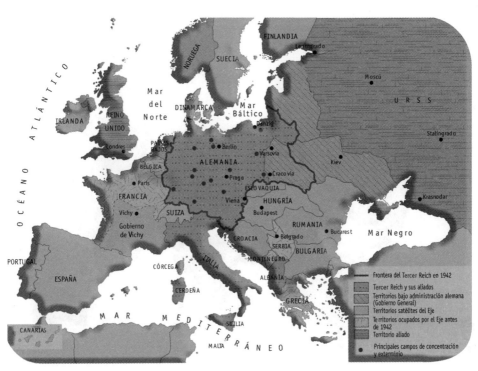

—— Frontera del Tercer Reich en 1942

····· Tercer Reich y sus aliados

Territorios bajo administración alemana (Gobierno General)

Territorios satélites del Eje

Territorios ocupados por el Eje antes de 1942

Territorio aliado

● Principales campos de concentración y exterminio

~ **Segunda Guerra Mundial**

MAPAS

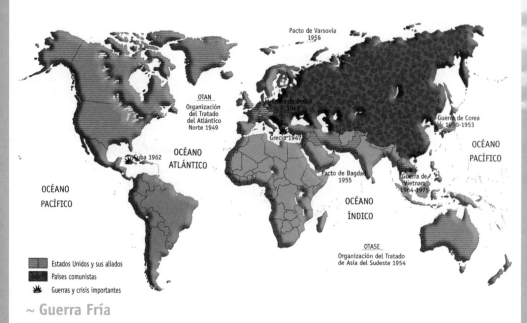

OTAN
Organización
del Tratado
del Atlántico
Norte 1949

Pacto de Varsovia
1955

OCÉANO
ATLÁNTICO

OCÉANO
PACÍFICO

Crisis de Berlín
1948

Grecia 1947

Cuba 1962

OCÉANO
PACÍFICO

Pacto de Bagdad
1955

OCÉANO
ÍNDICO

Guerra de Corea
1950-1953

Guerra de
Vietnam
1964-1975

OTASE
Organización del Tratado
de Asia del Sudeste 1954

Estados Unidos y sus aliados
Países comunistas
Guerras y crisis importantes

~ Guerra Fría

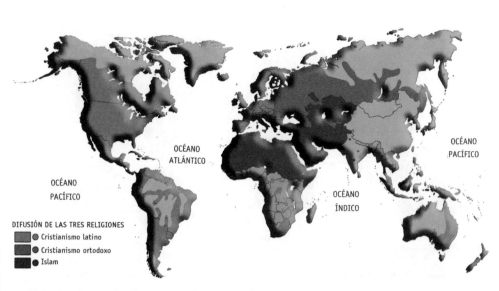

OCÉANO
ATLÁNTICO

OCÉANO
PACÍFICO

OCÉANO
PACÍFICO

OCÉANO
ÍNDICO

DIFUSIÓN DE LAS TRES RELIGIONES
● Cristianismo latino
● Cristianismo ortodoxo
● Islam

~ Cristianismo latino, ortodoxo e Islam

MAPAS

¿QUÉ HAY AQUÍ?
Índice temático

© Elizabeth Jiménez

Nació en Bogotá, Colombia. Es graduada en Filosofía y Letras de la Universidad de los Andes de Bogotá, y fue docente de historia retrospectiva de los pueblos en varias universidades de la capital. En sus clases se estudiaban temas como la Guerra del golfo Pérsico, la disolución de la Unión Soviética y la caída del *apartheid*, entre otros. Ha trabajado como analista internacional para la cadena Radionet y Caracol Televisión. Transmitió el análisis histórico de la invasión de Estados Unidos a Iraq presentado por Caracol TV en el año 2003. Ganadora del Premio Simón Bolívar de Periodismo por la mejor emisión cultural en la radio en 2002, y nominada al Premio CPB en Radio en 2003 y 2004. Fue invitada por la Unión Europea para estudiar la reunificación de Alemania, por el gobierno brasileño y la UNESCO para estudiar la Ruta del Oro y las ciudades patrimonio histórico de la humanidad, y recientemente la *Japan Foundation* la invitó a profundizar en la historia y la religión del pueblo japonés. Dirige proyectos de viaje a Europa oriental (República Checa, Rumania, Hungría y Polonia); Grecia, Turquía y Chipre; Rusia; Indochina (Vietnam, Cambodia, Myanmar y Tailandia); Siria, Líbano y Jordania; y los *tours* especiales «Egipto milenario» e «India clásica y Rajasthán». También dicta conferencias sobre diversos temas de historia mundial para varias entidades e instituciones. En su programa radial «La Historia del mundo» realiza un recorrido contextual de las civilizaciones, relacionándolas con la cultura, el cine, el arte y la música. Se emite actualmente en la cadena básica de Caracol Radio, 810 en AM, todos los domingos de 10:00 a 11:00 a.m.

www.diana-uribe.com   **diauribe@hotmail.com**

AGRADECIMIENTOS
A Tatiana Grosch, Carolina López, Ana María Sánchez, Santiago Mosquera, Juan Guillermo Llano, Ricardo Espinosa y Carolina Luna, sin los cuales no habría sido posible este proyecto.